Chris Bradford

BO**DYGUARD**

Der Hinterhalt

cbj

DER AUTOR

CHRIS BRADFORD recherchiert stets genau, bevor er mit dem Schreiben beginnt: Für seine neue Serie »Bodyguard« belegte er einen Kurs als Personenschützer und ließ sich als Leibwächter ausbilden. Bevor er sich ganz dem Bücherschreiben widmete, war Chris Bradford professioneller Musiker und trat sogar vor der englischen Königin auf. Seine Bücher wurden in über zwanzig Sprachen übersetzt und vielfach ausgezeichnet. Chris Bradford lebt mit seiner Frau, seinen beiden Söhnen und zwei Katzen in England.

Bereits erschienen:

Band 1: Bodyguard – Die Geisel (40275)
Band 2: Bodyguard – Das Lösegeld (40276)

Mehr Informationen zur
Bodyguard-Serie unter:

www.cbj-verlag.de/bodyguard

CHRIS BRADFORD

BODYGUARD

DER HINTERHALT

Aus dem Englischen von
Karlheinz Dürr

cbj

Kinder- und Jugendbuchverlag
in der Verlagsgruppe Random House

Die Verlagsgruppe Random House weist ausdrücklich darauf hin, dass bei Links im Buch zum Zeitpunkt der Linksetzung keine illegalen Inhalte auf den verlinkten Seiten erkennbar waren. Auf die aktuelle und zukünftige Gestaltung, die Inhalte oder die Urheberschaft der verlinkten Seiten hat der Verlag keinerlei Einfluss. Deshalb distanziert sich die Verlagsgruppe hiermit ausdrücklich von allen Inhalten der verlinkten Seiten, die nach der Linksetzung verändert wurden, und übernimmt für diese keine Haftung.

Verlagsgruppe Random House FSC® N001967
Das für dieses Buch verwendete FSC®-zertifizierte
Papier *Super Snowbright* liefert Hellefoss AS, Hokksund, Norwegen.

3. Auflage
Erstmals als cbj Taschenbuch Januar 2016
Gesetzt nach den Regeln der Rechtschreibreform
© 2016 für die deutschsprachige Ausgabe:
cbj Kinder- und Jugendbuchverlag
in der Verlagsgruppe Random House, München
Alle deutschsprachigen Rechte vorbehalten
© 2015 der englischen Originalausgabe: Chris Bradford
Erstmals erschienen unter dem Titel »Bodyguard – Ambush«
bei Puffin Books, einem Imprint von Penguin Books Ltd., UK
Übersetzung: Karlheinz Dürr
Lektorat: Andreas Rode
Umschlagfoto: Richard Jenkins
Umschlaggestaltung: © semper smile,
unter Verwendung des Originalumschlags
© Cover art by Larry Rostant represented by Artist Partners
MP · Herstellung: ReD
Satz: KompetenzCenter, Mönchengladbach
Druck: CPI books GmbH, Leck
ISBN 978-3-570-40315-0
Printed in Germany

www.cbj-verlag.de

Zu Ehren der HGC –
ihr wisst, wer ihr seid!

PROLOG

NoMercy nahm die AK-47 in die linke Hand und wischte sich die rechte am T-Shirt ab. Seine Finger waren schweißnass, das Sturmgewehr schwer. Für das, was er vorhatte, musste die Waffe gut und sicher in den Händen liegen. Der Dschungel ringsum pulsierte vor Gefahren, in jedem düsteren Schatten konnte ein Feind lauern. Die Sonne brannte erbarmungslos vom Himmel über Afrika, schaffte es aber kaum, durch das dichte Blätterdach zu dringen. Der Dschungel, der in Burundis nördlichem Grenzland im Überfluss vorhanden war, absorbierte die Hitze des Tages langsam, aber beständig und verwandelte sich so in eine lebende Hölle.

Wolken von Moskitos summten in der feuchtschwülen Luft; Affen schnatterten ängstlich in den Wipfeln. NoMercy rückte gemeinsam mit seinen Waffenbrüdern durch den Wald vor. Für einen eiskalten Drink hätte er seinen linken Arm gegeben. Aber er blieb nicht stehen – er *durfte* nicht stehen bleiben, bevor der General nicht den ausdrücklichen Befehl gegeben hatte. Und so war er gezwungen, sich den Schweiß von der Oberlippe zu lecken, was nun wirklich ein schwacher Ersatz für einen Schluck Wasser war.

Während er in Richtung des Treffpunkts vorrückte, hielt er ständig nach Sprengfallen und alten Minen aus dem Bürgerkrieg Ausschau. Irgendwann wurde ihm bewusst, dass die Affen in den Baumwipfeln verstummt waren. Dann merkte er, dass der gesamte Dschungel still geworden war. Nur das leise, unvermeidliche Summen der Fliegenschwärme war noch zu hören.

Der General reckte die geschlossene Faust in die Luft; der Trupp hielt an. NoMercy ließ den Blick rundum schweifen, um sich zu vergewissern, dass nirgendwoher Gefahr drohte. Doch er sah nichts außer hoch aufragenden Baumstämmen, grünen Lianen und dichten Palmwedeln. Dann, urplötzlich, trat ein Weißer hinter einem Baumstamm hervor.

NoMercy schwang sofort die AK-47 zu ihm herum, den Finger am Abzug.

Der Weiße verzog keine Miene. Seine Gesichtshaut erinnerte NoMercy an fahles Elfenbein. Ohne mit der Wimper zu zucken, ließ der Fremde den Blick über die verwahrloste Rebellenbande in ihren zusammengewürfelten Uniformen gleiten, über ihre dreckigen T-Shirts, auf denen noch die ausgebleichten Logos verschiedener Hilfsorganisationen zu erkennen waren, und über ihre veralteten und angerosteten Waffen. Schließlich fasste er NoMercy ins Auge, der die AK-47 immer noch auf seine Brust gerichtet hielt.

NoMercy kam der Weiße fast wie ein Außerirdischer vor, jedenfalls ein Mensch, der hier im Dschungel völlig fehl am Platz wirkte. Er trug ein makelloses olivgrünes Hemd, eine Cargohose und schwarze Springerstiefel; die brütende Hitze schien ihm nicht das Geringste auszumachen. Er war weder außer Atem, noch schwitzte er. Selbst die Moskitos schienen sich von ihm fernzuhalten. Der Fremde war wie eine Echse, kaltblütig und unmenschlich.

NoMercy hielt die Mündung der AK-47 weiterhin auf den Mann gerichtet. Sein Zeigefinger juckte förmlich danach, endlich auf den Abzug drücken zu dürfen. Ein Wort des Generals würde genügen, selbst das leichteste Nicken, und die AK-47 würde den Mann mit einem Kugelhagel durchsieben. NoMercy tötete unbarmherzig, ohne eine Spur von Mitleid; er trug seinen Kampfnamen nicht ohne Grund.

General Pascal trat vor. Der burundische General war eine eindrucksvolle Erscheinung: Furcht einflößend, stark und groß wie ein Silberrücken-Gorilla überragte er den Weißen um einen guten Kopf. Er trug Tarnkleidung und ein Barett, so rot wie frisches Blut. Sein dunkles, pockennarbiges Gesicht jagte jedem Dorfbewohner, der ihn zu sehen bekam, Schreckensschauder über den Rücken, und seine eisenharten Fäuste trugen die schwieligen Narben unzähliger Faustschläge, die jeder zu spüren bekam, der dumm genug war, sich ihm in den Weg zu stellen.

»Dr. Livingstone, nehme ich an?«, fragte der General. Sein bleistiftdünner Schnauzbart verzog sich zu einem entwaffnenden Lächeln, mit dem bei diesem brutalen Mann niemand gerechnet hätte.

»Sie haben offenbar Sinn für Humor, General«, gab der Weiße zurück, seinerseits jedoch ohne den geringsten Anflug von Humor. »Und jetzt befehlen Sie mal dem Knaben dort, er soll mit seiner Knarre woanders hinzielen, bevor ihm jemand eine Kugel gibt.«

NoMercy hob wütend die Waffe noch ein bisschen höher, als er die Beleidigung hörte. Er mochte zwar erst fünfzehn sein, aber das Alter spielte schließlich keine Rolle, denn wer die Waffe hat, hat die Macht.

Der General winkte ihm lässig, das Gewehr zu senken. NoMercy folgte dem Befehl zögernd und schob schmollend die Unterlippe vor. Jetzt hing die mächtige AK-47 schlaff am

Gurt und sah an dem mageren Jungen wie eine überdimensionale Wasserpistole aus.

»Haben Sie den Stein?«, fragte der Fremde.

General Pascal schnaubte verächtlich. »Ihr Weißen! Kommt immer gleich zur Sache!« Er betrachtete den Mann von oben bis unten. »Aber unser Geschäft hat schließlich zwei Seiten. Haben Sie meine Waffen?«

»Erst der Stein.«

»Vertrauen Sie mir nicht, Mr Grey?«

Der Weiße gab keine Antwort. Das verwirrte NoMercy noch mehr. Dass der Fremde keinerlei Furcht zeigte, obwohl er dem berüchtigten General gegenüberstand, konnte nur bedeuten, dass er unerhört mutig war – oder unglaublich dumm. General Pascal hatte schon wegen viel geringerer Vergehen, als keine Antwort auf seine Frage zu geben, Leuten die Hände abgehackt. Dann schoss NoMercy ein furchtbarer Gedanke durch den Kopf, der ihn erschaudern ließ: dass dieser Mr Grey vielleicht sogar *noch gefährlicher* als der General selbst sein könnte.

General Pascal nickte NoMercy zu. »Zeig ihm den Stein.«

NoMercy zog einen schmutzigen Stoffbeutel aus der Tasche seiner zwei Nummern zu großen Tarnjacke. Er reichte das Bündel dem Fremden, wobei er vorsichtig vermied, dessen aschfarbene Haut zu berühren. Mr Grey schüttete den Inhalt des Beutels in die Hand. Ein großer hellrosa Kristall fiel auf die offene Handfläche. Mr Grey nahm eine Juwelierlupe aus der Tasche und inspizierte den unauffälligen, schlichten Stein genau. Nachdem er ihn eine Weile von allen Seiten betrachtet hatte, verkündete er: »Armselige Qualität.«

Der General ließ ein donnerndes Lachen hören, das durch die Stille des Dschungels dröhnte. »Sie halten mich wohl für einen Idioten, Mr Grey. Wir beide wissen doch ganz genau, dass das hier ein sehr wertvoller *rosa* Diamant ist.«

Mr Grey tat so, als würde er den Stein noch einmal, aber genauer, untersuchen. Das kleine Machtspiel gehörte eben zum Verhandlungsprozess. Schließlich seufzte er widerwillig. »Er deckt vielleicht die erste Waffenlieferung, mehr nicht«, sagte er und fügte nach kurzer Pause hinzu: »Gibt es dort, wo er herkommt, noch mehr davon?«

Der General bedachte ihn erneut mit seinem entwaffnenden Lächeln. »Mehr, als Sie sich jemals erträumen könnten.«

»Haben Sie das Gebiet gesichert, in dem die Diamanten gefunden wurden?«

»Noch nicht«, gab der General zu, »aber mit Ihren Waffen werden wir das tun können.«

Mr Grey ließ den Stein in den Beutel fallen und steckte ihn in die Tasche. »Equilibrium wird die Waffen liefern, die Sie brauchen – unter einer Bedingung: Sobald Sie, General, an der Macht sind, werden Sie der Organisation die alleinigen Schürfrechte für das Gebiet übertragen. Einverstanden?«

»Einverstanden«, stimmte General Pascal zu und bot dem Weißen seine fleischige Pranke.

Mit offensichtlichem Widerstreben schüttelte ihm Mr Grey die Hand.

NoMercy schaute zu, als die beiden Männer das Geschäft mit ihrem Handschlag besiegelten. Und dann zuckte er zusammen, als plötzlich im Dschungel starke Motoren aufheulten. Zwei riesige Militärtrucks pflügten wie Bulldozer auf dem unbefestigten, halb überwachsenen Dschungelweg daher. Auf ihren Ladeflächen waren Waffenkisten aufgestapelt: brandneue AK-47, Browning M2-Maschinengewehre, Granatwerfer und zahlreiche Kisten Munition.

»Versuchen Sie bloß nicht, uns auszutricksen, General«,

überschrie Mr Grey das Brüllen der Motoren. »Denn dann wäre Ihr kleiner Bürgerkrieg ein Honigschlecken im Vergleich zu dem, was wir mit Ihnen und Ihren Männern anstellen werden.«

Der General lächelte unerschütterlich. »Das gilt auch für Sie, mein Freund, für Sie und für Ihre Leute.«

»Dann sind wir im Geschäft«, antwortete Mr Grey und verschmolz mit den Schatten des Dschungels.

KAPITEL 1

Connor wurde brutal aus dem Schlaf gerissen. Ein Sack wurde ihm über den Kopf gestülpt. Der dichte, dunkle Stoff ließ keinen Lichtschimmer durch. Während er nach Atem rang, rissen ihm kräftige Hände die Arme hinter den Rücken. Er wehrte sich heftig, aber schon wurden ihm Kabelbinder so fest um die Hand- und Fußgelenke zusammengezogen, dass er sich nicht mehr rühren konnte.

»Lasst mich los!«, schrie er und warf sich heftig hin und her, aber an Flucht war nicht mehr zu denken. Brutal aus dem Schlaf gerissen, empfand er nichts als Verwirrung und blinde Panik. Wieder warf er sich hoch, und dieses Mal trafen seine gefesselten Beine einen der Leute, die ihn überfielen. Er hörte ein schmerzhaftes Aufstöhnen.

Nun wurde Connor noch von weiteren Händen gepackt und auf die Füße gestellt. Er wurde aus dem Zimmer geschleppt, wobei seine Füße über den Teppich schleiften. Laut schrie er: »HILFE! HILFE!«

Aber niemand antwortete, niemand reagierte auf seinen Hilfeschrei, der ohnehin durch die Stoffhaube gedämpft wurde.

Plötzlich schlug Connor eiskalter Wind entgegen. Sie hatten ihn ins Freie geschleppt. Er zitterte noch immer vor Schock über den Überfall, und sein Herz raste, aber er wusste, dass er sich in den Griff kriegen musste, wenn er diese Sache überleben wollte. Während seiner Bodyguard-Ausbildung hatte er auch gelernt, wie man eine Geiselnahme übersteht. Demnach waren die ersten dreißig Minuten nach der Entführung die gefährlichsten. In diesem Zeitraum waren die Entführer extrem angespannt, übernervös und somit höchst unberechenbar.

»In diesem Stadium musst du möglichst ruhig und absolut aufmerksam bleiben«, hatte seine Trainerin Jody erklärt, »obwohl es jedem menschlichen Instinkt zuwiderläuft. Achte genau auf alles, das dir einen Hinweis auf den Ort geben könnte, an dem du dich befindest, oder darauf, wer deine Entführer sind.«

Schritte knirschten auf Kies. Drei Paar Schuhe, glaubte Connor zu hören, und schon diese Entdeckung gab ihm das Gefühl, die Kontrolle nicht völlig verloren zu haben. Er hörte, dass ein Kofferraum geöffnet wurde. Einen Augenblick später wurde er in ein Fahrzeug gestoßen; der Kofferraumdeckel wurde zugeschlagen.

Nein, kein Kofferraum, korrigierte Connor sich in Gedanken. Bei einem Kofferraum hätte man ihn über den Rand *heben* müssen. Stattdessen hatte man ihn in das Fahrzeug geschoben oder vielmehr gestoßen.

Ein Motor wurde gestartet; das tiefe, kräftige Brummen bestätigte seinen Verdacht: Seine Entführer hatten ihn in einen Geländewagen verfrachtet.

Der Wagen setzte sich ruckartig in Bewegung; auf dem Kies drehten die Reifen kurz durch, als der Fahrer zu viel Gas gab. Connor wurde zurückgeworfen, sein Kopf schlug so heftig gegen die Rückwand, dass er buchstäblich Sterne sah und ihm ein heftiger Schmerz durch den Kopf schoss. Die letzten Reste von Schläfrigkeit waren wie weggewischt.

Jemand muss die Entführung doch beobachtet haben, dachte er, als er nun endlich wieder einen klaren Gedanken fassen konnte. Bestimmt wird jemand Alarm auslösen.

Das Knirschen von Kies hörte auf; der Wagen fuhr jetzt auf Asphalt. Er bog scharf nach links ein, dann beschleunigte er. Während das Auto die Straße entlangraste, versuchte Connor, sich die Strecke vorzustellen. Aufmerksam zählte er die Sekunden bis zur nächsten Kurve.

Siebenundsechzig... achtundsechzig... neunundsechzig... Das Allradfahrzeug fuhr in eine scharfe Rechtskurve. Connor begann erneut zu zählen, sodass er sich allmählich einen ungefähren Streckenverlauf vorstellen konnte. Er spürte, wie das Fahrzeug einen sehr kurzen Hügel hinauf und wieder hinunter fuhr – das musste eine alte, kleine Brücke gewesen sein. Er zählte weiter. Vierundzwanzig... fünfundzwanzig... sechsundzwanzig...

Die Entführung verblüffte ihn. Gewöhnlich wurden die Klienten entführt, die Personen, die ein Bodyguard beschützen sollte, aber nicht die Bodyguards. Seine Entführer mussten einen Fehler gemacht haben.

Pech, Leute, ihr habt den Falschen erwischt!, dachte er.

Außerdem war er gar nicht auf einer offiziellen Mission. Doch dann beschlich ihn ein unangenehmer Gedanke: Vielleicht hatten die Entführer tatsächlich den *Richtigen* entführt?

Connor versuchte, seine Position zu verändern, um mehr Platz für seine Hände zu bekommen. Aber er wurde gegen die Rückseite des Fahrzeugs gepresst und seine Hand- und Fußgelenke waren so eng gefesselt, dass die Plastikbinder in die Haut schnitten und die Blutzirkulation verringerten. Er versuchte, eine Hand aus der Schlinge zu ziehen, erreichte aber nur, dass der Binder, vermutlich extrastarke Qualität, noch tiefer einschnitt. So sehr er sich auch abmühte, der Binder riss nicht.

Als er bis siebenundvierzig gezählt hatte, schwang der Wagen urplötzlich nach rechts. Nach weiteren zehn Sekunden bog er nach links ab. Und kurz darauf noch einmal. Bis zum sechsten Abbiegen hintereinander hatte Connor bereits die Orientierung verloren – die gedachte Landkarte war nur noch ein einziges Chaos. Anscheinend fuhr der Geländewagen im Kreis, um den Gefangenen absichtlich zu verwirren. Über den Motorenlärm und die Fahrgeräusche hinweg horchte Connor angestrengt auf Gesprächsfetzen im Fahrzeug. Vielleicht konnte er so Aufschluss über die Identität der Entführer bekommen: Akzent, Sprache, Geschlecht, vielleicht sogar ein Name. Aber es blieb still, was ihn noch mehr beunruhigte. Connor folgerte daraus, dass er es mit Profis zu tun hatte. Es war gar nicht anders möglich, denn sonst hätten die Entführer es nicht geschafft, die Sicherheitsvorkehrungen im Buddyguard-Hauptquartier auszutricksen.

Vielleicht haben die Kidnapper etwas mit meiner letzten Mission zu tun?, dachte er.

Bestenfalls konnte er hoffen, dass die Entführer ein Lösegeld herausholen wollten. In diesem Fall wäre er für sie lebend weit mehr wert als tot. Aber wenn sie ihn verhören oder ihn als Geisel für irgendeinen politischen oder religiösen Protest benutzen wollten, würden sie ihn wahrscheinlich irgendwann umbringen. In diesem Fall würde er einen Fluchtversuch riskieren müssen.

Jedenfalls musste er ihre Pläne so schnell wie möglich herausfinden – davon konnte sein Leben abhängen.

Endlich kam der Allradwagen zum Stillstand. Der Motor wurde abgeschaltet. Die Hecktür wurde geöffnet und Connor wurde nicht sehr sanft aus dem Wagen gezerrt. Ein grausam kalter Wind ließ ihn schaudern; sein T-Shirt bot nur wenig Schutz gegen die eisige Winterkälte. Zwei Entführer packten ihn an den Oberarmen und schleppten ihn mit sich. Durch die Kopfhaube roch Connor einen kaum wahrnehmbaren Parfümduft. War etwa einer der Entführer eine Frau?

»Wohin bringt ihr mich?«, wollte Connor wissen. Seine Stimme klang jetzt ruhig; er hoffte, dass die Frau antworten würde.

Aber die Kidnapper blieben schweigsam. Sie zogen ihn so schnell von dem Wagen weg, dass Connor ins Stolpern kam. Er hörte das leise Zischen einer Tür, die aufglitt. Ein Schwall warmer Luft begrüßte ihn, willkommene Wärme nach der Kälte draußen, und statt Asphalt spürte er jetzt weichen Teppich unter den Füßen. Die Unbekannten führten ihn weiter in das Gebäude hinein. Connor stieg der Geruch dünstender Zwiebeln in die Nase und er hörte gedämpftes Klappern von Töpfen und Pfannen. Dann verklangen die Küchengeräusche wieder. Er wurde noch ein paar Dutzend Schritte in einen anderen Raum geführt, dann stießen sie ihn unsanft auf einen Stuhl. Die Rückenlehne presste schmerzhaft gegen seine gefesselten Hände, aber er konnte beide Füße auf den Boden setzen. Er richtete sich auf, um vor seinen Entführern wenigstens einen Rest von Würde zu bewahren und nicht wie ein nasser Sack in sich zusammenzusinken. Und um jederzeit aufspringen zu können, sollte sich eine Gelegenheit ergeben.

In dem Raum, in den sie ihn gebracht hatten, herrschte absolute Stille, aber eine Stille, die verriet, dass sich noch andere Personen im Raum befanden.

Niemand sprach. Nach einer Weile fragte Connor scharf: »Was soll das? Wer seid ihr? Was wollt ihr von mir?«

»Was wir wollen, spielt keine Rolle«, antwortete eine Männerstimme. »Die Frage ist eher, was *du* willst.«

KAPITEL 2

Die Stoffhaube wurde ihm so plötzlich vom Kopf gerissen, dass er für einen Moment geblendet die Augen schließen musste. Als er sie wieder öffnete, sah er im Schein greller Deckenstrahler, dass er am Kopfende eines langen Glastisches saß, der für ein Dinner festlich gedeckt war. So desorientiert, wie er war, brauchte er ein paar Sekunden, bis er die Leute erkannte, die sich in dem Raum befanden.

»Happy Birthday to you!«, sang das gesamte Alpha-Team.

Connor blieb buchstäblich der Mund offen stehen, während er die anderen Buddyguards nacheinander anstarrte – Charley, Amir, Ling, Jason, Marc und Richie saßen an den beiden Tischseiten. Und am anderen Ende saßen Colonel Black und Connors Personenschutztrainer Jody, Steve und Bugsy.

»Was zum ...?«, rief Connor und wusste nicht, ob er sich erleichtert fühlen, sich freuen oder einfach furchtbar wütend sein sollte.

Auf Colonel Blacks hartem, faltigem Gesicht breitete sich ein Lächeln aus, was ausgesprochen selten vorkam. »Freut mich, dass du kommen konntest.«

Connor hatte es die Sprache verschlagen. Er hatte wirklich geglaubt, dass er irgendeiner Terroristenzelle in die Hände gefallen war oder, noch schlimmer, zu Tode gefoltert werden sollte. Und nicht, dass die »Entführung« in einem schicken Restaurant irgendwo am Rande der Brecon Beacons in Wales enden würde.

Charley lächelte ihn strahlend an und reichte ihm die Speisekarte. »Also – was willst du?«, fragte sie.

Connor warf nur einen flüchtigen Blick auf die Karte; er war immer noch davon geschockt, wie clever sie ihn hereingelegt hatten.

»Du hast dir vor Angst fast in die Hose gemacht!«, lachte Ling.

Die Bemerkung riss Connor endlich aus seiner Benommenheit. »Nein, hab ich nicht! Ich hatte immer alles voll unter Kontrolle!«

»Ja, genau, so unter Kontrolle wie eine Weihnachtsgans in der Bratpfanne!«, kicherte Jason.

»Na, ich wusste jedenfalls, dass ich in einem Allradwagen transportiert wurde und dass wir nicht mal eine Viertelstunde vom Hauptquartier entfernt sind. Außerdem hab ich festgestellt, dass es drei Kidnapper waren und dass eine Frau zu ihnen gehörte.« Dabei warf er Jody einen Blick zu, die eine schwarze Lederjacke trug und ihr dunkelbraunes Haar zu einem Pferdeschwanz zusammengebunden hatte.

»Wirklich?«, fragte Jody unbeeindruckt. »Und wieso?«

»Ihr Parfüm hat Sie verraten.«

Sie hob anerkennend eine Augenbraue. »Dann hast du ja wirklich einen klaren Kopf behalten. Das ist immer gut, und ganz besonders für einen Bodyguard.«

»Du bist wirklich ein schlüpfriger Fisch, Connor«, gab Bugsy zu, der kahlköpfige Trainer für Überwachungstechniken. Er rieb sich das Stoppelkinn, das schmerzhafte Bekanntschaft mit Connors Absatz gemacht hatte. »Bin froh, dass wir dich zuerst immobilisiert hatten, sonst hätten wir dich womöglich gar nicht in den Range Rover gebracht.«

Connor spürte, dass seine Würde wenigstens teilweise wiederhergestellt war: Er hatte bewiesen, dass er in einer schwierigen Situation nicht den Kopf verloren hatte und sich vielleicht sogar selbst in Sicherheit hätte bringen können. Jetzt, da der Schock nachließ, konnte er allmählich sogar die komische Seite an der Sache sehen.

»Na, jedenfalls ist das ein Geburtstagsgeschenk, das ich nicht so schnell vergessen werde! Und ganz bestimmt werde ich nach einer Nachtschicht nie mehr im Aufenthaltsraum einschlafen!«, rief er lachend. Er stand auf und reckte den anderen seine immer noch gefesselten Hände entgegen. »Vielleicht kann mir mal jemand endlich diese Dinger hier abnehmen?«

Amir stand sofort auf, aber der Colonel schüttelte den Kopf und winkte ihm, sich wieder zu setzen.

Connor runzelte die Stirn. »Aber wie soll ich denn damit meine Geschenke auspacken?«, rief er mit übertrieben jammernder Stimme.

»Dürfte ein wenig schwierig werden«, stellte Colonel Black gelassen fest. »Es sei denn, du kannst dich selbst befreien.«

Connor schaute den Colonel ungläubig an. »Sie machen sich über mich lustig, stimmt's? Das sind Kabelbinder, extrastark, die kann man nicht zerreißen, ich hab's schon versucht.« Er zeigte ihnen die wundgescheuerten Stellen an den Gelenken.

»Dann wird es höchste Zeit, dass du es lernst«, sagte der Colonel und nickte Steve zu, dem Trainer für unbewaffneten Kampf. Steve war 1,85 Meter groß und gebaut wie ein Panzer, ein ehemaliger Soldat der britischen Special Forces, der jeden im Raum überragte. Er streckte Jody Hände entgegen, die wie Vorschlaghämmer aussahen, wobei die Muskeln auf seinen mächtigen Armen zuckten. Jody zog extrastarke Kabelbinder aus der Tasche und band ihm damit die Hände zusammen.

»Um eine bestimmte Art von Fessel zu überwinden, muss man zunächst einmal analysieren, wie sie funktioniert«, erklärte Steve. »Diese Plastikbinder hier bestehen aus einem Nylonstreifen mit Querrillen und einem Verschluss mit winzigen Zähnen in einem kleinen, offenen Gehäuse. Der Schwachpunkt ist der Verschluss. Deshalb muss man die Kraftanwendung darauf konzentrieren.«

Steve fasste das Plastikband mit den Zähnen und zog es so zurecht, dass sich der Verschluss zwischen seinen Handgelenken befand. Dann hob er die Hände über den Kopf, riss sie mit einer kräftigen Bewegung herab und schlug sie gegen seinen Körper, wobei er gleichzeitig die Hände spreizte, so weit es die Fesseln zuließen. Die Plastikfessel sprang mit einem leisen »Ping!« auseinander wie ein Gummiband. »Na bitte. So leicht ist die Sache.«

»*C'est facile pour vous*«, murrte Marc und fuhr auf Englisch fort: »Sie sind ja auch gebaut wie der Terminator.«

»Ja, und Connors Hände sind hinter dem Rücken gefesselt«, warf Amir ein.

Steve zuckte nur die Schultern. »Es gilt dasselbe Prinzip. Beuge dich nach vorn und schlage die Hände gegen die Hüften. Gleichzeitig spreizt du die Hände. Übrigens: Wichtig ist nur die Technik und die Schnelligkeit, nicht die Kraft.«

Connor folgte den Abweisungen, dann beugte er sich nach vorn und schlug die Hände gegen die Hüfte. Der Binder platzte, seine Hände waren frei. Bis zu diesem Zeitpunkt hatte er an den Fesseln gezerrt und gezogen, dabei wäre nur ein einziger Schlag mit der richtigen Technik nötig gewesen.

Er schüttelte die Hände, um die Blutzirkulation wieder anzuregen. »Das ist absolut super. Aber was ist mit meinen Fußfesseln?«

Steve nickte zum Esstisch. »Dort liegt dein Steakmesser. Brauchst du eine Gebrauchsanweisung?«

Connor grinste und schnitt das Band mit dem Messer durch. Jason gab sich damit nicht zufrieden: »Aber wenn man grade nicht in einem Restaurant ist, was ist dann?«

»Wenn du meinen Anweisungen gefolgt bist und deine Schnürsenkel gegen Paracord ausgetauscht hast, kannst du sie als Reibesäge verwenden.«

Ling sprang auf und streckte Steve ihre Hände hin. »Das sieht total cool aus. Ich will es auch mal versuchen.«

»Du bist wohl eine kleine Masochistin, wie?«, sagte Steve grinsend, nahm einen Plastikbinder und band ihn Ling um die Handgelenke.

»Autsch! Doch nicht so fest!«, protestierte Ling, als Steve den Binder festzog.

»Je enger, desto leichter ist der Schließmechanismus zu zerstören«, erklärte Steve ohne jeden Anflug von Mitleid.

»Viel Spaß dabei, Mücke!«, rief Jason.

Ling, die es hasste, wenn man auf ihren schmächtigen Körperbau anspielte, warf ihm einen giftigen Blick zu und hob die Hände über den Kopf. Trotz ihrer Zierlichkeit schaffte sie es schon beim ersten Versuch, das Band aufzusprengen.

»Dazu braucht man keine Muskeln wie ein Zuchtbulle«, sagte sie und verneigte sich spöttisch vor Jason.

»Jetzt ich!«, rief Amir eifrig.

Steve band Amirs Hände hinter dem Rücken. »Na, dann los.«

Amir bückte sich und schlug die Arme gegen den Rücken. Der Binder hielt. Er versuchte es noch einmal. Ohne Erfolg.

»Ist das eine andere Art von Binder?«, fragte Amir frustriert.

»Nein. Sie sind alle gleich.«

»Probiere es noch einmal«, drängte Connor. »Du musst nur den richtigen Winkel erwischen.«

Amir versuchte es noch ein paarmal, aber der Binder riss nicht. Bei jedem Versuch wurde Amir noch frustrierter. Er hüpfte im privaten Speiseraum des Restaurants herum und schlug sich mit den gefesselten Händen auf den Hintern wie ein durchgeknallter Pinguin.

»Er sieht aus wie ein Hühnchen beim Breakdance!«, witzelte Richie.

Alle platzten schier vor Lachen. Amir ließ sich geschlagen auf einen Stuhl fallen.

Auch Steve konnte nur mühsam ein Grinsen unterdrücken und sagte zu Colonel Black: »Vielleicht sollten wir das zu einem regulären Partyspiel machen, Sir.«

KAPITEL 3

Connor erbarmte sich schließlich und schnitt Amirs Fessel durch. »Wessen Idee war es eigentlich, mich zu kidnappen?«, wollte er wissen.

»Meine natürlich!«, sagte Jason, hob sein Glas und prostete Connor zu.

Hätte ich mir doch denken können, dachte Connor. Die ganze Sache entsprach genau der Art von Humor, die der Australier hatte. »Wäre es nicht einfacher gewesen, ein Taxi zu rufen?«

Jason grinste breit. »Einfacher ja, aber nicht mal halb so witzig.«

Amir ließ sich neben Connor auf den Stuhl fallen und widmete sich scheinbar interessiert der Speisekarte, um seine Verlegenheit zu verbergen. Als Einziger hatte er den Trick mit dem Plastikbinder nicht geschafft. »Ist schwieriger, als es aussieht«, murmelte er.

Connor nickte mitfühlend. »Dann können wir nur hoffen, dass du bei deiner Mission nicht mit diesen Dingern gefesselt wirst, oder?«

»Jep – dein Klient würde sich sonst totlachen, bevor du ihn retten kannst!«, witzelte Richie.

Amir ließ sich auf dem Stuhl zurücksinken, als hätte

jemand seinen Stecker gezogen. Bedrückt ließ er den Kopf hängen, so dass eine Strähne seines glatten schwarzen Haars seine Augen verdeckte. Seine Enttäuschung konnte er nicht so leicht verstecken. Connor warf Richie einen wütenden Blick zu. Richies rustikaler irischer Humor war wieder einmal gründlich danebengegangen. Richie zuckte entschuldigend die Schultern, aber der Schaden war schon angerichtet.

Connor klopfte seinem Freund auf die Schulter. »Kopf hoch, Amir. Mach dir keine Sorgen. Deine Mission wird super laufen, du wirst schon sehen.«

»Du hast leicht reden«, murmelte Amir. »Du hast schließlich schon die Goldenen Flügel.« Er deutete auf das glänzende Abzeichen an Connors T-Shirt: einen Schild mit goldenen Flügeln, der die Silhouette eines Bodyguards zeigte. »Und ich hatte noch keinen einzigen Einsatz!«

Seit Connor im vergangenen Jahr in die Buddyguard-Organisation aufgenommen worden war, hatte sein Freund verzweifelt darauf gewartet, dass ihn der Colonel auf eine Mission schickte. Jetzt war es endlich so weit: In drei Wochen sollte Amir seinen ersten Einsatz absolvieren und seine Nerven lagen blank.

»Weißt du nicht mehr, wie nervös ich vor meinem ersten Einsatz war?«, fragte Connor. »Ich konnte vorher eine Woche lang kaum schlafen. Und ich hatte grade mal die Grundausbildung hinter mir. Du hast den Vorteil, dass du fast ein ganzes Jahr trainieren konntest – und außerdem kannst du aus meinen Fehlern lernen!«

Amir brachte ein angespanntes Grinsen zustande. »Macht mir die Sache nicht leichter.«

»Leicht wird es nie, jedenfalls ist das meine Erfahrung.«

»Was ist, wenn ich versage? Genau wie mit diesen blöden

Kabelbindern. Oder wenn ich bei einem Angriff einfach in Schockstarre verfalle?«

»Passiert dir nicht«, versicherte ihm Connor. »Glaub mir, jeder Bodyguard macht sich darüber Sorgen. Aber ich kann dir versichern, wenn es so weit kommt, schaltet sich deine Ausbildung ganz automatisch ein. Du wirst reagieren. Außerdem bin ich dein Missionskontakt im Hauptquartier und unterstütze dich. Dieses Mal sind unsere Rollen vertauscht.«

Amir schluckte heftig und nickte. »Danke. Gut zu wissen, dass du da bist, wenn ich dich brauche.«

»Okay, Geburtstagskind«, unterbrach Charley die beiden Freunde. »Was möchtest du essen?«

Connor wandte sich zu ihr um. Charley saß auf seiner anderen Seite. Sie trug ein silbern glitzerndes Top und hatte die langen blonden Haare zu einem dicken goldenen Zopf geflochten. Ein Hauch von Make-up ließ ihre himmelblauen Augen noch strahlender erscheinen. Connor brauchte ein paar Sekunden, bis er merkte, dass die Kellnerin hinter ihm stand und geduldig auf seine Bestellung wartete.

»Ich kann noch mal wiederkommen, wenn Sie mehr Zeit brauchen«, sagte die Kellnerin lächelnd.

»Nein, nein, geht schon«, sagte Connor eilig und überflog die Speiseauswahl. Er hoffte, dass Charley nicht bemerkt hatte, wie er sie angestarrt hatte. Er bestellte ein großes Steak mit einer extragroßen Portion Pommes. Die perfekt vorgetäuschte Entführung hatte einen Adrenalinschub ausgelöst, sodass er nun einen gewaltigen Appetit verspürte.

»Du fliegst also nach Hause zu deiner Familie?«, fragte Charley, nachdem auch sie ihr Gericht bestellt hatte.

Connor nickte. »Der Colonel hat mir zum Ende des Monats Urlaub gegeben.«

Charley blickte ihn aufmerksam an; überrascht stellte sie

fest, dass er nicht besonders glücklich wirkte. »Freust du dich denn nicht, wieder nach Hause zu gehen?«

Er seufzte, beugte sich ein wenig näher zu ihr und gestand mit leiser Stimme: »Doch, natürlich freue ich mich… Aber ich mache mir Sorgen, wie es meiner Mutter geht. Als ich letztes Mal nach Hause kam, bin ich erschrocken, wie… wie gebrechlich sie aussah.«

Charley legte ihm leicht die Hand auf den Arm. »Was meinst du, würde es euch allen helfen, wenn ich mitkomme?«

Connor zögerte. »Danke, aber ich will dich damit nicht belasten.«

»Das ist kein Problem«, sagte sie beharrlich. »Außerdem könnte mir ein Tapetenwechsel ganz gut tun. Mir fällt hier im Hauptquartier allmählich die Decke auf den Kopf. Wir Californian Girls werden uns wohl nie an lange Winter wie hier in Wales gewöhnen.«

Connor lächelte. Wenn er ehrlich mit sich selbst war, musste er zugeben, dass ihm Charleys Angebot gefiel. Auch die lange Reise würde weniger langweilig sein. Und zumindest würde er damit die Neugier seiner Mutter stillen können, die sich immer nach seinen Freunden in dem »Privatinternat« erkundigte.

»Okay, das wäre wirklich großartig…« Plötzlich wurde eine große Geschenkpackung zwischen ihn und Charley geschoben.

»Zeit zum Geschenkeauspacken!«, trillerte Ling aufgeregt.

Connor packte das Geschenk aus und lachte laut auf, als er sah, was sich darin befand.

»Ersatz für deinen alten, den ich kaputt gemacht habe«, sagte Ling mit breitem Grinsen, als Connor den gepolsterten Kopfschutz hochhob. Ein, zwei Wochen zuvor hatte er sich einen hitzigen Kickboxkampf mit Ling geliefert, bei dem sie ihn mit einem derart vernichtenden Drehkick am Kopf getroffen hatte, dass sein Kopfschutz auseinandergebrochen war. Die Sache hatte ihn den Sieg gekostet.

»Ich bin ja froh, dass du mir nicht auch noch den Kopf geknackt hast«, sagte Connor und bewunderte den neuen Kopfschutz von allen Seiten. Maximaler Schutz durch schockabsorbierende Geleinlagen. »Der wäre nämlich schwerer zu ersetzen gewesen.«

»Ach, ich weiß nicht«, sagte Ling. »In dem Laden hatten sie auch Fußbälle in deiner Kopfgröße. Mir ist es egal, was ich kaputt trete!«

»Solange du noch aufrecht stehst«, gab Connor zurück. Inzwischen stand es zwischen ihnen unentschieden, beide hatten jeweils vier Kämpfe gewonnen und wussten, dass der nächste Kampf härter sein würde als alle vorherigen. Connor hatte gehört, dass sogar die Ausbilder Wetten auf den Sieger abschlossen. Oder eben auf die Siegerin.

Jason warf Connor ein ziemlich schlecht eingepacktes Geschenk zu. »Hoffentlich passt es.«

Das Päckchen platzte von selbst auf, als Connor es auffing. Auf dem Tisch landete ein grellgelbes T-Shirt. Auf der Brust prangte ein Koala mit übertrieben scharf dargestellten Zähnen. *Vorsicht, Drop Bears!*, stand darunter. Das war eine ziemlich blamable Erinnerung, denn bei seinem letzten Einsatz war Connor von Jason vor den angeblichen Killerbären gewarnt worden. Connor, der zum ersten Mal nach Australien gereist war, war prompt darauf hereingefallen. Grinsend hielt er das T-Shirt vor sich hin, um die Größe abzuschätzen.

»Ist es kugelsicher?«, wollte er wissen.

»Nö«, antwortete Jason mit seinem breiten australischen Akzent. »Aber es schreckt garantiert alle Drop Bears ab!«

»Wirkt es so gut wie dein Aftershave, mit dem du die Mädchen abschreckst?«, witzelte Richie, was besonders bei den Mädchen lautes Gelächter auslöste.

Jason fauchte zurück: »Hallo – mein Aftershave wirkt super!«, wobei er Ling den Arm um die Schultern legte.

Ling lächelte lieb zu ihm auf – und rammte ihm den Ellbogen in die Rippen.

Jason knickte vor Schmerzen zusammen. »AUA! War das liebevoll gemeint oder wie?«

Während sich Jason noch von Lings zärtlichem Ellbogenhieb erholte, packte Connor seine anderen Geschenke aus. Marc hatte ihm ein Designerhemd aus Paris gegeben; von Richie erhielt er die neueste Version des Computerspiels *Assassin's Creed*, und schließlich öffnete er auch das gemeinsame Geschenk von Amir und Charley.

»Hoffentlich gefällt es dir«, sagte Charley und biss sich ein wenig besorgt auf die Unterlippe, als sie eine kleine Geschenkschatulle vor ihn hinlegte. »Amir und ich haben es gemeinsam ausgesucht.«

Connor öffnete die Schatulle. Darin lag eine G-Shock Rangeman XL.

Eifrig beugte sich Amir zu ihm herüber, um ihm sofort die Hightechfunktionen der Uhr zu erläutern. »Sie hat Solarbetrieb, Atomzeitsynchronisation in sechs Frequenzen weltweit, Weltzeiten für achtundvierzig Städte und einunddreißig Zeitzonen und automatische LED-Beleuchtung durch Handbewegung, außerdem ist die neueste Generation des Triple-Sensor-Moduls V.3 verbaut worden. Und was für dich am wichtigsten ist: Sie ist absolut wasserdicht und stoßfest. Die Uhr wurde so konstruiert, dass sie immer funktionsfähig bleibt, sogar unter den grausamsten Bedingungen, die man sich vorstellen kann. Dieses Ding hier, Kumpel, kannst nicht einmal *du* kaputt machen.«

Connor war fast sprachlos. »Danke, ihr zwei ... das ist ... absoluter Wahnsinn«, sagte er verlegen, legte die Uhr an und hob den Arm hoch, damit auch alle anderen das Geschenk sehen konnten.

»Das ideale Geschenk für einen Bodyguard«, meinte Colonel Black und nickte billigend. »Ein Zeitmesser, der immer funktioniert, ist bei jeder Mission wichtig. Und hier nun auch das letzte Geschenk.«

Er stieß einen kleinen schwarzen Gegenstand über den Glastisch, der akkurat vor Connor zu liegen kam. Alle starrten entgeistert und geschockt darauf. Ein Autoschlüssel!

»Sie schenken ihm ein *Auto!*«, rief Jason aus.

»Den Fahrunterricht, um genau zu sein«, antwortete Jody. »Das Auto selbst ist für das ganze Alpha-Team bestimmt.«

Connor nahm den Schlüssel und starrte ihn verwirrt an. »Aber ich bin noch nicht alt genug, um fahren zu dürfen.«

Colonel Black schüttelte den Kopf. »In einer Gefahrensituation ist dafür kein Bodyguard zu jung.«

KAPITEL 4

»Das Herz Afrikas wird wieder *schlagen!*«, rief Michel Feruzi. Zur Betonung hieb der burundische Minister für Handel und Tourismus im Takt der Wörter mit seiner fleischigen Faust auf den abgenutzten alten Kabinettstisch, sodass die Eiswürfel in den Wassergläsern klirrten.

»Da kann ich nur lebhaft zustimmen!«, schloss sich Finanzminister Uzair Mossi dem begeisterten Kollegen an, wobei seine Augen so funkelten wie die Diamanten, über die sie gerade sprachen. »Burundi war nun lange genug der arme Mann dieses reichen Kontinents. Wenn die Gerüchte stimmen, wäre das ein Wendepunkt für unser Land, eine ...«

Präsident Bagaza hob die Hand und wartete, bis die verfrühten Begeisterungsstürme seiner Minister verstummten. Er selbst teilte ihren Enthusiasmus über die Nachricht nicht.

»Angola. Sierra Leone. Liberia. Kongo«, zählte er leise mit monotoner Stimme auf. »Bedeuten Ihnen denn die tragischen Erfahrungen dieser Länder nichts?« Er schwieg für ein paar Augenblicke, bis er sicher war, dass sich seine Minister wieder an die Geister der grauenhaften Geschichte dieser Länder erinnerten: brutale Bürgerkriege, angeheizt durch Blutdiamanten. »Der Bericht über die Entdeckung eines Diamantenfelds kann Anlass für Freude, aber genauso Anlass für größte Sorge sein. Unser Land hat Stammeskonflikte hinter sich, die eine ganze Generation andauerten. Der Friede ist immer noch unsicher und kann jederzeit wieder brüchig werden. Wir können, wir *dürfen* nicht zulassen, dass wir wieder in einen Bürgerkrieg hineingezogen werden.«

Die Minister schauten sich peinlich berührt an. Obwohl das Blutvergießen schon über ein Jahrzehnt zurücklag, waren die Narben noch immer nicht völlig verheilt. Die Spannungen zwischen den rivalisierenden Stämmen der Hutu und der Tutsi brodelten dicht unter der Oberfläche vor sich hin und zogen sich sogar mitten durch das Kabinett, das hier am Tisch versammelt war.

»Der Präsident hat recht«, erklärte Minister Feruzi schließlich. Sein Stuhl knarrte laut, als er seinen massigen Körper zurücklehnte. »Erst kürzlich haben wir sämtliche Stammesgruppen der Batwa aus dem Erweiterungsgebiet des Ruvubu-Nationalparks umgesiedelt. Wenn sie nun erfahren, dass dort ein Diamantenfeld entdeckt wurde, werden sie wieder Ansprüche auf das Land ihrer Ahnen erheben. Wir können nicht zulassen, dass ein Stamm, der noch dazu eine kleine Minderheit ist, als einziger Nutznießer auftritt. Diese Entdeckung muss dem ganzen Land Wohlstand bringen.«

»Alles schön und gut – *wenn* es überhaupt Diamanten gibt«, meldete sich Adrien Rawasa, der Minister für Bergbau und Energie, zu Wort, ein magerer Mann mit kahl geschorenem Kopf und eingesunkenen Wangen. Er schob die runde Goldrandbrille höher auf die Nase und trat vor eine verblichene, ausgefranste und ziemlich veraltete geologische Karte Burundis, die an der weiß getünchten Wand hing.

»Wie Ihnen allen bekannt ist«, sagte er und tippte mit dem Zeigefinger auf die Karte, »befindet sich unsere Bergbauindustrie immer noch in der Aufbauphase. Wir haben beträchtliche Vorkommen an Nickel, Kobalt und Kupfer, die wir nur mit Unterstützung ausländischer Investoren ausbeuten können. Wir haben sogar ein paar Goldadern und ein wenig Uran. Aber wir sind nicht mit reichen Bodenschätzen gesegnet – oder, wenn man es so sehen will, verflucht – wie einige unserer Nachbarländer. Die fragliche Gegend im Nationalpark weist nicht die typischen geologischen Bedingungen auf, in denen man normalerweise Diamanten findet. Das Gerücht mag also sehr wohl auf Steinen beruhen, die illegal aus dem Kongo oder aus Ruanda über die Grenze geschmuggelt wurden.«

»Aber ist es denn überhaupt *denkbar*, dass Diamanten im Park gefunden wurden?«, fragte Präsident Bagaza.

Minister Rawasa sog an seiner Unterlippe, während er nachdenklich die Karte betrachtete. »Nun, sagen wir mal, es wäre nicht unmöglich.«

»Dann müssen wir äußerst behutsam vorgehen«, sagte der Präsident. »Minister Feruzi, schließen Sie den Nationalpark für die Öffentlichkeit. Dann lassen Sie den Park von den Rangern Sektor um Sektor durchsuchen. Ich will eine Bestätigung haben, dass es dieses Diamantenfeld wirklich gibt, bevor wir irgendwelche Hoffnungen auslösen oder weitere Pläne machen. Erklären Sie den Rangern nur, dass sie nach Wilderern suchen, aber auch alles berichten sollen, was ihnen ungewöhnlich erscheint. Das Letzte, was wir jetzt brauchen, ist ein falscher Diamantenrausch.«

»Soll ich auch den Besuch des französischen Botschafters auf später verschieben?«, fragte Minister Feruzi.

Präsident Bagaza klickte aus alter Gewohnheit ein paarmal mit seinem Kugelschreiber, während er über die Frage nachdachte. »Nein. Nicht nach all den Millionen, die Frankreich in unser Naturschutzprogramm investiert hat. Wir müssen ihnen unsere Fortschritte zeigen, sonst fließen bald keine internationalen Hilfen mehr in unser Land. Wir können es uns nicht leisten, diese Gelder zu verlieren.« Er schaute seine Kabinettskollegen eindringlich an. »Bis wir genauere Informationen haben, darf diese Nachricht nicht nach außen dringen. Sie bleibt auf das hier versammelte Kabinett begrenzt. Ist das klar?«

Seine Minister nickten gehorsam. Aber Präsident Bagaza wusste, wie fruchtlos sein Befehl war. Er traute keinem seiner Minister über den Weg; keiner würde ein Geheimnis lange für sich behalten können. Und wenn jetzt sogar seine Minister von diesen Diamanten erfahren hatten, dann musste man annehmen, dass auch andere – und gefährlichere – Leute längst Bescheid wussten. Korrupte Menschen wurden von Diamanten so unvermeidlich angelockt wie Wespen von einem Marmeladebrot.

KAPITEL 5

»ANGRIFF VON VORN!«, schrie Jody, als ein Auto aus einer Nebenstraße schoss und mit qualmenden und quietschenden Reifen mitten auf der Straße zum Stillstand kam.

Connor stampfte mit dem Fuß auf das Bremspedal. Jody war vorbereitet und stützte sich am Armaturenbrett ab. Aber Charley und Marc auf dem Rücksitz wurden nach vorn geschleudert und nur durch ihre Sicherheitsgurte vor Verletzungen bewahrt. Connor fummelte an der Gangschaltung, hatte Mühe, den Rückwärtsgang zu finden. Zwar hatte er in den letzten drei Wochen recht gut Autofahren gelernt, aber der plötzliche Angriff stellte seine Fähigkeiten auf eine harte Probe.

»Komm schon!«, knurrte er frustriert und rüttelte wütend am Schalthebel. Endlich gelang es ihm, den Rückwärtsgang einzulegen. Er blickte über die Schulter und trat das Gaspedal durch. Der Motor protestierte mit lautem Aufheulen, als er die Höchstgeschwindigkeit im Rückwärtsgang erreichte.

Connors Hand verkrampfte sich am Lenkrad, während er versuchte, in möglichst gerader Linie aus der Schusszone zu kommen. Selbst unter normalen Bedingungen fällt das Rückwärtsfahren vielen geübten Fahrern schwer. Mit Höchstgeschwindigkeit rückwärts zu fahren, gilt als extrem gefährlich – eine winzige Fehleinschätzung konnte den Wagen ins Schleudern bringen, unter Umständen mit fatalen Konsequenzen.

Die Angreifer waren inzwischen aus ihrem Fahrzeug gesprungen und eröffneten das Feuer. Connors Wagen entfernte sich zwar rasch, war aber im Rückwärtsgang bei Weitem nicht schnell genug, um zu entkommen. Er musste dringend wenden! Adrenalin schoss durch sämtliche Adern, als er den Fuß vom Gas nahm, das Lenkrad hart nach rechts herumriss und gleichzeitig die Handbremse zog. Mit quietschenden Reifen vollführte der Wagen eine 180-Grad-Wende. Noch in der Drehung legte Connor den ersten Gang ein, dann ließ er die Handbremse los und trat das Gaspedal bis zum Anschlag durch. Die Räder drehten durch; Qualm und Gummigestank stiegen auf, als der Wagen davonschoss.

Sekunden später waren sie aus der Gefahrenzone. Marc stieß einen erleichterten Pfiff aus und Charley murmelte: »Reinste Achterbahnfahrt!«

Jody hakte ein weiteres Kästchen auf dem Formular ab und tippte mit dem Kugelschreiber auf ihr Klemmbrett. Das war wohl anerkennend gemeint. »Gut gemacht, Connor. Der Gangwechsel war jämmerlich, aber die Rockford-Wende war absolut spitze!«

Erleichtert atmete Connor aus und nahm die Geschwindigkeit zurück, froh, das erste Stadium der Übung überstanden zu haben. Routinemäßig blickte er immer wieder in den Rückspiegel; schließlich musste er damit rechnen, dass die Angreifer die Verfolgung aufnahmen. Drei Wochen intensiven Fahrunterrichts lagen hinter dem Alpha-Team; jetzt hatten sie mit dem Fortgeschrittenenkurs begonnen, in dem sie lernen sollten, mit dem Auto aus einer Überfallsituation zu fliehen. Die 180-Grad-Wende, auch Rockford-Wende genannt, war eines der wichtigsten Manöver gewesen, die sie hatten erlernen müssen. Sicheres Fahren bei Höchstgeschwindigkeit, Schleuderkontrolle, Rammen von Straßenblockaden oder Abdrängen von Verfolgerfahrzeugen hatten ebenfalls zur Ausbildung gehört. Beim heutigen Abschlusstest mussten sie zeigen, was sie gelernt hatten.

»Autofahren ist immer potenziell gefährlich«, hatte Jody erklärt.

Im Vergleich zu der Sicherheit, für die ein Buddyguard sorgen konnte, wenn sich sein Klient zu Hause oder auch in der Schule aufhielt, war ein Fahrzeug so etwas wie eine bewegliche Zielscheibe. Im Auto war ein Klient für Angriffe oder Entführungsversuche besonders anfällig. Und das war auch der Grund, warum sämtliche Mitglieder des Alpha-Teams lernen mussten, ein Auto selbstsicher und zuverlässig zu steuern, vor allem bei hoher Geschwindigkeit. Und das, obwohl sie das Führerscheinalter noch nicht erreicht hatten. Schließlich konnte man nie wissen, ob es nicht doch irgendwann nötig würde, dass sich ein Buddyguard ans Steuer setzte, um das Auto mit dem Klienten aus einer Gefahrensituation zu bringen.

»Pass auf!«, schrie Marc, als Connor um eine Ecke steuerte.

Nicht weit entfernt standen zwei Fahrzeuge Nase an Nase quer über der Straße. Nach dem Abbiegen war Connors Fahrzeug nicht schnell genug und der Blockade auch schon zu nahe, um noch eine effektive Rockford-Wende ausführen zu können. Connor hielt nicht an. Er fuhr direkt auf die Straßenblockade zu. Ihm war völlig klar, dass es jetzt nur darum ging, die beiden anderen Autos genau an der richtigen Stelle zu treffen – er musste alle beide an den vorderen Radkästen erwischen, wo die Karosserie eines modernen Autos stabil genug war und genug Widerstand bot, um es aus dem Weg rammen zu können. Und um zwei Fahrzeuge wegrammen zu können, musste er sie mit genau der richtigen Kraft und im richtigen Winkel treffen.

Zwanzig Meter vor dem Straßenblock verringerte Connor die Geschwindigkeit, schob den ersten Gang ein und trat das Gaspedal wieder voll durch. Auch die Geschwindigkeit musste genau stimmen. War er zu langsam, würde er hängen bleiben. War er zu schnell, würde er den eigenen Wagen zu stark beschädigen und womöglich liegen bleiben.

»Festhalten!«, schrie er seinen Beifahrern zu.

Es krachte ohrenbetäubend, als sie in die Blockade rasten. Der Aufprall war gewaltig, aber nicht so katastrophal, dass Connors Fahrzeug nicht mehr funktionsfähig gewesen wäre. Bei der Vorbereitung waren die Airbags deaktiviert worden, damit sie sich beim Aufprall nicht aufblähten und den Motor abwürgten.

Noch während der Wagen durch die Blockade brach, hörte Connor ein furchtbares Knirschen; unwillkürlich wollte sein Fuß zur Bremse zucken.

»Nicht bremsen!«, rief Charley.

Connor hielt den Fuß weiter auf dem Gaspedal, aber das Kratzen zwischen den Karosserien war so widerlich und durchdringend wie Fingernägel auf einer Schultafel. Doch dann, mit einem letzten metallischen Kreischen, kämpfte sich der Wagen durch die Blockade und kam wieder frei.

Charley warf einen Blick durch die Heckscheibe. »Keine Angst, es hat dich nur die Stoßstange gekostet«, sagte sie leichthin.

Connor verzog das Gesicht. Es wurde als Fehler gezählt, wenn Teile des Fahrzeugs an der Blockade hängen blieben. Er konnte nur hoffen, dass Jody ihm dafür nicht einen Strafpunkt verpassen würde. Während er weiterfuhr, warf er einen verstohlenen Blick auf Jodys Testformular – und genau im selben Augenblick sprang ein maskierter Mann auf die Straße. Instinktiv rammte Connor das Bremspedal bis zum Anschlag nieder und kam einen knappen Meter vor dem Maskierten zum Stillstand. Lässig hob der Angreifer die Waffe und feuerte. Ein roter Paintball explodierte auf der Windschutzscheibe, genau in der Höhe von Connors Kopf.

»Ende des Tests«, verkündete Jody trocken.

Der Maskierte kam zur Fahrerseite und klopfte an die Scheibe. Connor seufzte und ließ die Scheibe herab. Der Schütze zog sich die Sturmhaube vom Kopf und beugte sich zu ihm herunter.

»Nächstes Mal klappt es bestimmt«, sagte Bugsy.

Connor seufzte und warf einen schnellen Seitenblick auf Jody, die gerade das Nein-Kästchen auf ihrem Formular ankreuzte.

»Jetzt sind wir quitt«, grinste Bugsy. »Ausgleich für den Kick ans Kinn neulich.«

Wütend auf sich selbst, schüttelte Connor den Kopf und schaltete den Scheibenwischer ein, um die rote Farbe wegzuwischen. Er wendete und fuhr zum Start zurück – einem großen Ladeplatz zwischen mehreren Lagerhäusern in einem nicht mehr genutzten Industrieareal, das für das Training angemietet worden war. Amir, Ling, Jason und Richie, die anderen Teammitglieder, standen in einer Gruppe beieinander. Die Luft klirrte vor Kälte. Alle trugen dick gefütterte Jacken.

Als Connor ausstieg, fiel ihm auf, dass sich Marc mit schmerzverzerrtem Gesicht die Hand auf die rechte Seite presste. »Alles in Ordnung?«, fragte er besorgt.

»Ja, klar.« Marc machte eine wegwerfende Handbewegung. »Das war dein Bremsmanöver. Der Sicherheitsgurt hat mir fast die Rippen eingedrückt. Wird schon wieder.«

»Wie ist der Test gelaufen?«, fragte Amir. Atemwolken stiegen wie kleine weiße Rauchfahnen in die Höhe.

Connor verzog das Gesicht und grinste verlegen.

»Nicht gerade optimal«, antwortete Richie an seiner Stelle, während er die Dellen an der Stoßstange und dem Kühlergrill untersuchte. »Der Typ hat unser Auto geschrottet!«

»Sorry«, murmelte Connor verlegen. »Bin ein bisschen hängen geblieben ...«

Jody untersuchte den Schaden genauer. »Kein großer Schaden, das meiste ist nur kosmetisch. Bei der Blockade hast du gut reagiert. Du hast nicht angehalten und dein Fahrzeug blieb voll funktionsfähig.« Sie richtete sich auf und wandte sich an das ganze Team. »Regel Nummer eins bei einem derartigen Angriff: immer weiterfahren.« Sie markierte etwas auf ihrem Testformular, dann schaute sie Connor an. »Schade nur, dass du dich beim letzten Angriff nicht daran gehalten hast.«

»Aber dann hätte ich Bugsy über den Haufen gefahren!«, protestierte Connor.

»Es war doch *nur Bugsy*«, gab sie mit leichtem Grinsen zurück. »Nein, im Ernst: In einer solchen Situation darfst du nicht zögern: Du musst dein Auto als Waffe gegen die Bedrohung einsetzen und sofort weiterfahren.«

»Auch wenn man dann jemanden tötet?«, fragte Amir.

»Das ist des Angreifers eigene Entscheidung. Wenn ein Bewaffneter direkt vor dein Auto springt, hast du nur zwei Möglichkeiten: Entweder fährst du ihn über den Haufen oder du versuchst, ihm auszuweichen. Auf keinen Fall darfst du zögern oder gar anhalten. Wenn ein Auto direkt auf einen Angreifer zurast, schaltet sich bei ihm der Überlebensinstinkt ein. Erstens kann er dann nicht mehr genau zielen und zweitens verlagert sich seine Aufmerksamkeit vom Töten auf das eigene Überleben. Auf jeden Fall wird entweder die Bedrohung neutralisiert oder die Flucht wird möglich.«

»Dann bin ich also durchgefallen?«, fragte Connor und starrte entmutigt auf die farbverschmierte Windschutzscheibe.

»Technisch bist du tot«, gab Jody zu. Doch dann zwinkerte sie ihm zu. »Aber im Gesamtergebnis kommst du auf achtundsiebzig Prozent. Du hast den Test gut bestanden, Connor.«

Ling boxte ihn in den Oberarm. »Super gefahren, Teufelskerl. Fast so gut wie unser Mad Max.« Sie wies mit einer Kopfbewegung auf Jason. »Der hat nämlich Bugsy fast über den Haufen gefahren.«

»Wenigstens wurde *ich* nicht erschossen«, verteidigte sich Jason.

»Aber du hast fast die Kontrolle über das Auto verloren«, mischte sich Jody ein. »Ein gutes Beispiel, das ihr euch merken solltet: Das Auto ist wahrscheinlich die tödlichste Waffe, die euch zur Verfügung steht, um eine Gefahr abzuwehren. Aber wie jede andere Waffe kann sie auch euch selbst töten, und eure Freunde oder Klienten. Nur wenn ihr es beherrscht und richtig einsetzt, kann ein Auto Leben retten.«

KAPITEL 6

»Connor! Wie schön, dass du wieder zu Hause bist!«, rief seine Mutter fröhlich, als er aus dem Taxi stieg. Sie kam ihm bis zu dem rostigen kleinen Gartentor entgegen. Doch bevor sie Connor in die Arme nehmen konnte, verlor sie das Gleichgewicht und wäre gestürzt, wenn Connor nicht so schnell reagiert hätte. Kaum sah er sie taumeln, als er auch schon vorsprang und sie auffing.

»Hoppla«, murmelte sie und schaute verlegen zu ihm auf. »Muss wohl auf dem Eis ausgerutscht sein…«

Connor nickte nur, ohne darauf einzugehen. Zwar herrschte kaltes, regnerisches Winterwetter, aber von Eis war weit und breit nichts zu sehen. Als er ihr den Gehstock reichte, bemerkte er, dass sie von Kopf bis Fuß zitterte. Das mochte zwar dem Schock über ihren Beinahe-Sturz zuzuschreiben sein, aber er vermutete, dass es ein weiteres Symptom ihrer fortschreitenden Krankheit war. Seine Mutter litt an MS – an multipler Sklerose. Sie sah gebrechlicher aus, als er sie je gesehen hatte, als ob die leichteste Brise sie von den Füßen fegen könnte. Ihre Wangen waren eingesunken und die ständigen Schmerzen hatten tiefe Falten in die Augenwinkel gegraben. Connor kämpfte die Tränen nieder, die ihm in die Augen steigen wollten. Jedes Mal, wenn er nach Hause kam, musste er feststellen, dass die furchtbare Krankheit ihren Griff um seine Mutter weiter verstärkt hatte. Langsam, aber mit unerbittlicher Grausamkeit raubte die MS dem gebrechlichen Körper die Beweglichkeit.

Aber Mrs Reeves' Lächeln war tapfer und unbesiegbar. Und die Freude über den Besuch ihres Sohnes verlieh ihr erstaunliche Kraft, als sie ihn in die Arme nahm. Das gab Connor die Gelegenheit, seine Tränen heimlich wegzuwischen. Mrs Reeves schob ihn ein wenig von sich und schaute ihn mit strahlendem Lächeln an.

»Es ist wunderbar, dass du wieder da bist«, sagte sie und küsste ihn auf die Wange. Dann glitt ihr Blick über seine Schulter. Ihre Augen weiteten sich überrascht, als sie sah, dass der Taxifahrer inzwischen die Heckklappe des Vans geöffnet und einen Rollstuhl herausgeholt hatte. Dann, offensichtlich schockiert, verfolgte sie, wie Charley sich geschickt vom Autositz auf den Rollstuhl schwang.

Aber sie erfasste die Situation sofort und verbarg ihre Überraschung. »Sie müssen Charley sein«, sagte sie. »Willkommen! Tut mir leid, dass mein Auftritt ein bisschen dramatisch war...«

»Kein Problem, Mrs Reeves«, antwortete Charley lächelnd, als sie durch das Gartentor rollte. »Ich freue mich, Sie endlich kennenzulernen. Connor hat mir schon viel von Ihnen erzählt.«

»Ach, wirklich?« Sie nahm die Krücke, die Connor ihr hinhielt, weigerte sich aber, sich von ihm stützen zu lassen. »Hoffentlich nur Gutes! Aber kommt doch erst mal rein, bevor wir erfrieren. Ihr müsst müde sein nach der langen Reise.«

Connor bemerkte, dass man Metallschienen als Rampe über die Stufe vor der Haustür installiert hatte. Im Flur stand ein zusammengeklappter Rollstuhl. Offenbar hatte sich der Zustand seiner Mutter noch schneller verschlechtert, als er befürchtet hatte.

Im Wohnzimmer saß seine Großmutter neben dem Kamin, in dem rot glühende Kohlen eine heimelige Wärme und ein flackerndes Licht verströmten und Connor das Gefühl gaben, wirklich nach Hause gekommen zu sein.

»Wie geht's unserem großen Jungen?«, fragte Gran und stand mit einiger Mühe aus ihrem alten Sessel auf.

»Prima, Gran. Und dir?«

»Fit wie ein ...«, begann sie.

»... Turnschuh«, fiel er ihr ins Wort.

»He, du Frechling! Das ist mein Spruch!«, sagte sie lachend und zog ihn an sich. »Und wer ist die Schöne hinter dir?« Sie hatte die Situation mit einem Blick erfasst, als Charley ins Wohnzimmer rollte, ließ sich aber nichts anmerken.

Connor trat beiseite und stellte ihr Charley vor.

»Connor sagte, dass Sie Tee mögen, und besonders Earl Grey«, sagte Charley und reichte Connors Großmutter eine Packung erlesener Teesorten.

»Oh! Das ist aber nett.« Gran bewunderte die Etiketten auf den drei hübschen Teedosen, Tee von einer Qualität, die sie sich normalerweise nicht leisten konnte. Connor sah, dass Gran Charley sofort ins Herz schloss. »Fühlen Sie sich wie zu Hause, Charley. Connor und ich bereiten den Tee vor.«

Pflichtschuldig folgte er Gran in die Küche. Seine Mutter und Charley begannen sich sofort zu unterhalten.

»Wo ist Sally?«, fragte Connor. Sally war die Pflegerin, die im Haus wohnte und sich um seine Mutter und Gran kümmerte. Sie war von der Buddyguard-Organisation eingestellt worden – eine Gegenleistung für Connors Dienste als Buddyguard.

»Wir haben ihr heute Nachmittag freigegeben.« Gran schaltete den Wasserkocher ein und nahm das beste Porzellan aus einem der Oberschränke.

»Kommt ihr denn ohne sie zurecht?«, fragte Connor und schaute unwillkürlich auf den Rollstuhl, der durch die offene Küchentür zu sehen war. »Mum kommt mir sehr... schwach vor.«

Gran warf Teeblätter in einen Filter und tat diesen in die Kanne. Sie seufzte tief auf. »Sie hat momentan einen Rückfall. Natürlich will sie auf keinen Fall zugeben, wie sehr sie leidet. Deshalb wollte sie dir unbedingt bis zum Auto entgegengehen, obwohl eigentlich sogar so eine kurze Strecke zu viel für sie ist. Aber sie will dir unbedingt beweisen, dass es ihr gut geht. Damit du dir in deiner Schule keine Sorgen machst.«

Connor warf einen Blick ins Wohnzimmer. Seine Mutter saß neben dem Kamin. Sogar von der Küche aus konnte er das leichte Zittern ihrer Hände sehen. Connor fühlte sich hilflos. Auch wenn er dafür gesorgt hatte, dass sie die bestmögliche Pflege bekam, konnte er seine Mutter doch nicht gegen die Krankheit schützen.

Gran las ihm die Trauer vom Gesicht ab. »Mach dir keine Sorgen, mein Junge. Deine Mutter lässt sich nicht unterkriegen. Und Sally ist wirklich ein Geschenk des Himmels. Ich wüsste wirklich nicht, was wir ohne ihre Hilfe tun würden.« Sie seufzte noch einmal, dann wechselte sie abrupt das Thema. »Deine... Charley scheint ein nettes Mädchen zu sein.« Sie goss den Tee auf. »Läuft da etwas zwischen euch?«

»Wir sind nur einfach gute Freunde«, antwortete Connor. Es war klar, worauf Gran hinauswollte.

Gran schaute ihn nur leicht ironisch an.

»Nein, wirklich!«, sagte er beharrlich.

»Ich glaub's dir ja«, sagte sie mit wissendem Lächeln, während sie ein paar Kekse auf einen Teller legte. »Nur… nimm es mir nicht übel, aber ist es nicht ein bisschen ungewöhnlich, dass ein Mädchen wie sie ausgerechnet so eine ›Schule‹ besucht?«

Im Gegensatz zu Connors Mutter kannte Gran die Wahrheit über das »private Internat«, das er besuchte. Colonel Black hatte ihn zwar absolutes Stillschweigen über die Buddyguard-Organisation schwören lassen, da diese ihre Aufträge nur effektiv ausführen konnte, solange sie verdeckt arbeitete. Aber Connor wusste, dass seine Großmutter viel zu scharfsinnig war, um sich täuschen zu lassen – sie hätte es sofort gemerkt, wenn er sie angelogen hätte. Und weil er ihr vollkommen vertraute, hatte er ihr die Wahrheit über das »Stipendienprogramm« gesagt: Buddyguard übernahm die Kosten für die Vollzeitpflege seiner Mutter und Großmutter als Gegenleistung für seine Bereitschaft, sich zum Buddyguard ausbilden zu lassen und die entsprechenden Einsätze zu übernehmen.

Gran hatte das Arrangement natürlich überhaupt nicht gefallen, aber sie war auch Realistin, was die verzweifelte Situation der kleinen Familie anging. Außerdem hatte sie etwas in Connor erkannt, das sie an seinen verstorbenen Vater erinnerte: die eiserne Entschlossenheit, die diesen zu einem der besten Soldaten des britischen Spezialkommandos SAS gemacht hatte. Und so hatte sie ihm zwar nicht ihren Segen gegeben, aber wenigstens geduldet, dass er in die Organisation eintrat.

Aus dem Wohnzimmer hörte er Charley über etwas lachen, das seine Mum gerade gesagt hatte. Er konnte nur hoffen, dass sie nicht schon die peinlichsten Storys aus seiner Kindheit zum Besten gab.

»Was ist Charley zugestoßen?«, wollte Gran wissen. Sie warf einen vielsagenden Blick in Richtung Wohnzimmer. Connor selbst fiel der Rollstuhl kaum noch auf. Charley hatte von Anfang an klargemacht, sowohl in Worten als auch in ihrem Verhalten, dass der Rollstuhl ein unerlässliches Instrument, aber nicht Teil ihrer Persönlichkeit war. »Ich weiß es nicht genau«, antwortete er. »Sie hat es mir nie erzählt. Es ist passiert, bevor ich meine Ausbildung dort angefangen habe. Bei einem Einsatz.«

Gran, die gerade das Tablett hochgehoben hatte, ließ es fast wieder fallen. Die Tassen klirrten und aus der Teekanne spritzte Tee auf den Boden. »*Bei einem Einsatz?*«

Connor wich ihrem Blick aus, nahm den Geschirrlappen und wischte den Tee auf.

Gran stellte das Tablett auf die Arbeitsplatte und blickte nachdenklich durch das Küchenfenster in den Garten hinaus. »Ich finde es überhaupt nicht gut, dass dein Colonel junge Leute wie euch zu so gefährlichen Einsätzen schickt. Bei denen ihr eure Zukunft aufs Spiel setzt, um andere zu beschützen.« Traurig und ungläubig zugleich schüttelte sie den Kopf. »Wie soll das nur enden, wenn man solche Organisationen überhaupt braucht?«

Sie drehte sich wieder zu ihm um, jetzt jedoch mit harter, entschlossener Miene. »Ich bin mit dieser Buddyguard-Abmachung nicht mehr einverstanden, Connor.«

»Aber, Gran, ich versichere dir, das Risiko ist minimal«, sagte Connor beharrlich. »Wir sind gut ausgebildet und auf alles Mögliche vorbereitet.«

»Offensichtlich nicht auf alles Mögliche«, gab sie scharf und mit einer Kopfbewegung zu Charley im Wohnzimmer zurück. »Ich will, dass du aufhörst. Bevor dir etwas Schlimmes passiert.«

»Das kann ich nicht«, widersprach Connor. »Die Organisation zahlt für eure Pflege.«

»Ich weiß, ich weiß«, stöhnte Gran leise und legte ihm die Hände an die Wangen, wie sie es manchmal getan hatte, als er noch ein kleiner Junge gewesen war. Sie schaute ihn ernst, aber liebevoll an. »Du hast so viel von deinem Vater in dir. Natürlich ist mir klar, wer für unsere Pflege bezahlt. Aber um welchen Preis?«

KAPITEL 7

»Ihr zwei habt euch aber viel Zeit gelassen«, bemerkte Connors Mum, als er mit Gran ins Wohnzimmer kam. »Wahrscheinlich habt ihr schon alle Kekse aufgegessen!«

»Nein, ich war nur wieder mal schusselig und habe ein bisschen Tee verschüttet«, antwortete Gran und ließ sich erleichtert in ihren Sessel sinken.

»Aber jetzt ist alles wieder okay, stimmt's, Gran?« Connor stellte das Tablett auf den kleinen Couchtisch.

Sie antwortete nur mit einem dünnen Lächeln. Es hatte ihn seine ganzen Überredungskünste gekostet, sie davon zu überzeugen, dass er bei der Buddyguard-Organisation bleiben musste, wenigstens vorerst. Nachdem er ihr versichert hatte, dass er im Moment für keine weitere Mission vorgesehen war, sondern im sicheren Hauptquartier bleiben würde, hatte sie endlich nachgegeben – wenn auch nur nach langem Zögern und nur unter der Bedingung, dass sie in den Osterferien noch einmal darüber reden würden. Sie war fest entschlossen, zu verhindern, dass Connor sein Leben riskierte, um für ihre und Mums Pflege zu sorgen. Aber Connor sah die ganze Sache völlig anders. Sein Vater war tot; er hatte daher die Verantwortung, für seine Familie zu sorgen, vor allem jetzt, da beide Frauen immer unselbstständiger wurden. Und dafür musste er eben auch Risiken in Kauf nehmen.

Connor war nicht blind für die Gefahren. Bei beiden Einsätzen hatte er potenziell tödliche Situationen durchstehen müssen. Aber die Ausbildung und zugegebenermaßen auch eine gehörige Portion Glück hatten ihm geholfen zu überleben. Außerdem *wollte* er nicht aus der Buddyguard-Organisation ausscheiden. Durch das harte, intensive Training und den Stress bei den Einsätzen hatte sich im Alpha-Team ein unsichtbares Band der Zusammengehörigkeit gebildet. Sie waren jetzt seine engsten Freunde. Dieses Band wollte er nicht zerschneiden, vor allem nicht das Band zu Charley.

»Am besten gefällt mir deine Frisur hier«, sagte Charley und hielt ein Foto hoch. Es zeigte den fünfjährigen Connor, nur mit Shorts bekleidet und mit einer Eiscreme in der Hand. Seine blaugrünen Augen glänzten vor Freude. Das dunkelbraune Haar war offenbar frisch frisiert, ein äußerst peinlicher Topfschnitt, meilenweit entfernt von der modernen Stachelfrisur, die er jetzt trug.

Connor wand sich vor Verlegenheit, als er sah, dass seine Mutter das Familienalbum herausgeholt hatte. »Mum! Das ist total *uncool!*«

»Eine Mutter hat das Recht, alles über ihren Sohn zu erzählen, auch peinliche Storys.« Sie zwinkerte Charley verschwörerisch zu. »Ich wollte Charley gerade erzählen, wie du damals mit der Unterhose auf dem Kopf...«

»Nein!«, fiel ihr Connor entsetzt ins Wort.

Charley kicherte und deutete auf ein anderes Foto, das ihn im Superman-Kostüm zeigte. »Du warst doch so ein süßer kleiner Junge, Connor! Was ist nur aus dir geworden?«

»Irgendwann hab ich beschlossen, mein anderes Ich zu verbergen«, gab Connor zurück, nahm ihr das Album aus der

Hand und stellte es wieder auf seinen Platz im Regal zurück. Er schaute sie flehend an. »Bitte erzähl das nicht den anderen in der Schule.«

»Zu spät.« Sie wedelte neckend mit ihrem Smartphone. »Ich hab's schon an die anderen weitergeleitet.«

Connor starrte sie entsetzt an. »Das meinst du doch nicht im Ernst, oder?«

Charley und seine Mutter brachen in Gelächter aus.

»Glaubst du wirklich, dass ich so etwas tun würde?«, fragte Charley und zog einen Schmollmund. »Aber natürlich hab ich es gespeichert, nur für den Fall, dass du frech wirst.«

Connor stöhnte und machte sich daran, den Tee auszuschenken, um von den peinlichen Fotos wegzukommen.

»Sollen wir dem Jungen jetzt seine Geburtstagsgeschenke geben?«, fragte Gran, als sich Connor neben seine Mutter aufs Sofa gesetzt hatte.

Mum nickte und zog ein Päckchen hinter einem Kissen hervor.

Connor öffnete es und nahm einen schwarzen Strickpullover heraus.

»Danke ... er ist sehr schön«, sagte er und versuchte, begeistert zu klingen.

»Ich dachte, du brauchst was Warmes, da oben in den Brecons«, erklärte Gran. »Eigentlich wollte ich noch einen Schneemann vorne drauf stricken, aber dann dachte ich, dass deine Schulkameraden das nicht besonders hip finden würden.«

»Völlig richtig gedacht«, stimmte Connor zu.

»Willst du ihn nicht anprobieren?«, ermunterte ihn Mum.

Connor faltete den Pullover auseinander – und entdeckte die anderen Geschenke, die darin lagen: eine Medaille mit dem amerikanischen Adler und ein Kampfmesser.

Sekundenlang war er sprachlos. »Die gehörten meinem Dad!«, rief er dann. Plötzlich stiegen ihm Tränen in die Augen; er schluckte. Seit sein Vater ums Leben gekommen war, hatte seine Mum Erinnerungsstücke wie diese in einer kleinen Schachtel aufbewahrt, zusammen mit Fotos und anderen persönlichen Gegenständen.

»Jetzt gehören sie dir«, sagte Mum mit wehmütigem Lächeln. »Ich habe schon deine Schule angerufen. Du darfst das Messer in die Schule mitnehmen. Der Schulleiter, Mr Black, hat persönlich die Erlaubnis erteilt. Sehr verständnisvoll, der Mann.« Ihre Miene zeigte, dass die Reaktion des Schulleiters sie sehr überrascht hatte. »Ich weiß nicht, ob ich dir jemals erzählt habe, wofür dein Dad die Medaille posthum verliehen bekam?« Sie wartete seine Antwort gar nicht ab, sondern sagte voller Stolz: »Er hat sogar einem amerikanischen Botschafter das Leben gerettet!«

»Ja, und der ist heute Präsident…«, entschlüpfte es Connor.

»Woher willst du das wissen?«, rief seine Mutter verblüfft aus. »Nicht mal mir hat man gesagt, wen er gerettet hat!«

Erschrocken suchte Connor nach einer halbwegs plausiblen Erklärung. Über das, was damals geschehen war, waren nur sehr wenige Leute informiert. Er selbst wusste es nur, weil er bei seinem ersten Einsatz die Tochter des US-Präsidenten beschützt hatte und vom Präsidenten selbst von der heroischen Tat seines Vaters erfahren hatte. »Ich… äh… Ich glaube, ich hab das mal irgendwo gelesen…«, antwortete er hastig.

»Darf ich Ihnen noch ein wenig Tee einschenken, Mrs Reeves?«, fragte Charley schnell, um Connors Mutter von weiteren Fragen abzubringen. Connor war vollkommen klar, wenn seine Mutter von seinem Leben als Bodyguard erfuhr, würde sie der Sache sofort ein Ende setzen, so sehr sie auch auf die Pflege angewiesen war. Es behagte ihm gar nicht, seine Mutter zu täuschen, aber in diesem Fall glaubte er, dass die Lüge gerechtfertigt war.

»Äh... ja bitte«, antwortete die Mutter und hielt Charley mit zitternder Hand die Tasse hin.

Charley lenkte das Gespräch geschickt von amerikanischen Präsidenten weg. Connor wich dem nachdenklichen Blick seiner Mutter aus und betrachtete das Messer, das speziell für das Überleben in der Wildnis geeignet war. Der Griff aus Rosenholz war gut geölt und fühlte sich wie Samt an. Als er die Klinge aus der Scheide zog, stellte er fest, dass sie rasiermesserscharf und in hervorragendem Zustand war. Das Messer in der einen und die Medaille in der anderen Hand, drängten sich plötzlich wieder Erinnerungen an seinen Vater in seine Gedanken, vor allem an ihre gemeinsamen Wanderungen: wie sie im Freien gecampt hatten... wie sie Äste zurechtgeschnitten und sich damit ein Wetterschutzdach gebaut hatten... wie sie mit der Messerklinge und einem Feuerstein Funken geschlagen und ein Lagerfeuer angezündet hatten... wie sie ein Kaninchen gehäutet und über dem Feuer gebraten hatten... wie sie zum Nachthimmel aufgeblickt hatten und Dad ihm erklärt hatte, wie man sich nach den Sternen orientierte...

»Hilfst du mir beim Abräumen, Charley?«, fragte Gran leise.

»Natürlich.« Charley stellte das Tablett auf ihren Schoß.

Als die beiden das Wohnzimmer verlassen hatten, rückte Connors Mum näher zu ihrem Sohn und legte den Arm um ihn. Connor legte den Kopf an ihre Schulter, überwältigt von der Trauer um seinen viel zu früh verstorbenen Vater.

Schließlich wischte er sich die Augen trocken und schaute sie an. »Danke, Mum. Das sind die schönsten Geschenke, die du mir geben konntest.« Dankbar umarmte er sie.

Sie küsste ihn auf die Stirn. »Freut mich, dass sie dir gefallen.« Dann, nach einem kurzen Blick zur Küchentür, fragte sie: »Das also ist das Mädchen, das dich vom Lernen ablenkt?«

Connor spürte, dass er rot wurde. »Wir sind nur gut befreundet.«

»Na, sie ist wunderbar.« Mum zauste ihm liebevoll das Haar. »Und du bist ja auch ein wunderbarer Junge. Kümmerst dich immer um andere.« Ihr Lächeln verschwand, als sie leise hinzufügte: »Bitte nimm es mir nicht übel, wenn ich das sage, aber musst du dich noch mehr belasten?«

»Wie meinst du das?«, fragte Connor verwundert.

Mum seufzte. Wieder blickte sie zur Küche und auf Charley in ihrem Rollstuhl. »Mit mir und Gran hast du doch schon genug am Hals. Und jetzt willst du dich auch noch um Charley kümmern?«

Im selben Moment rutschte Gran in der Küche eine Untertasse aus der Hand. Charley fing sie auf; ihre Reflexe ließen wirklich nichts zu wünschen übrig.

Connor lächelte. »Charley braucht mich wirklich nicht«, versicherte er seiner Mutter. »Sie wird ganz gut allein mit allem fertig, und zwar in jeder Situation.«

»Na, das glaube ich aufs Wort«, nickte seine Mutter. Sie schaute ihn noch einmal fragend an, hielt es dann aber für besser, das Thema zu wechseln. »Ich will ja nur dein Bestes, mein Junge. Vergiss, dass ich überhaupt gefragt habe. Wenn ich ehrlich bin, muss ich zugeben, dass ich mir von Charleys Art, wie sie mit... mit den ganzen täglichen Problemen fertigwird, ein gehöriges Stück abschneiden kann.«

Connor bemerkte, dass ihr Zittern stärker geworden war. Aber jetzt war es nicht mehr nur ihre MS, sondern sie war auch den Tränen nahe. In diesem Moment kamen Charley und Gran wieder ins Wohnzimmer – mit einem großen

Schokoladenkuchen, auf dem fünfzehn kleine Kerzen brannten. Connors Mum brachte sich sofort wieder unter Kontrolle und stimmte mit bebender Stimme »Happy Birthday« an, während Gran den Kuchen vor Connor auf den Couchtisch stellte.

»Vergiss nicht, dir etwas zu wünschen«, erinnerte ihn Charley, als er sich vorbeugte, um die Kerzen auszublasen.

Connor schloss die Augen. Er hatte nur einen einzigen Wunsch auf der Welt.

KAPITEL 8

»Hier hast du den Diamanten gefunden?«, fragte General Pascal und ließ den Blick über das verborgene Tal gleiten. Von ihrem Standpunkt aus konnten sie das Tal teilweise überblicken. Dichte Vegetation bekleidete die schroff abfallenden Wände und ein urweltartiger, geisterhafter Morgennebel hing unbeweglich in der Luft, als sei er seit Jahrtausenden nicht mehr gestört worden. Ein breiter, seichter Fluss schlängelte sich über Felsbrocken und durch Furchen. Der General wusste, dass er sich irgendwann über einen Wasserfall in die Savanne hinabstürzte und sich schließlich weit in der Ferne in den Ruvubu ergoss, einen der vielen Quellarme des Nils. Im Westen ragte ein zerklüfteter, felsiger Hügel empor, der von einer einzelnen Akazie gekrönt wurde.

NoMercy erkannte den Baum wieder. Er hatte ihn schon unzählige Male gesehen, in seinem früheren Leben, bevor er von der ANL, der Armée Nationale de la Liberté, entführt und zwangsrekrutiert worden war.

Der Hügel hieß eigentlich »Hügel des Toten Mannes«, wie NoMercys Großvater einmal erklärt hatte, und war eine uralte Opferstätte, auf der früher den Göttern Menschenopfer dargebracht worden waren. Soweit NoMercy sich erinnerte, wurde er heutzutage von allen »Dead Man's Hill« genannt.

Aus den Dörfern wagte sich niemand auf den Hügel. Zu groß war die Angst vor bösen Geistern und vor menschenfressenden Leoparden. Kein Wunder, dass schon so lange Zeit kein Mensch mehr das Tal betreten hatte – bis jetzt.

NoMercy kickte mit nackten Füßen ein paar kleine Steine weg. Wer hätte gedacht, dass hier Diamanten herumliegen? Er jedenfalls nicht; für ihn sah ein Stein wie der andere aus, und alle waren völlig wertlos.

Ungeduldig wandte sich General Pascal an einen schmächtigen Mann mit hagerem Gesicht, der still neben ihm stand und mit vor Angst weit aufgerissenen Augen zu ihm aufblickte.

»Antworte dem General!«, befahl Blaze und versetzte dem Gefangenen einen Kinnhaken. Der fiel auf die Knie und spuckte Blut.

Ein Zahn fiel ihm aus dem Mund. Mit zitternder Hand wollte er ihn aufheben, aber Blaze trat ihm brutal auf die Hand. Fingerknochen zersplitterten zwischen dem schweren Kampfstiefelabsatz und dem Felsboden.

»Gehört mir, für meine Sammlung«, erklärte Blaze und hob den Zahn auf. Blaze, die rechte Hand des Generals, hatte den Ruf, äußerst brutal und grausam zu sein. Niemand hatte ihn je ohne die verspiegelte Pilotensonnenbrille gesehen, und erst recht nicht ohne die Furcht einflößende Machete, die an seinem Gürtel hing. Er trug ein mit olivgrünen Tarnflecken bedrucktes T-Shirt, eine schwarze Kampfhose und Kampfstiefel. Sein kahl geschorener Schädel glänzte in der Sonne. Um den Hals hing eine Kette, deren Perlen sich bei näherem Hinsehen als Menschenzähne entpuppten.

Der Schlag hatte den ohnehin schon verängstigten Gefangenen noch gefügiger gemacht. Zitternd deutete er auf einen sandigen Uferabschnitt in einer Flussbiegung. »Genau dort«, brachte er hervor, begleitet von einem Blutschwall, »dort hab ich den Diamanten gefunden.«

General Pascal zog eine brandneue Glock 17 aus dem Hüftholster und drückte dem Mann die Mündung an die Schläfe. »Du würdest mich doch nicht anlügen, oder?«

Der Mann schüttelte hastig den Kopf. Vor Angst zitterte er am ganzen Körper. »Nein, General, ich schwöre es! Ich schwöre es!«

»Prima«, nickte General Pascal befriedigt und lächelte den Gefangenen an, während er auf den Abzug drückte.

Der Schuss echote durch das Tal. Vogelschwärme schreckten aus den Baumwipfeln hoch, Affen jagten in reiner Panik kreischend davon. Der Mann kippte nach vorn, mit dem Gesicht in den Fluss, sein Blut vermischte sich mit dem Wasser und färbte es blassrosa. Blassrosa – wie ein seltener Diamant.

Ein Kindersoldat trat vor. Er trug eine Kampfhose und ein schwarzes Bandana mit der Aufschrift *Dredd* auf der Stirn. Verächtlich kickte er den Toten in die Seite.

»Warum hast du ihn getötet?«, fragte er den General, eher verwundert als geschockt.

General Pascal schnaubte den Jungen verächtlich an, als sei die Antwort offensichtlich. »Er hat versucht, meine Diamanten zu stehlen. Das Land hier gehört jetzt mir.« Wie ein Großwildjäger setzte er einen Stiefel auf den Rücken des Toten und verkündete: »Hier fangen wir an zu graben.«

NoMercy schwenkte den Lauf seiner AK-47 zu der Gruppe von Gefangenen herum, die sie in einem weit entfernten Dorf zusammengetrieben hatten. Ein weiterer Befehl war nicht nötig. Die Männer hatten den kaltblütigen Mord beobachtet; völlig verängstigt nahmen sie ihre Schaufeln und Siebe und machten sich daran, im Fluss und am Ufer nach Diamanten zu suchen. NoMercy grinste spöttisch über ihre hündische Folgsamkeit.

»Kein Mensch darf erfahren, wo sich dieses Diamantenfeld befindet«, verkündete der General. Er deutete auf ein paar Stellen, an denen man möglicherweise in dieses abgeschiedene Tal gelangen konnte. »Blaze, du stellst dort, dort und dort Wachen auf. Das Tal ist ab sofort gesperrt. Wer rein oder raus will, wird erschossen.«

KAPITEL 9

Connor unterdrückte ein Gähnen, während er im Einsatzraum der Buddyguard-Zentrale auf die Tastatur einhämmerte. Der Raum war mit der neuesten Technologie ausgestattet: modernste Computer, Satellitentelefone, HD-Bildschirme, auf denen im Livestreaming die aktuellen Updates zur Sicherheitslage liefen. Der Einsatzraum war der Knotenpunkt sämtlicher Aktivitäten des Alpha-Teams. Jedes Bit von sicherheitsrelevanten Nachrichten, jede Bedrohungseinschätzung, jedes Missionsprofil war hier gespeichert. Sämtliche Entscheidungen, die die Sicherheit der Agenten angingen, und alle operativen Befehle kamen aus diesem Raum.

Connor langweilte sich dem Ende seiner Schicht entgegen. Er erledigte die letzten Einträge im Tagesprotokoll, eine langweilige, aber wichtige Arbeit. Der Schichtleiter musste sämtliche Ereignisse erfassen, die sich während seiner Schicht zutrugen, gleichgültig, ob sie nur Routine waren oder ob es sich um etwas Ungewöhnliches handelte. Und das bedeutete: Jeder Anruf, jede Mitteilung, jeder Zwischenfall, jede Planänderung musste protokolliert werden, egal wie nebensächlich und unwichtig es auch sein mochte – vom Namen des Fahrers eines Lieferwagens über die Wartung einer Klimaanlage bis hin zu den Details eines vor dem Haus geparkten Fahrzeugs.

Bugsy, ihr Trainer für Überwachungstechniken, hatte ihnen immer wieder eingeschärft, während einer Operation könne selbst die banalste Information entscheidend sein – etwa wenn sich der Fahrer des Lieferwagens verdächtig benahm, in einem Lüftungsschacht eine Abhörwanze entdeckt wurde oder das Auto an einem anderen Ort noch einmal gesehen wurde.

Aber so wichtig die Arbeit auch sein mochte, Connor fand sie nicht im Geringsten aufregend. Seit einer Woche befand sich Amir auf seiner ersten Mission und Connor war sein Kontaktpartner in der Zentrale. Bereits jetzt langweilte er sich und sehnte sich nach der Herausforderung, die jeder Einsatz für ihn darstellte. Nichts ließ sich mit der Aufregung, Begeisterung und geschärften Wahrnehmung draußen im Feld vergleichen, wenn es darum ging, einen Klienten zu schützen. Dann waren die Farben intensiver, die Töne klarer und die Sinne aufs Äußerste geschärft. Sein Dad hatte ihm einmal erklärt, Soldaten verspürten manchmal eine Art »Kampfinstinkt«, wenn es ums Überleben ging und alle Sinne mobilisiert wurden. Connor begriff inzwischen viel besser, was er damit gemeint hatte – er selbst empfand so etwas wie einen »Beschützerinstinkt.«

Connor hatte den Logeintrag beendet, lehnte sich zurück und streckte sich. Das Kampfmesser drückte gegen den Hüftknochen, als wollte es ihn auffordern, sich endlich zu einer neuen Mission auf den Weg zu machen. Er hatte nicht nur Bodyguard werden wollen, um für seine Familie zu sorgen, sondern auch, weil er in die Fußstapfen seines Vaters hatte treten wollen. Und dabei hatte er mehr über seinen Dad herausgefunden, den er viel zu früh verloren hatte: dass er im Special Projects Team der britischen Sondereinheit SAS gedient hatte, in einem Team, das vor allem für Terrorabwehr und VIP-Personenschutz eingesetzt wurde, und dass er einem späteren Präsidenten der USA und auch Colonel Black das Leben gerettet hatte. Jetzt, nach zwei erfolgreich abgeschlossenen Einsätzen, fühlte Connor, dass er sich selbstbewusst neben seinen Vater stellen konnte. Er hatte erkannt, warum sich sein Vater der Aufgabe gewidmet hatte, andere zu beschützen – und warum es auch ihn mit Stolz erfüllte, wenn er diese Aufgabe gut gemeistert hatte. Nur bei einem Einsatz fühlte sich Connor eng mit seinem Vater verbunden. Aber hier, am Computer im Hauptquartier, schrumpfte die Erinnerung an seinen Vater wieder auf das kleine Foto zusammen, das Connor in einem Schlüsselanhänger immer bei sich trug.

Doch obwohl sein jetziger Job keine große Aufregung mit sich brachte, musste Connor zugeben, dass er auch gewisse Vorteile hatte. Zum einen hatte er jetzt viel mehr Zeit, mit Charley und dem Rest des Alpha-Teams abzuhängen. Er konnte wieder regelmäßig trainieren, um seine Technik im Kickboxen zu verbessern. Und das war entscheidend, denn ihm stand ein harter Kampf mit Ling bevor. Er hatte sogar Zeit zu lesen und fernzusehen. Davon abgesehen würden er und die anderen allerdings in den kommenden Wochen nicht viel Freizeit haben: Das Alpha-Team hatte zwei Missionen gleichzeitig zugewiesen bekommen: die Operation Hawk-Eye, auf der sich Amir bereits befand, und die Operation Lionheart, zu der Marc in knapp einem Tag aufbrechen musste.

Connor schaute zum Besprechungsraum hinüber, wo Marc, Jason, Ling und Charley gerade die letzten operativen Details durchgingen. Marc hatte den Auftrag, die Familie eines französischen Botschafters bei einer Safari in Afrika zu beschützen. Connor kam das wie ein Traumeinsatz vor. Aber Marc schien sich darauf nicht besonders zu freuen. Auf seiner

Stirn glitzerten Schweißperlen und er sah furchtbar blass aus. In diesem Augenblick gab er plötzlich Würggeräusche von sich, presste die Hand auf den Mund und stürzte aus dem Raum.

Die anderen schauten sich verblüfft an. Jason schüttelte den Kopf. »Ich weiß ja, dass Marc vor jedem Einsatz das große Fracksausen kriegt, aber so schlimm war es noch nie.«

Connor wollte schon aufstehen, um nachzuschauen, ob Marc Hilfe brauchte, aber im selben Moment blitzte auf seinem Monitor ein Warnsymbol auf und ein lautes *PING!* ertönte. Damit wurde ein Videoanruf angekündigt. Connor klickte mit dem Cursor auf »Annehmen«. Amirs Gesicht erschien.

»Hi – du bist eine Stunde zu früh dran mit deiner Meldung. Ist alles okay?«, fragte Connor.

Aber an Amirs Miene konnte er sofort ablesen, dass nichts okay war.

»Bist du allein?«, erkundigte sich Amir als Erstes.

Connor warf einen Blick zum Besprechungsraum hinüber, dann nickte er. »Die anderen müssen sich gerade um Marc kümmern. Anscheinend hat er einen Panikanfall.«

»Da ist er nicht der Einzige«, murmelte Amir mit angespannter Stimme.

Connor beugte sich näher zum Monitor und schaute seinen Freund besorgt an. »Was ist passiert?«

Amir holte tief Luft. »Ich bin nicht wie du, Connor... Ich bin kein Kickboxchampion. Zum Kämpfer bin ich total ungeeignet, ich hab einfach nicht die Reflexe, die man dazu braucht.«

Connor bemerkte, dass Amir zitterte. »Erzähl mir erst mal, was los ist.«

»Wir waren in einer Menschenmenge... und da war plötzlich ein Mann. Ich dachte, er hätte eine Handgranate, und bin einfach stehen geblieben, völlig starr. Und dann flog etwas durch die Luft, und ich hab meinen Klienten nicht geschützt, hab ihn nicht mal gewarnt, nichts...« Amir brach ab, offenbar völlig verzweifelt und beschämt.

»Und dein Klient – ist alles in Ordnung mit ihm?«

Amir nickte, brachte es aber nicht über sich, Connor ins Gesicht zu blicken. »Ja, dem geht's gut. Er hat gar nicht gemerkt, dass ich nicht reagiert hab. Die Granate war nur ein verdammtes Hühnerei!« Er rutschte vor Verlegenheit hin und her. »Aber wenn es eine Granate gewesen wäre und ich...«

»Amir, krieg dich erst mal wieder ein«, unterbrach ihn Connor. »Kommt mir ganz normal vor – beim ersten Einsatz liegen die Nerven blank. Da kann es schon mal vorkommen, dass man nicht sofort reagiert, vor allem, wenn es die erste wirklich gefährliche Bedrohung ist. Die Hauptsache ist doch, dass deinem Klienten nichts passiert ist.«

»Na ja, passiert ist ihm schon was... Das Ei hat seine Designerklamotten ruiniert.« Amir seufzte tief auf und starrte niedergeschlagen auf seine Hände. »Ich glaube, ich hab einfach nicht das Zeug für einen Buddyguard. Ich bin nur ein dummer Typ aus dem Slum, der mal ein bisschen Glück gehabt hat. Ein Fake!«

»Komm mir bloß nicht damit, Amir«, gab Connor scharf zurück. »Hör zu: Du hast eine schlimme Kindheit in einem Slum überlebt, du hast dich selbst da rausgeholt und sorgst heute sogar für deine ganze Familie in Indien. Du bist besser geeignet als jeder andere hier, jemanden zu beschützen.«

Amir hatte Connor einmal von seiner Vergangenheit erzählt. Er war als sechster Sohn eines Wanderarbeiters in einem der Slums von Delhi aufgewachsen und hatte schon früh als Lumpensammler mitgeholfen, den ständigen Hunger in der Familie zu bekämpfen. Colonel Black hatte Amir bei einem ziemlich ungewöhnlichen »Hole in the wall«-Experiment entdeckt. Ein indischer Softwarekonzern hatte einen Computer in einer Mauernische installiert. Die Mauer stand direkt vor einem Slumgebiet und der Konzern wollte herausfinden, wie die Slumkinder damit umgingen. Schon nach kurzer Zeit hatten sich die Slumkinder, darunter auch Amir, ohne jede Anleitung oder Unterstützung den Umgang mit dem Computer beigebracht. Amir schaffte es schon nach einem Tag, Ordner anzulegen und sich ins Internet einzuloggen. Nach einer Woche lud er bereits Apps, Musikdateien und Spiele aus dem Netz herunter. Noch bevor zwei Monate verstrichen waren, schrieb er seine eigenen einfachen Programme. Damit hatte Amir bewiesen, dass er der geborene Computerfreak war. Colonel Black wurde auf ihn aufmerksam, als Amir versuchte, sich in den Server der Softwarefirma zu hacken – einen Server, für dessen Sicherheit der Colonel damals sorgen sollte. Colonel Black erkannte die natürliche Begabung des Jungen für Problemlösungen, sponserte Amir durch die Schule und rekrutierte ihn schließlich für das Buddyguard-Team.

»Denk daran, was der Colonel gesagt hat, Kumpel: Der Verstand ist die beste Waffe, die ein Bodyguard besitzt«, fuhr Connor fort. »Und du hast einen phänomenalen Verstand. Also konzentriere dich auf die Aufgabe und bleibe immer im Code Gelb.« Damit war der normale Aufmerksamkeitsstatus eines Bodyguards gemeint. »Nächstes Mal wirst du die Gefahr früher erkennen. Dann schaffst du es bestimmt zu verhindern, dass dein Klient in eine Omelette verwandelt wird!«

Amir brachte ein halbherziges Lachen zu Stande. »Danke, Connor ... Bin froh, dich als Backup zu haben.«

»Du schaffst das«, versicherte ihm Connor.

Kaum war Amir wieder vom Monitor verschwunden, als Charley zu Connor herübergerollt kam. »Gibt's Probleme?«

Connor schüttelte den Kopf. »Nein. Amir macht das prima.«

»Das ist gut«, antwortete Charley. »Weil Colonel Black dich nämlich dringend sprechen möchte.«

KAPITEL 10

»Planänderung, Connor«, verkündete Colonel Black. Er saß hinter seinem Mahagonischreibtisch in einem antiken Schreibtischsessel, der ebenfalls aus Mahagoni gefertigt und mit dunkelrotem Leder bezogen war. Auf den beiden großen Breitbildmonitoren an der Wand gegenüber liefen die Nachrichten – der eine zeigte einen Terroranschlag in China, der andere die jüngsten Unruhen in Thailand. »Du wirst als Buddyguard für Operation Lionheart eingesetzt.«

»Aber was ist mit Marc?«, fragte Connor verwundert.

»Er hat eine akute Blinddarmentzündung«, erklärte Charley, die hinter ihm in den Raum gerollt war. »Er dachte zuerst, er hätte sich nur den Magen verdorben, und wollte die Sache für sich behalten. Aber das ging nicht gut. Jody ist mit ihm ins Krankenhaus gerast. Hoffentlich schaffen sie es, bevor der Darm platzt.«

Connor erinnerte sich, dass Marc bei Connors Fahrprüfung in der vorigen Woche mit schmerzverzerrtem Gesicht die Hand auf eine Seite gepresst hatte. »Hoffentlich geht das gut.«

»Wird schon wieder werden«, meinte der Colonel. »Aber für ihn ist die Mission gelaufen. Du musst für ihn einspringen. Du fliegst morgen früh.«

»Aber ...« Connor erlebte einen Gefühlswirrwarr. Einerseits war er begeistert von der Aussicht auf eine neue Mission; andererseits hatte er Amir versprochen, ihn zu unterstützen. Und dann war da auch noch die Abmachung, die er mit seiner Großmutter geschlossen hatte. »Aber ich soll doch Amir unterstützen?«

Colonel Black wischte den Einwand beiseite. »Darum wird sich Charley kümmern. Außerdem dauert der Einsatz ja nur zehn Tage.«

»Und was ist mit Jason? Oder Richie?«

Der Colonel schüttelte den Kopf. »Sie haben die Impfungen nicht, die man für Afrika braucht. Gegen Gelbfieber und Hepatitis A muss man sich mindestens zwei Wochen im Voraus impfen lassen. Und du bist glücklicherweise schon bei deinem letzten Einsatz immunisiert worden.«

Connor wurde klar, dass die Entscheidung bereits gefallen war; er hatte nicht mehr mitzureden. Und je mehr er darüber nachdachte, desto sicherer wurde er, dass ein so kurzer Einsatz okay wäre. Gran würde davon überhaupt nichts mitkriegen, und er wäre wieder zurück, bevor die zweite Hälfte von Amirs Einsatz begann. Damit waren seine Gewissensbisse beruhigt, jedenfalls zum größten Teil. Plötzlich verspürte er wieder das erwartungsvolle Kribbeln wie vor den beiden anderen Einsätzen, die er unternommen hatte.

»Wir haben nur wenig Zeit. Charley, fange bitte gleich mit dem Briefing an«, befahl Colonel Black.

Charley drehte sich zu den Wandmonitoren um und klickte auf die Fernbedienung. Die Nachrichtensendungen verschwanden. Ein Bildschirm blieb schwarz; auf dem anderen erschien eine in die Kamera lächelnde Familie. Vier Personen. »Vom Gruppenbriefing weißt du ja schon, dass es bei der Operation Lionheart darum geht, den französischen Botschafter, Monsieur Barbier, und seine Familie während einer Safaritour in Afrika zu schützen.«

»Du weißt aber, dass ich kein Französisch kann?«, wandte Connor ein.

»Das macht nichts. Die ganze Familie spricht Englisch als Zweitsprache. Außerdem gibt dir Bugsy ein neues Smartphone mit. Es hat eine App für Simultanübersetzung. Er lässt dir aber ausrichten, dass er dieses Smartphone auf jeden Fall in einem Stück zurückhaben will.«

Connor grinste und zuckte die Schultern. »Ich kann's ja mal versuchen.« Bei seinem letzten Einsatz war sein Smartphone von einer Kugel getroffen und zerstört worden – aber es hatte ihm damit das Leben gerettet.

»Du bist der Buddyguard der beiden Kinder, Amber und Henri«, fuhr Charley fort.

Das Porträtfoto eines Mädchens mit dichtem rotem Haar und grünen Augen erschien. Auf dem zweiten Bildschirm leuchtete das Foto eines Jungen auf, ebenfalls rothaarig und mit Sommersprossen auf Stirn und Nase. Er trug ein blauweißes Fußballtrikot.

»Amber ist sechzehn, begeisterte Bergsteigerin und leidenschaftliche Fotografin. Ihr Bruder Henri ist erst neun und, wie du sehen kannst, fußballbegeistert. Er ist ein Fan von Paris Saint Germain. Aber er leidet an Asthma und darf deshalb nicht selbst spielen.«

»Hat Amber irgendeine Krankheit?«, fragte Connor. Die Sache mit dem Asthma merkte er sich genau. Charley rief Ambers Krankheitsgeschichte auf.

»Nein. Sie hat sich mal beim Bergsteigen ein Bein gebrochen, aber nach den Unterlagen ist der Bruch ohne Nachwirkungen verheilt.«

Nun rief Charley detaillierte Profile der Eltern auf. Auf

dem linken Monitor erschien das Foto eines Mannes in den Fünfzigern mit kurz geschnittenem silbergrauen Haar und Brille, und auf dem anderen Monitor das Bild einer glamourösen Frau mittleren Alters mit kastanienbraunem Haar.

»Der Vater heißt Laurent und ist ein verdienter französischer Diplomat. Er ist für das Management der französischen Entwicklungshilfe in Zentralafrika zuständig. Als Diplomat hat er hervorragende Umgangsformen, viele Beziehungen und ist sehr gesellig. Außerdem ist er scharfsinnig und intelligent; er hat Politische Wissenschaft und Ökonomie studiert. Soweit wir wissen, hat er keine erklärten Feinde. Sein einziger Makel war, dass er sich eine Geliebte hielt, aber das scheint lange vorbei zu sein.«

Charley deutete auf die Mutter. »Cerise war früher Herausgeberin eines Modemagazins und arbeitet jetzt als Kulturattaché für das französische Außenministerium. Als Mutter ist sie sehr fürsorglich und als Ehefrau offenbar nicht nachtragend. Sie begleitet ihren Ehemann auf allen diplomatischen Auslandsreisen. Anscheinend pflegt sie gute Beziehungen zu Freunden und Kollegen. Bei unserer Profilrecherche haben wir nichts Auffälliges über sie finden können – außer dass sie großen Wert auf Schmuck legt und einen teuren Kleidergeschmack hat.«

»Wieso müssen die Barbiers beschützt werden, wenn sie doch offenbar keine Feinde haben?«, fragte Connor.

Colonel Black beugte sich vor und legte die Fingerspitzen aneinander. »Wir haben keine *spezifische* Bedrohung für die Familie entdeckt. Deshalb haben wir die Operation nur als Gefahrenkategorie Drei eingestuft. Das ist auch der Grund, warum nur ein Buddyguard eingesetzt wird, obwohl es sich um zwei Klienten handelt. Die Frage der Sicherheit stellt sich vor allem wegen der Örtlichkeit.«

Er nickte Charley zu, die eine Karte von Zentralafrika aufrief.

»Laurent Barbier und seine Familie besuchen Burundi, auf Einladung von Präsident Bagaza.« Sie deutete auf ein kleines, herzförmiges Land, das zwischen der Demokratischen Republik Kongo, Ruanda und Tansania lag. »Bei der Safari soll den Franzosen vor allem der neue Teil des Ruvubu-Nationalparks gezeigt werden, der bald eröffnet werden soll. Frankreich hat dafür sehr viel Geld zur Verfügung gestellt.«

Sie vergrößerte die Karte und fokussierte auf einen Landstrich ohne Siedlungen, der im Nordosten des Landes lag. Mitten durch den Nationalpark schlängelte sich das silberne Band des Ruvubu; der Park selbst erstreckte sich als schmales Band auf beiden Seiten des Flusses, eingezwängt zwischen hohen Gebirgen.

»Man muss dazusagen, dass Burundi derzeit eines der ärmsten Länder der Welt ist«, fuhr Charley fort. »Das Land hat einen jahrelang andauernden Bürgerkrieg hinter sich, der die Volkswirtschaft buchstäblich verkrüppelt hat. Der Staat ist weitgehend von ausländischer Hilfe abhängig. Aber nachdem nun seit ein paar Jahren endlich wieder Friede herrscht, wird nun ein Wiederaufbau versucht. Die natürlichen Ressourcen sollen stärker ausgebeutet werden. Außerdem hofft man, dass sich der Tourismus zu einer Haupteinnahmequelle entwickelt. Die Sicherheitslage hat sich in den letzten Jahren verbessert, aber das Land ist trotzdem immer noch von politischer Instabilität gekennzeichnet. Es besteht die Gefahr, dass wieder Gewaltsamkeiten ausbrechen. Der Friede ist noch relativ jung und immer noch sehr brüchig.«

Der Colonel nickte und fügte hinzu: »Die beiden Bevölkerungsstämme, die Hutu und die Tutsi, teilen die Macht unter sich auf, aber das Arrangement ist nicht sehr stabil. Die Hutu bilden mit rund 85 Prozent die überwältigende Mehrheit, 14 Prozent zählen sich zu den Tutsi und rund ein Prozent gehören verschiedenen Pygmäenstämmen an. Die Hutu und die Tutsi haben immer noch Probleme, sich nach jahrzehntelangen Konflikten zu versöhnen. Präsident Bagaza wurde gerade für eine zweite Amtszeit wiedergewählt, was eine positive Entwicklung darstellt. Aber er hat Feinde, vor allem die Führer der früheren Widerstandsgruppen, darunter auch die FPB, die Front Patriotique Burundais, und die UCL, die Union des Combattants de la Liberté. Im Moment ist es zwar unwahrscheinlich, aber keineswegs unmöglich, dass die Konflikte wieder ausbrechen. Das ist der Grund dafür, dass der Botschafter persönlich unsere Dienste angefordert hat. Er will sicherstellen, dass seine Familie auf der Safari hundertprozentige Sicherheit genießt.«

Charley gab Connor einen USB-Ministick. »Hier ist die Operationsdatei abgespeichert. Du findest darin genauere Erläuterungen zum Bürgerkrieg und einen Überblick über die derzeitige Situation des Landes. Aber freu dich nicht zu früh, dass es ein Sand-und-Sonne-Urlaub wird. Es gibt so gut wie keine Infrastruktur: Eine funktionierende Stromversorgung ist kaum vorhanden und die Straßen sind buchstäblich unbefestigte Feldwege. In der Telefonliste findest du für den Notfall die offizielle Polizeirufnummer, aber darauf solltest du keine große Hoffnung setzen – es ist ziemlich unwahrscheinlich, dass jemand einen Anruf entgegennimmt. Du wirst dich also auf dein Smartphone verlassen und uns anrufen müssen, wenn es Probleme gibt. Für eine Notfall-Evakuierung gibt es nur eine Option, nämlich ein Privatflugzeug anzuheuern.«

Connor steckte den Ministick ein und meinte: »Klingt wirklich nicht wie ein tolles Urlaubsziel.«

Charley lächelte. »Keine Sorge – ich habe Fotos von der

Safari-Lodge gesehen. Alles nur vom Feinsten. Das Wort Luxus ist dafür sogar noch untertrieben. Nur als Beispiel: Die Schlafzimmer haben riesige Fensterglaswände zum Dschungel hin, jedes mit einem eigenen Bad mit großen Poolwannen, Sonnendeck und so weiter. Offenbar hat man für dieses Tourismusprojekt Millionen ausgegeben! Und die Sicherheitsgarde des Präsidenten ist jederzeit einsatzbereit, sodass die Operation für dich buchstäblich so leicht wie ein Spaziergang im Park sein dürfte.«

»Trotzdem – bleibe wachsam, Connor«, warnte der Colonel. Er griff in eine Schreibtischschublade und nahm ein abgegriffenes Taschenbuch heraus. »Hier – das ist deine Lektüre für den Flug.«

Er warf Connor das Buch zu. Auf dem grün-orange gemusterten Einband stand »SAS Handbuch Überlebenstechniken«.

»Erwarten Sie Probleme, Sir?«, fragte Connor.

Colonel Black schüttelte den Kopf. »Nein. Aber man sollte immer auf das Schlimmste gefasst sein. Besonders in Afrika.«

KAPITEL 11

Eine grob zusammengezimmerte Barriere aus Bambus zwang den Landrover zu einer harten Vollbremsung. Die Reifen schleuderten Staubwolken von der einspurigen, unbefestigten Trasse hoch, die durch den Busch verlief. Zwei Männer in fadenscheinigen Tarnuniformen, deren offizielle Armeeabzeichen längst verblasst oder absichtlich entfernt worden waren, standen hinter der Barrikade. Sie hielten die Sturmgewehre auf den einzigen Insassen gerichtet.

Der größere der beiden Männer, ein schlaksiger Ruander mit tief liegenden Augen, trat an die Fahrertür und wies den Fahrer mit einer knappen Bewegung der Waffe an, das Fenster herunterzulassen. Der Fahrer folgte dem Befehl, allerdings ohne zu wissen, ob es sich um eine offizielle Grenzwache handelte oder nicht.

»Sie sind ein wenig vom Touristenpfad abgekommen, stimmt's?«, fragte der Wächter, beugte sich durch das Fenster und ließ den gierigen Blick durch das Wageninnere gleiten.

»Die Hauptstraße war gesperrt«, antwortete der Fahrer.

Der Wärter schnaubte skeptisch. »Pass«, befahl er und hielt ihm die offene Hand hin.

Der Fahrer griff in den Rucksack und holte einen marineblauen Pass heraus. Der Wärter riss ihm den Pass aus der

Hand und schlug die Identitätsseite auf. Eisgraue Augen in einem mageren, blassen, mürrischen Gesicht blickten ihm entgegen. Es gab keine besonderen Kennzeichen, aber das Foto stimmte mehr oder weniger mit dem Gesicht des Fahrers überein. »Stan Taylor. Kanadier?«

Mr Grey nickte. Der Pass war gefälscht, und Stan Taylor war nur eine seiner vielen falschen Identitäten.

Der Wärter blätterte durch die übrigen Seiten und entdeckte eine knisternde Zehndollarnote, die hinten im Pass steckte. Er blickte auf. »Bestechung eines Beamten gilt in unserem Land als Verbrechen.«

»Was für eine Bestechung? Ich habe Ihnen nur meinen Pass gegeben.«

Der Wärter klappte den Pass zu, ließ den Geldschein in seiner Hosentasche verschwinden, gab aber den Pass nicht zurück. »Folgen Sie mir«, befahl er.

Mr Grey wusste, was jetzt geschehen würde. Zehn Dollar waren bei Weitem nicht genug für zwei Wärter, die hier, an diesem abgelegenen Grenzposten, stationiert waren. Sie würden versuchen, ihm noch mehr Geld abzupressen. Das war das normale Verfahren. Und der Grund dafür, dass er nicht gleich einen größeren Betrag angeboten hatte.

Er nahm seinen Rucksack, zog den Zündschlüssel ab und folgte dem Wärter in eine kleine Holzhütte mit Wellblechdach. Drinnen stank es nach Schweiß und abgestandenem Zigarettenrauch. Licht fiel nur durch die offene Tür und ein kleines Fenster an der Hinterwand in den Raum, sodass es ein paar Sekunden dauerte, bis sich seine Augen nach dem gleißenden Licht der afrikanischen Sonne an das düstere Innere gewöhnt hatten. In einer Ecke stand ein Eimer, an einer Wand lehnte eine rostige Machete und von einem der halb verfaulten Dachbalken hing eine Petroleumlampe, die jedoch nicht brannte. Die Möblierung war spärlich: ein abgenutzter Holztisch und ein Stuhl, auf dem ein dickbäuchiger Beamter saß. Er hatte die Füße auf den Tisch gelegt und balancierte gefährlich weit zurückgelehnt auf den Hinterbeinen des Stuhls. Eine Zigarette hing in einem Winkel der wulstigen Lippen.

Der Grenzwächter warf Mr Greys Pass auf den Tisch. Der Beamte warf nur einen flüchtigen Blick darauf.

»Anlass Ihrer Reise nach Ruanda?«, fragte er knapp, wobei die Zigarette so sehr auf und ab wippte, dass die Asche auf den gestampften Lehmboden fiel.

»Geschäftlich.«

»Und was für Geschäfte können das wohl sein?«

»Ich bin Tierfotograf.«

Der Beamte kniff misstrauisch die Augen zusammen. »Und wo ist Ihre Kamera?«

»In meiner Tasche.«

Der Beamte schaute den Grenzwärter an und befahl ihm mit einer knappen Kopfbewegung: »Durchsuchen.«

Mr Grey ließ sich durchsuchen. Sämtliche Taschen seiner Kleidung wurden umgedreht. Autoschlüssel und eine dünne schwarze Brieftasche wurden auf den Tisch gelegt. Der dicke Beamte beugte sich vor und durchsuchte den Inhalt der Brieftasche, während der Wärter im Rucksack herumwühlte.

»Ich stelle offiziell fest, dass Sie einhundert Dollar mit sich führen«, sagte der Beamte.

»Zweihundert«, korrigierte ihn Mr Grey.

»Nein, einhundert.« Der Beamte nahm fünf Zwanzigdollarnoten heraus und schob sie in seine Brusttasche.

»Dann habe ich mich wohl verzählt«, sagte Mr Grey mit schmalem Lächeln.

Der Grenzwärter holte eine digitale Spiegelreflexkamera

mit Teleobjektiv aus dem Rucksack und hielt sie hoch, damit der Beamte sie sehen konnte.

»Wie gesagt, ich bin Tierfotograf«, wiederholte Mr Grey. Im selben Moment kam nun auch der zweite Grenzwärter in die Hütte, schaute den Beamten an und schüttelte knapp den Kopf. »Im Auto ist nichts.«

Der Beamte versuchte erst gar nicht, seine Enttäuschung zu verbergen. Zögernd zog er die Schublade auf und nahm einen Stempel sowie ein Stempelkissen heraus. Nachdem er den Pass unnötigerweise noch einmal genauestens durchgeblättert hatte, drückte er den Stempel auf das Kissen und wollte gerade die Einreisegenehmigung in den Pass stempeln, als dem größeren der beiden Grenzwärter die Kamera aus der Hand rutschte. Sie schlug auf den Boden, der Bajonettverschluss barst auf und das Teleobjektiv rollte gegen ein Tischbein. Und im hohlen Objektivgehäuse blinkte ein großer, rosafarbener Stein.

Mr Grey verfluchte still die Tollpatschigkeit des Grenzwärters. Sie würde diesen höchstwahrscheinlich das Leben kosten.

Der Beamte schnalzte missbilligend mit der Zunge und legte den Stempel beiseite.

»Ich kann Ihnen das erklären«, sagte Mr Grey. Seine Miene war kalt und hart geworden.

»Nicht nötig.« Der Beamte bückte sich, hob den kostbaren Stein auf und prüfte ihn mit gieriger Freude. »Festnehmen.«

Der größere Wärter packte Mr Grey am Arm. Aber ein durchtrainierter, erfahrener Profikiller lässt sich nicht so einfach festnehmen. Ein einziger knapper Rückwärtsschlag mit dem Kopf brach dem Wärter das Nasenbein. Ein knapp gedrehter Hieb mit dem Ellbogen gegen seine Schläfe machte ihn bewusstlos. Noch bevor der Mann auf dem Boden aufschlagen konnte, packte Mr Grey seinen Kopf, verdrehte ihn ruckartig und brach ihm das Genick.

Der andere Wärter hatte inzwischen seine MG von der Schulter gerissen und in Anschlag gebracht. Mr Grey packte das Gewehr am Lauf, riss es nach oben und verdrehte es zugleich so, dass der im Abzugsbügel steckende Finger mit widerlichem Knacken brach. Ein blitzschneller Handkantenschlag gegen den Kehlkopf zerschmetterte die Luftröhre, schnitt den Schmerzensschrei ab und ließ den Mann zu Boden gehen, wo er sich noch ein paar Augenblicke lang vor Schmerzen und Sauerstoffmangel krümmte und schließlich erstickte.

Inzwischen war der Beamte in Panik geraten. Für seine Körperfülle kam er erstaunlich schnell auf die Füße, packte die Machete und holte mit der furchterregenden Klinge weit aus. Der Schlag hätte Mr Greys Kopf gespalten, doch dieser tauchte seitwärts weg und zog gleichzeitig an der Gürtelschnalle. Ein verstecktes Messer wurde sichtbar. Bevor der Beamte erneut ausholen konnte, hechtete der Killer mit einem gewaltigen Satz über den Tisch und trieb dem Beamten das Messer bis zum Heft in den Hals. Dem Mann traten vor Schmerz und Schock die Augen schier aus dem Kopf. Die Machete klapperte über den Boden, die Zigarette entfiel seinen bebenden Lippen. Mit durchgetrennter Halsschlagader brach der Mann zusammen und verblutete.

Der Kampf hatte nicht einmal eine Minute gedauert. Die drei Männer waren tot.

Mit unheimlicher Gelassenheit sammelte Mr Grey den Diamanten, seinen Pass, den Rucksack, die Kamera, das Objektiv, die Autoschlüssel und die Brieftasche wieder ein. Das gestohlene Geld holte er aus der Brusttasche des Beamten und fischte auch den Zehndollarschein aus der Hosentasche des

Grenzwärters. Danach nahm er die Petroleumlampe von ihrem Haken an der Decke und zerschmetterte sie auf dem Boden. Öl spritzte über die Leichen, auf denen sich bereits die ersten Fliegen niedergelassen hatten. Mr Grey nahm die noch glühende Zigarette und warf sie in die Petroleumlache, aus der sofort eine Stichflamme hochstieg. Die Leichen fingen Feuer. Wenn später der Tod der Männer untersucht wurde, würde man davon ausgehen, dass der Grenzposten von einer Rebellenmiliz überfallen worden war.

Der Gestank von verbranntem Fleisch füllte die Hütte. Mr Grey ging zur Tür, doch dann fiel ihm noch etwas ein. Rasch trat er an den Tisch, öffnete das Stempelkissen und stempelte seinen Pass ab. Während die Flammen allmählich die ganze Hütte erfassten, schlenderte er gelassen zu seinem Auto und fuhr davon.

KAPITEL 12

»Bist du wirklich ein Bodyguard?«

Connor nickte und nahm einen kräftigen Schluck Wasser, um den bitteren Nachgeschmack der Malariatablette hinunterzuspülen.

Henri riss voller Bewunderung die Augen auf und ließ sich in den Sitz zurückfallen. *»C'est trop cool!«*

Die kleine, aber luxuriöse achtsitzige Cessna ging in eine Linkskurve. Unter ihnen zog der dichte Dschungel des Ruvubu-Nationalparks vorbei. Die afrikanische Sonne glitzerte golden auf den Flügeln des Flugzeugs; der Himmel leuchtete rein und klar wie ein Saphir. Tief unter ihnen flimmerte das dunstig-grüne Gewirr von Bäumen und Büschen förmlich vor Hitze und Leben. Connor konnte es kaum fassen, dass er sich nur vierundzwanzig Stunden zuvor noch im kalten, grauen, von einer dünnen Schneeschicht überzogenen Wales gelangweilt hatte. Aber nach dem elfstündigen Flug vom Londoner Flughafen Heathrow über Brüssel war er im überraschend ruhigen Airport von Bujumbara, der Hauptstadt Burundis, gelandet. Dort war er zu der Familie Barbier gestoßen. Nun befanden sie sich auf dem Anschlussflug zur Safari-Lodge.

Henri beugte sich wieder vor. »Hast du auch eine Pistole dabei?«, flüsterte er aufgeregt, aber so leise, dass ihn seine

Eltern, die auf den vorderen Sitzen saßen, nicht hören konnten.

Connor musste laut lachen, als er daran dachte, welche Schwierigkeiten er gehabt hätte, wenn er versucht hätte, eine Pistole durch die Sicherheitskontrollen in Heathrow zu bringen, selbst wenn er die Erlaubnis dazu gehabt hätte. »Nein, natürlich nicht.«

Henri runzelte enttäuscht die Stirn. »Aber wie willst du uns dann schützen?«

»Indem ich immer auf mögliche Gefahren achte und versuche, sie zu vermeiden.«

»*Mais que ferais-tu si tu ne peux pas l'éviter?*«, fragte Amber, die ihren cremefarbenen Ledersitz in Liegeposition geneigt hatte.

Connor schaute zu ihr hinüber. Sie saß auf der anderen Seite des schmalen Gangs. Amber war hübscher, als ihr Foto hatte vermuten lassen – und in ihrem Benehmen frostiger, als ihr rotes Haar vermuten ließ. Entweder hatte sie vergessen, dass er nicht Französisch sprach, oder sie wollte ihn aus irgendeinem Grund in Verlegenheit bringen.

Sein Französisch war schon nach den kurzen und verlegen gemurmelten Vorstellungsfloskeln erschöpft gewesen, die er für die erste Begegnung auswendig gelernt hatte. Connor wünschte, er hätte Bugsys Smartphone mit der Übersetzungs-App zur Verfügung, aber das hatte er beim Start ausschalten müssen. Er lächelte ihr entschuldigend zu. »Tut mir leid. Was hast du gesagt?«

»Ich habe gefragt, was du machst, wenn du die Gefahr nicht vermeiden kannst«, wiederholte sie die Frage. Ihr Englisch war gut, mit einem weichen französischen Akzent.

»Dann versuche ich, ihr mit A-C-E zu begegnen.«

Sie hob die elegant geschwungenen Augenbrauen. »A-C-E?«

Connor war inzwischen mit dem Jargon des Alpha-Teams

so vertraut, dass er manchmal vergaß, dass andere mit solchen Begriffen nichts anfangen konnten. »Das ist die Abkürzung für die englischen Wörter ›assess‹, ›counter‹ und ›escape‹. Damit sind drei Maßnahmen gemeint, die ich ergreife, um euch in Sicherheit zu bringen. *Assess* heißt, dass man die Gefahr bereits beim ersten Anzeichen einschätzen muss, was immer dieses Anzeichen sein mag: ein Schrei, ein Schuss oder nur einfach irgendetwas, das mich misstrauisch macht. *Counter* bedeutet, dass ich versuche, der Gefahr zu begegnen: entweder indem ich euch abschirme oder indem ich die Bedrohung selbst eliminiere. Und *escape* heißt ganz einfach, dass wir aus der Gefahrenzone fliehen.«

»Ah – wenn also jemand versucht, meine Schwester abzuknallen« – Henri ahmte eine Pistole nach, zielte auf Amber und krümmte den Zeigefinger – »wirfst du dich als Bodyguard vor sie und fängst die Kugel ein?«

Connor spürte plötzlich eine Art Phantomschmerz im Oberschenkel – genau dort, wo er angeschossen worden war, als er die Tochter des amerikanischen Präsidenten vor einer Kugel bewahrt hatte. »Wenn ich muss, ja. Aber mit den richtigen Sicherheitsmaßnahmen wird es gar nicht so weit kommen.«

Henri schaute ihn beeindruckt an und feuerte noch ein paar imaginäre Schüsse ab.

Amber stieß gereizt die Hand ihres Bruders weg. »Papa sagt, Afrika ist gefährlich, und deshalb brauchen wir einen Bodyguard. Aber wir dürfen niemandem erzählen, wer du wirklich bist. Warum eigentlich? Es wäre doch bestimmt besser, wenn die Leute *wüssten*, dass wir beschützt werden.«

Connor schüttelte den Kopf. »Ich bin ein *Buddy*guard – und das Wort Buddy bedeutet, dass mich andere Leute für euren *Kumpel* halten sollen. Der beste Bodyguard ist der, den niemand bemerkt.«

»Ah – du bist also der Beste?«, fragte Amber. Sie betrachtete ihn mit ihren leuchtend grünen Augen, spöttisch und provozierend. Connor hatte keine Ahnung, warum sie ihn dermaßen schnippisch behandelte, wollte sich aber nicht darauf einlassen und antwortete vorsichtig: »Ich gebe mir Mühe…«

»Hier spricht der Kapitän«, kam plötzlich eine Stimme aus den Lautsprechern. »Wir fliegen jetzt über den Nationalpark. Der Fluss rechts unten ist der Ruvubu, nach dem der Park benannt wurde. Und weiter vorn auf der linken Seite sehen Sie jetzt unser Ziel, Ruvubu Lodge, wo Sie sieben Tage lang wohnen werden. Wir landen in zwei Minuten. Die Landebahn ist ein wenig holprig. Bitte legen Sie die Sitzgurte an.«

Connor blickte durch das Fenster hinunter, während er sich anschnallte. Der Dschungel hatte inzwischen einer grasbedeckten Savanne Platz gemacht. Ringsum ragten Hügel und zerklüftete Felsen empor. Von seiner Seite aus konnte er die Lodge nicht sehen, dafür aber den Fluss, der sich als breites Band durch das Tal wand und den Park in zwei Hälften teilte.

»*Regardez! Regardez!*«, rief Henri und deutete aufgeregt nach unten. »*Des éléphants!*«

Eine kleine Elefantenherde trottete langsam auf das Flussufer zu, zwei Jungtiere tappten hinterher. Weiter entfernt grasten unzählige Impalas, eine Antilopenart, in der goldenen Nachmittagssonne. Zebras und Giraffen waren überall zu sehen. Weit und breit gab es keine Anzeichen für menschliche Siedlungen, keine Ortschaften und auch keine Straßen, von ein paar rotbraunen Feldwegen abgesehen, die sich wie ausgetrocknete Adern durch den Busch zogen.

Das Flugzeug setzte hart auf der holprigen Landebahn auf. Sie waren wirklich im Herzen Afrikas angekommen.

KAPITEL 13

Es war wie der Abstieg in eine glühende Kohlengrube, als Connor aus dem klimageregelten Kokon der Cessna in die enorme afrikanische Hitze hinunterstieg. Gut, dass die Landebahn kaum mehr als ein einigermaßen geglätteter Streifen aus Lehm und verdorrtem gelben Gras war – Asphalt wäre in dieser Hitze womöglich geschmolzen. Die Sonne brannte so gleißend hell vom wolkenlosen, glänzenden Himmel, dass er die Augen zu schmalen Schlitzen zusammenkneifen musste. Die Erde war so rot, dass sie wie ein schwerer Sonnenbrand aussah. Connor atmete den schweren Duft von trockenem Gras und wilden Tieren tief ein, ein reicher, erdiger Geruch, typisch afrikanisch.

Er beschattete die Augen und scannte die Umgebung nach möglichen Gefahren. Die Tiere, die noch vor wenigen Minuten am Fluss gegrast hatten, waren vom Motorenlärm der Cessna vertrieben worden. Ringsum lag nichts als offene Savanne; nur ein paar vereinzelte Bäume mit flachem Blätterdach wuchsen über die Talebene verstreut. Ungefähr eine Meile weiter nördlich lag die Ruvubu Lodge auf einer Art natürlicher Terrasse. Die Aussicht von dort oben über das Tal musste phänomenal sein.

Zwei nagelneue Allradfahrzeuge – Landrovers – warteten

in der Nähe der Landebahn, um die Botschafterfamilie und ihr Gepäck zur Lodge zu bringen. Connor stieg in das zweite Fahrzeug, nach Henri und Amber. Dankbar hielt er den Kopf in den Fahrtwind, als sie auf dem Feldweg entlangfuhren. Auch Amber genoss den Wind und hörte auf, sich mit ihrem Strohhut kühle Luft zuzufächeln.

»*Est-ce qu'il fait toujour aussi chaud?*«, fragte sie den Fahrer.

Connor schaltete schnell das Smartphone ein, startete die Übersetzungs-App und steckte sich den drahtlosen Hörer ins Ohr. In Burundi, einer früheren belgischen Kolonie, war Französisch die zweite Amtssprache nach Kirundi, das die Einheimischen sprachen. Wenn er Amber und Henri effektiv schützen wollte, musste er auch ständig darauf achten, was in ihrer Umgebung gesprochen wurde.

»*Excusez-moi, Madam?*«, fragte der Fahrer zurück, als sie über den von Schlaglöchern übersäten Feldweg rumpelten.

Amber wiederholte die Frage. Nach ein paar Sekunden hörte Connor die Übersetzung: »Ist es immer so heiß?«

»Nur tagsüber«, antwortete der Fahrer grinsend.

»Na, da bin ich aber erleichtert«, lachte Amber über die trockene Antwort.

Ein paar Minuten später hielt der Landrover vor dem großen Haupteingang der Lodge an. Der Eingangsbereich war aus massiven Holzbalken errichtet worden. Ein paar Bedienstete eilten herbei und luden das Gepäck aus.

»*Bienvenue, Ambassadeur Barbier. Quel plaisir de vous revoir. Comment s'est passé votre voyage?*«

Fast sofort hörte Connor die Übersetzung: »Willkommen, Botschafter Barbier. Wie schön, Sie wiederzusehen. Wie war Ihre Reise?«

Connor staunte über die Schnelligkeit, mit der die App reagierte. Die Stimme des Übersetzers klang zwar ein wenig roboterhaft, aber mit ein wenig Konzentration konnte er einer Unterhaltung fast in Echtzeit folgen. Es kam ihm vor, als hielte er einen Universalübersetzer in der Hand, wie man sie aus »Star Trek« und anderen Science-Fiction-Filmen kannte.

»Sehr gut, danke der Nachfrage«, antwortete Laurent auf Französisch und schüttelte Präsident Bagaza die Hand. Sie traten in den angenehmen Schatten der eleganten Empfangshalle, die von dunklen Holzwänden und Ledersesseln beherrscht wurde. An der Wand hinter dem Empfangstresen hing der ausgestopfte Kopf eines riesigen afrikanischen Büffels, dessen große, geschwungene Hörner auf Hochglanz poliert worden waren. Seine Glasaugen schienen den Ankömmlingen zu folgen.

In der Halle hatte sich ein Empfangskomitee in einer langen Reihe aufgestellt: lächelnde Männer und Frauen in den farbenprächtigen Kleidern ihres Landes.

»Es ist eine Freude, in Ihr schönes Land zurückzukehren«, fuhr Laurent fort. »Darf ich Ihnen meine Frau Cerise vorstellen?«

»Enchanté«, sagte der Präsident und küsste ihr die Hand.

»Ganz meinerseits«, antwortete Cerise mit charmantem Lächeln.

Die Eltern hatten Connor schon im Flughafen begrüßt und sich vor dem Start der Cessna ein wenig mit ihm unterhalten. Beide waren sehr freundlich gewesen. Zu Connors Erleichterung hatten sie auch Verständnis für die Ersatzlösung, die wegen Marcs Blinddarmentzündung notwendig geworden war. Laurent hatte noch einmal betont, dass er nicht mit Problemen rechnete; er wolle nur, dass seine Familie bei diesem formellen Besuch so gut wie möglich beschützt wurde. Cerise war offenbar ein wenig erstaunt gewesen, dass ihr Mann eine so ungewöhnliche Sicherheitsmaßnahme –

einen Jugendlichen als Bodyguard zu verpflichten – für nötig hielt. Aber letztlich empfand sie es als beruhigend, dass ihre Kinder einen »vernünftigen« Gleichaltrigen bei sich hatten, wenn sie und ihr Mann ihren offiziellen diplomatischen Verpflichtungen nachkommen mussten.

»Und das sind meine Kinder, Amber und Henri«, sagte Laurent.

Der Präsident strahlte die beiden an. »Wunderbar! Ich hoffe, dass euer Aufenthalt hier zu einem Erlebnis wird«, sagte er. Seine Stimme klang tief und weich wie Samt. »Wendet euch an das Personal, wenn ihr Wünsche oder Fragen habt. Bestimmt freut es euch zu hören, dass die Safari-Lodge ihren eigenen Swimmingpool hat...«

»Kriegen wir auch Löwen zu sehen?«, unterbrach ihn Henri, der vor Aufregung kaum stillstehen konnte.

»Selbstverständlich! Der Löwe ist unser Wappentier!«, antwortete der Präsident stolz. Dann schweifte sein Blick weiter zu Connor. »Und wer ist wohl dieser feine Gentleman?«

»Connor Reeves«, stellte ihn der Botschafter vor. »Ein Freund meiner Tochter.«

Der Präsident schüttelte Connor die Hand. Er war ein großer, korpulenter Mann mit hochgewölbtem, kahlem Kopf und kurz geschnittenem Schnauzbart. Sein Lächeln wirkte ansteckend, sein Händedruck war kräftig und herzlich. Connor fand ihn auf Anhieb sympathisch.

»Herzlich willkommen in meinem Land, Connor.« Der Blick des Präsidenten zuckte kurz zwischen Connor und Amber hin und her, dann wandte er sich wieder zum Botschafter um und raunte ihm leise zu: *»Ah, être jeune et amoureux!«*

Connor sah, dass Amber die Stirn runzelte, während Henri kicherte. Sekunden später hörte er die Übersetzung: »Ah, jung und verliebt zu sein!«

Connor beschloss, cool zu bleiben und das Missverständnis nicht aufzuklären. Es war schließlich nur zu seinem Vorteil, wenn der Präsident diesen falschen Eindruck bekam. Auf diese Weise konnte er immer in Ambers Nähe bleiben, ohne dass jemand durchschaute, welche Rolle er wirklich spielte. Nacheinander wurden sie den anderen Leuten im Empfangskomitee vorgestellt.

Da war zunächst Michel Feruzi, der Minister für Handel und Tourismus, der Connor mit seiner gewaltigen Körperfülle an ein Nilpferd erinnerte. Obwohl der Minister in Burundi geboren und aufgewachsen war, schien er mit der Hitze nicht sehr gut zurechtzukommen, denn er wischte sich ständig mit einem Taschentuch die schweißnasse Stirn. Auch seine Frau war ziemlich füllig, aber stilvoll gekleidet und bewegte sich mit bemerkenswerter Anmut. In ihrem farbenfrohen violetten Gewand schien sie den Raum zu beherrschen.

Neben ihr stand Uzair Mossi, der Finanzminister, ein älterer Mann, dessen kurzes Kraushaar schon grau gesprenkelt war, obwohl seine Augen noch jugendlich funkelten. Er hatte eine überraschend junge Frau, groß und schlank, mit langen Zöpfen, die ihr über den Rücken fielen, und Augen so schwarz wie Onyx. Sie bildete den absoluten Kontrast zu Mrs Feruzi.

Schließlich wurden sie auch Adrien Rawasa und seiner Frau vorgestellt. Der Minister für Energie und Bergbau hatte eine leise Stimme, einen schlaffen Händedruck und legte offenbar Wert auf teures Rasierwasser – der Duft eines französischen Herrenparfüms umgab ihn wie eine Wolke. Seine Frau Constance war offenherzig, umarmte die Kinder und überreichte Cerise einen handgeflochtenen Korb und eine Halskette als Willkommensgeschenk.

»Und nun, Herr Botschafter, erlauben Sie mir bitte, dass ich Ihnen und Ihrer Familie die Lodge zeige«, sagte Präsident Bagaza. »Sie werden sehen, was für ein wunderbares Projekt dies ist. Und Sie sind unsere ersten ausländischen Gäste in diesem Haus!«

KAPITEL 14

Präsident Bagaza führte sie zunächst in eine üppig ausgestattete Lounge, in der sich auch eine große Bar befand. Der Raum war mit Holzbalken konstruiert, das Strohdach war von innen sichtbar. Bequeme Sofas und Ledersessel bildeten die Möblierung; vor dem offenen Kamin stand eine Chaiselongue, die mit rotem Samt bezogen war. Große Glastüren, die vom Boden bis zur Decke reichten, führten auf das Sonnendeck. In einer Ecke hing eine hölzerne Stammesmaske, in einer anderen stand ein handgefertigtes Schachspiel aus Elfenbein auf einem kleinen Tisch. Die Bar zog sich über die gesamte hintere Wand; hinter dem polierten Mahagonitresen stand ein smart gekleideter Barmann, der gerade letzte Hand an die Willkommensgetränke legte. Und mitten auf dem Parkettboden lag ein großes Zebrafell. Connor fiel auf, dass Amber als Einzige nicht auf das Fell trat, während alle anderen kaum darauf achteten.

»Die Lodge hat den Standard eines Fünf-Sterne-Hotels«, erklärte Präsident Bagaza mit einer stolzen Geste, die den Raum und überhaupt das gesamte Gebäude einschloss. »Ich selbst hatte mit dem Bau nicht viel zu tun; dafür war Minister Feruzi verantwortlich, deshalb wird er die Führung übernehmen.«

Der Präsident gab dem Minister ein Zeichen, die Hausführung zu übernehmen.

Der Minister hüstelte in die fleischige Faust, bevor er seinen Vortrag begann. »Die Lodge hat acht vollklimatisierte Suiten, jede mit Glasfront zur Talseite, einem eigenen kleinen Pool und einem spektakulären Ausblick über das Tal. Außer dieser Lounge hier gibt es noch eine Bibliothek und einen Fitnessraum – ah, und ein Raucherzimmer für alle, die körperlicher Betätigung weniger geneigt sind.«

Dabei tätschelte er seinen beachtlichen Bauch. Der Scherz wurde mit höflichem Lachen belohnt. Connor fiel eine Sekunde später ein, nachdem die Übersetzung geliefert worden war. Während der Minister redete, servierten zwei Bedienstete Minzlimonade mit Eiswürfeln.

»Außer über eine Cocktailbar verfügt die Lodge auch über einen bestens bestückten Weinkeller. Im Speisesaal wird Ihnen das feinste Cordon bleu angeboten, zubereitet von einem Sternekoch. Sie dürfen mir das ruhig glauben – ich habe mich freiwillig als Testesser betätigt.«

Wieder höfliches Gelächter.

»Außerdem darf ich Ihnen versichern: Das Wohlergehen unserer Gäste ist unser höchstes Ziel; nichts darf Ihren Aufenthalt stören. Die Lodge verfügt über einen eigenen Stromgenerator. Es wird auch keine Probleme mit Ihren Mobiltelefonen geben: Wir haben einen eigenen Funkmast errichtet. Die Lodge verfügt sogar über einen Wireless Internet Access!«

»Vielleicht sollten wir hier einziehen«, raunte Minister Mossi seiner jungen Frau zu.

»Unsere Gäste werden in einer Weise verwöhnt, wie es kein Hotel besser könnte«, fuhr Minister Feruzi fort. »Dazu gehören auch außergewöhnliche Gelegenheiten, die Tierwelt zu beobachten. Hier werden Ihnen Safarierlebnisse geboten, die Sie in Ihrem Leben nicht mehr vergessen werden, und natürlich werden Sie dabei nur von den erfahrensten und besten Rangern begleitet!«

Minister Feruzi verneigte sich, soweit es seine Leibesfülle zuließ, und deutete damit an, dass seine Rede zu Ende sei. Er wurde mit höflichem Applaus belohnt.

»Ich muss zugeben, ich bin beeindruckt«, erklärte Laurent, wobei er den Blick über den verschwenderischen Luxus gleiten ließ. »Haben Sie dafür die gesamte Entwicklungshilfe ausgegeben, die Frankreich Ihnen gewährt hat?«

Das war nur halb scherzhaft gemeint, aber der Minister ließ ein herzliches Lachen hören, sodass seine dicken Wangen wabbelten. »Nein, ich versichere Ihnen, das ist nicht der Fall. Wir haben ...«

»Wow! Sind die echt?«, rief Henri, der sich während der Rede aus der Gruppe gestohlen hatte, plötzlich aus. Jetzt deutete er aufgeregt auf die Wand, wo ein großer, mit einem Leopardenfell bedeckter Kampfschild und zwei dahinter gekreuzte Speere mit breiten Eisenspitzen hingen.

»Nicht nur echt«, antwortete Minister Mossi, während er sich zu ihm gesellte, »sondern auch tatsächlich benutzt. Mit diesen Speeren hat der Häuptling eines Hutu-Stammes einmal einen Löwen erlegt.«

Beeindruckt starrte Henri die Waffen an.

»Möchtest du einen Speer halten?«, fragte der Minister.

Henri nickte eifrig.

»Töten Sie denn hier alle Tiere?«, fragte Amber und schaute bekümmert den ausgestopften Antilopenschädel an der gegenüberliegenden Wand an.

Ihr Vater warf ihr einen warnenden Blick zu, aber Minister Mossi lächelte nur, während er Henri einen der beiden Speere reichte. »Wir sind hier in Afrika. In früheren Zeiten bewies man seine Männlichkeit, indem man einen Löwen erlegte. Aber heutzutage ...« Er zuckte die Schultern, beobachtete fast wehmütig, wie Henri mit dem Speer herumfuchtelte, und nahm ihm dann die Waffe wieder ab. »Die Einstellung dazu hat sich verändert.«

»Das stimmt, Amber, und es ist auch gut so«, versicherte ihr Präsident Bagaza. »Dieses Projekt hier im Ruvubutal dient dem Tierschutz. Mit der großzügigen Unterstützung durch Frankreich konnte der Nationalpark wiederbelebt werden, nachdem er lange Jahre vernachlässigt worden war. Wir haben hier Löwen, Elefanten, Nashörner und viele andere Tierarten wieder angesiedelt. Du wirst sie auf den Safaritouren zu sehen bekommen, die wir für euch geplant haben. Aber warum werfen wir nicht jetzt gleich einen ersten Blick auf die Tierwelt hier in der Umgebung?«

Der Präsident führte die Gäste durch eine große Doppelglastür auf die breite, offene Veranda hinaus. Dort wurden sie von einer spektakulären Aussicht über das Ruvubutal begrüßt. Ringsum erstreckte sich der afrikanische Busch im goldenen Licht der Spätnachmittagssonne. Am Fuß des Abhangs lag ein natürliches Wasserloch, in dem sich Nilpferde suhlten. Mehrere langhornige Oryxantilopen tranken am Ufer, daneben eine kleine Herde von rehfarbenen Gazellen. Über ihnen flatterten ein paar farbenfrohe Vögel herum und jagten Insekten und Libellen. Und von Süden her näherte sich eine Elefantenkuh mit ihrem Jungen. Weiter hinten grasten Herden von Zebras, Gnus und Büffeln. Die ganze Szene wirkte fast, als sei sie für einen Naturfilm arrangiert worden. Connor kam es so vor, als würde er von einem Logenplatz einen Blick ins Paradies werfen.

Amber war sprachlos.

»Diesen Park gibt es nicht mehr nur auf dem Papier«, fuhr

der Präsident fort. »Das gesamte Land wurde den Tieren zurückgegeben. Hier gibt es keinerlei menschliche Siedlungen mehr.«

»Und wenn Ihr Land uns auch weiterhin unterstützt, werden wir daraus eine der besten touristischen Attraktionen Afrikas machen«, versicherte Minister Feruzi. Hastig setzte er hinzu: »Wobei wir natürlich auch die vereinbarten Ziele zum Schutz der Tier- und Pflanzenwelt erfüllen werden.«

»Das ist wirklich wunderbar«, sagte der Botschafter und schüttelte dem Präsidenten und seinen Ministern die Hände. »Die französische Regierung wird über die erzielten Fortschritte außerordentlich erfreut sein. Damit hat Burundi beste Aussichten, zu einem der wichtigsten Tourismusziele in Afrika zu werden.«

Die luxuriöse Lodge, der Park und die wunderbare Tierwelt hatten Connor fast vergessen lassen, warum er hier war. Statt die Aussicht nur zu bewundern, hätte er sie aus der Sicherheitsperspektive betrachten müssen. An einem derart abgelegenen und isolierten Ort musste man mit allen möglichen Gefahren rechnen, ob sie nun von Menschen oder von Tieren ausgingen. Und dass ihm die Umgebung so wenig vertraut war, war ein Grund für besondere Wachsamkeit.

Doch von hier oben entdeckte Connor keinerlei Sicherheitsmaßnahmen. »Können die Tiere nicht einfach hier hereinspazieren?«, fragte er.

Minister Feruzi schüttelte den massigen Kopf. In fließendem Englisch antwortete er: »Die Lodge und die dazu gehörige Parkanlage sind von einem unauffälligen elektrischen Zaun umgeben. Er wurde gut getarnt, um die Aussicht nicht zu stören, aber er ist sehr wirksam und hält die gefährlichen Tiere ab.« Er zwinkerte Henri zu und meinte auf Französisch: »Du wirst den Speer also nicht brauchen, Henri.«

Als Connor versuchte, den Zaun auszumachen, entdeckte er im Dickicht eine Bewegung. Ein Soldat in Kampfmontur tauchte auf, ein Sturmgewehr hing an seiner Schulter.

»Wer ist der Mann dort?«, fragte Connor. Sein Alarmzustand schoss automatisch in die Höhe; instinktiv schob er sich näher an Amber und Henri heran.

»Ach, der gehört nur zur Präsidentenwache«, antwortete Minister Mossi. »Kein Grund zur Beunruhigung. Die Soldaten patrouillieren Tag und Nacht rund um die Lodge. Sie werden sie schon bald überhaupt nicht mehr bemerken.«

Präsident Bagaza lächelte seine Gäste beruhigend an. »Ich selbst habe mich so daran gewöhnt, dass ich sie überhaupt nicht mehr bemerke! Und nun möchten wir Ihnen Gelegenheit geben, Ihre Zimmer zu beziehen und sich frisch zu machen. Heute Abend wollen wir die Ankunft unserer hochverehrten Gäste mit einem echten Boma-Dinner feiern!«

KAPITEL 15

Connor breitete den Inhalt seines Rucksacks auf dem riesigen Bett seiner Suite aus. Durch den überstürzten Aufbruch hatte er noch gar keine Zeit gefunden, sich genau anzuschauen, worin dieses Mal seine Ausrüstung bestand. Auf dem Flug hatte er im SAS-Handbuch gelesen, dass die Ausrüstung den ganzen Unterschied zwischen Erfolg und Fehlschlag ausmachen konnte – und sogar zwischen Leben und Tod.

Bei Connors bisherigen Missionen war es Amirs Aufgabe gewesen, eine besondere Ausrüstung für einen bestimmten Einsatz zusammenzustellen. Aber Connor hatte nicht einmal Zeit gehabt, seinen Freund zu kontaktieren, geschweige denn ihm mitteilen zu können, dass er bei seinem eigenen Einsatz nicht mehr als Kontaktpartner zur Verfügung stand. Er konnte nur hoffen, dass sich Amirs Nervenkostüm inzwischen wieder ein wenig gefestigt hatte. Nun fungierte Charley als Kontaktperson für sie beide. Trotzdem regten sich bei Connor Gewissensbisse, dass er seinen Freund bei dessen erstem Einsatz im Stich lassen musste.

Und so war Bugsy beauftragt worden, Connors Ausrüstung zusammenzustellen. Wie es aussah, hatte der Lehrer für das Überwachungstraining ganze Arbeit geleistet. Connor hatte eine reichhaltige Erste-Hilfe-Ausrüstung dabei, die auch Antibiotika, Spritzen und sterile Nadeln für den Notfall umfasste. In einem Land mit fast völlig fehlenden medizinischen Einrichtungen waren solche Dinge überlebensnotwendig. Ferner gab es Malariatabletten sowie Sonnen- und Insektenschutzmittel. Auch Connors spezielle Sonnenbrille befand sich im Rucksack, die sich bei seinem letzten Einsatz als ungeheuer nützlich erwiesen hatte. Im grellen Tageslicht war sie unverzichtbar und bei Nacht ausgesprochen hilfreich, da ihre Gläser mit einer besonderen nanophotonischen Beschichtung überzogen waren, die es möglich machte, im Dunkeln zu sehen. Außerdem hatte ihm Bugsy ein Maglite mit einem zweiten Satz Batterien, ein solarbetriebenes Ladegerät für sein Smartphone und ein kompaktes, aber trotzdem lichtstarkes Fernglas mitgegeben. Was die Kleider anging, hatte Bugsy ein stichsicheres kurzärmeliges Hemd, eine Cargohose und eine Baseballmütze mit integriertem Nackenschutz eingepackt. Aber eine normale kugelsichere Weste wäre für dieses Klima einfach zu heiß; Connor würde sich auf das Kugelschutz-Panel verlassen müssen, das in den Rucksack integriert war.

Aber der Gegenstand, der Connor am meisten faszinierte, war eine schlanke blaue Röhre mit einem Trinkverschluss an einem Ende. Das Ding hieß »LifeStraw« und war Bugsy zufolge so etwas wie ein »letzter Strohhalm«. Damit ließ sich nämlich sogar das abgestandene Wasser aus irgendeiner Lehmkuhle in reines Trinkwasser verwandeln, wenn man es durch den »Strohhalm« ansaugte. Und da es in Burundi keine funktionierende Versorgung mit sauberem Trinkwasser gab, war dieses Gerät besonders wichtig, zumal Connor keinen Wert darauf legte, sich eine schwere Darmerkrankung zuzuziehen und damit als Bodyguard auszufallen. Der LifeStraw war so klein, dass man ihn in die Hosentasche stecken konnte.

Bugsy hatte ihm versichert, dass das Gerät 99,9 Prozent aller Keime und Bakterien aus dem Wasser filtern würde. Man konnte damit rund tausend Liter reinigen – genug für eine Person für ein ganzes Jahr.

»Ziemlich ungewöhnliches Gepäck für einen Urlaub«, ertönte plötzlich eine raue Stimme, auf Englisch, aber mit einem starken Akzent.

Connor wirbelte herum. Ein stämmiger Mann lehnte lässig in der offenen Tür. Er trug ein Kakihemd, knielange Shorts, Wüstenstiefel und einen breitkrempigen Hut. Sein Gesicht war von Sonne, Wind und Wetter gegerbt und von tiefen Falten durchzogen. Der kurz geschnittene Kinnbart verstärkte den Eindruck, dass dieser Mann sein Leben hauptsächlich im Freien verbrachte.

»Ich bin Joseph Gunner«, stellte er sich vor, trat ein und streckte Connor die Hand hin. »Aber du kannst mich einfach nur Gunner nennen. Ich bin euer Parkranger.«

»Hi. Ich heiße Connor.«

»Ein Engländer!«, stellte Gunner fest. Er klang ziemlich überrascht, und wenn man nach seinem herzlichen Händedruck ging, schien er sich darüber zu freuen.

Connor nickte. »Und woher kommen Sie? Bestimmt nicht aus Burundi, oder?«

»Südafrika. Dort geboren und aufgewachsen«, antwortete Gunner nicht ohne Stolz. »Arbeitete früher im Kruger Nationalpark, bis mir dieser Job hier angeboten wurde. Tolle Gelegenheit, hab natürlich sofort Ja gesagt.« Sein Blick glitt über Connors Ausrüstung auf dem Bett. »Du bist besser vorbereitet als normale Touristen. Was bist du denn – Pfadfinder?«

»So was Ähnliches«, gab Connor zu und machte sich daran, alles wieder einzupacken.

Der Ranger trat an das Bett und deutete auf das Feldmesser. »Darf ich mir das mal anschauen?« Er nahm es in die Hand.

Connor nickte. »Es gehörte meinem Dad.«

Gunner betrachtete das Messer eingehend. »Na, dein Dad scheint zu wissen, was ein gutes Messer ausmacht. Solider Holzgriff.« Er ließ den Finger prüfend über die Schneide gleiten und grunzte zufrieden vor sich hin. »Im Busch gibt es ein Sprichwort: ›Du bist nur so scharf wie dein Messer.‹ Freut mich, dass du das hier so gut pflegst.«

Er steckte das Messer wieder in die Scheide und gab es Connor zurück, der eine eigenartige Genugtuung empfand, dass jemand anders erkannt hatte, wie wertvoll sein väterliches Erbstück war.

»Im Busch sollte man immer ein gutes Messer dabeihaben«, erklärte Gunner und klopfte vielsagend auf das eindrucksvoll große Jagdmesser an seinem Gürtel. Dann nahm er das SAS-Handbuch vom Bett und blätterte es durch. »Du interessierst dich also auch für Überlebenstechniken?«

Connor nickte. »Mehr als Sie sich vorstellen können.«

Gunner lächelte. »Na, dann bist du hier am richtigen Ort, um sie auszuprobieren.«

KAPITEL 16

NoMercy stand Wache. Er befand sich auf der Spitze einer Felsnase, die über das versteckte Tal hinausragte. Unter ihm arbeiteten die Männer wie Ameisen, wühlten die Erde mit Schaufeln und bloßen Händen um. Wie Hautschichten wurde die grüne Vegetation zurückgeschält, um den lehmigen und felsigen Untergrund freizulegen – und hoffentlich auch die Diamanten. Ein paar andere Zwangsarbeiter siebten den Aushub und suchten nach den kostbaren Steinen. Sie arbeiteten in grimmigem Schweigen. Ihre Kleider waren verdreckt und schweißgetränkt.

General Pascals Kindersoldaten lungerten lässig im Schatten herum, behielten aber die Arbeiter trotzdem scharf im Auge. Ihre Waffen waren auf Männer gerichtet, die alle alt genug waren, um ihre Väter zu sein. Aber kein einziger Kindersoldat sehnte sich nach einem Vater – schließlich waren sie Soldaten der ANL. NoMercy konnte sich dunkel erinnern, auch einmal einen Vater gehabt zu haben, aber der General hatte ihm erklärt, dass Männer wie NoMercys Vater schwach und nutzlos waren. Denn sein Vater hatte seine eigene Familie nicht schützen können – sie waren von einer rivalisierenden Rebellengruppe niedergemetzelt worden. Jetzt, da sie alle tot waren, hatte NoMercy nur noch einen Menschen, für den er kämpfen musste: sich selbst. Er würde nicht so schwach sein wie sein Vater. Der General hatte ihm gezeigt, welche Macht ein Mann mit einer Waffe besaß. Und er hatte ihn auf den richtigen Weg geführt: den Weg des Ruhms.

NoMercy hörte einen Jubelruf. Einer der Zwangsarbeiter sprang auf und reckte die Hand in die Luft.

General Pascal saß auf einem Plastikstuhl im Schatten einer Palme und trank geräuschvoll aus einer Wasserflasche. Lässig winkte er den Mann zu sich. Der Mann gab dem General seinen Fund. Der General kniff ein Auge zu und hob den Stein in die Sonne. Sogar von hier oben, wo NoMercy stand, war das Funkeln zu sehen, als das Sonnenlicht auf den Stein fiel. Ein breites Grinsen breitete sich auf dem pockennarbigen Gesicht des Generals aus.

Ein weiterer Diamant war gefunden worden.

General Pascal schickte den Mann mit einer Handbewegung weg. Der Arbeiter schlurfte zu dem primitiven Camp hinüber, das nur aus ein paar Stücken Zeltleinwand bestand, die man zwischen die Baumstämme gespannt hatte. Seine Belohnung für den wertvollen Fund waren eine Extrastunde Ruhezeit und eine doppelte Ration beim Abendessen.

NoMercy vernahm den Ruf der Natur und verließ seinen Posten, um sich in einem passenden dichten Gebüsch seinem Geschäft zu widmen. Die AK-47 lehnte er an einen Baumstamm, zog die Hose herab und ging in die Hocke. Gerade als er fertig war und sich mit einem Blatt abwischen wollte, hörte er ein leises Rascheln im Gebüsch. NoMercy erstarrte. Schließlich befanden sie sich hier im Leopardenland.

Leise und vorsichtig zog er die Hose hoch. Das Geräusch schien näher zu kommen. Dann entdeckte er eine leichte Bewegung, kurz darauf schob sich ein Parkranger in olivgrüner Uniform vorsichtig aus dem Gebüsch. Der Ranger trug einen

Rucksack und war mit einem Gewehr bewaffnet. Er schlich vorsichtig auf den Felsvorsprung und spähte hinunter. Der Anblick der primitiven Mine, der Zwangsarbeiter, des Camps und der aufgewühlten Erde ließ ihn förmlich erstarren.

Dann zog er sich vorsichtig von der Felskante zurück und löste sein Funkgerät vom Gürtel. Erst als er es einschaltete, entdeckte er NoMercy, der immer noch im Gebüsch kauerte. Einen Augenblick lang starrten sie sich an; keiner wusste, wer der Jäger war und wer der Gejagte.

Schließlich versuchte es der Ranger mit einem leichten Grinsen und legte den Finger über die Lippen. NoMercy nickte; er hatte verstanden.

Der Ranger blickte wieder auf sein Funkgerät, drückte auf eine Taste und flüsterte: »Echo eins an Echo zwei, *over*.«

Aus dem Funkgerät kam ein leises Rauschen und Knistern. NoMercy stand auf und griff nach der AK-47. Jetzt war seine Kampfkleidung klar zu erkennen; er richtete die Waffe auf den Ranger. Dessen Gesichtsausdruck veränderte sich – Schock, dann blankes Entsetzen, als NoMercy den Finger krümmte. Eine Salve schlug in den Körper des Rangers ein. Der Mann brach auf dem harten Felsboden zusammen.

Aus dem Funkgerät, das der Tote immer noch in der Hand hielt, tönte eine Stimme. »Echo zwei an Echo eins. Ich höre Schüsse. Alles okay? *Over*.«

NoMercy stand neben dem nur noch schwach zuckenden Ranger und schaute zu, wie das Blut über die Kante des Felsvorsprungs rann. Er verspürte keinerlei Regung, einen Menschen getötet zu haben. Keine Schuldgefühle. Keine Erregung. Nichts. Er fühlte sich nur seltsam benommen und hatte ein dumpfes Dröhnen in den Ohren, beides war dem ohrenbetäubenden Rattern der AK-47 zuzuschreiben. Doch dann hörte er Schritte, jemand stürmte ohne Rücksicht auf

Geräusche durch das Gebüsch heran. NoMercy wirbelte herum. Ein zweiter Ranger erschien. Ohne auch nur nachzudenken oder zu zögern, mähte NoMercy auch diesen Mann nieder.

Der Ranger brach zusammen. Aber er war nicht tot – noch nicht. Ein feucht klingendes Würgen, als er mühsam nach Luft schnappte. NoMercy trat näher, die MG auf ihn gerichtet, aus der noch ein dünner Rauchfaden stieg.

»B... bitte... Gnade...«, bettelte der Ranger mit vor Angst weit aufgerissenen Augen und hob zitternd die Hand zum Zeichen, dass er sich ergab.

»Gnade? Kenne ich nicht«, sagte NoMercy und stieß dem Mann die Mündung an die Stirn.

»Nicht schießen!«, befahl General Pascal, der mit zwei oder drei seiner Soldaten aus dem Gebüsch trat.

NoMercy wich ein wenig zurück; es war ihm völlig gleichgültig, ob der Mann starb oder am Leben blieb. Wichtig war nur, dass er, NoMercy, seine Pflicht getan und das Tal bewacht hatte.

General Pascal kniete neben dem Sterbenden nieder. »Tut mir leid, mein Freund. Mein Soldat ist ein bisschen schießwütig. Das alles ist ein großes Missverständnis.«

Der Ranger nickte zögernd, während er sich die Hand auf die Brustwunde presste. Blut quoll zwischen den Fingern hervor.

Der General nahm das Funkgerät aus dem Gürteletui des Rangers. »Sind noch weitere Ranger hier in der Nähe? Ich rufe sie an, damit sie den Rettungsdienst verständigen.«

Der Ranger schüttelte schwach den Kopf. »Niemand sonst... in diesem... Sektor...«, brachte er keuchend hervor.

»Nein? Und wonach habt ihr beide gesucht?«

»Nach... Wilderern...«

»Hier gibt's keine Wilderer!«, bellte General Pascal, nun plötzlich mit harter Stimme. »Ich will wissen, wonach ihr in Wirklichkeit sucht!«

Der Ranger kniff die bereits glasigen Augen verwundert zusammen. Und riss sie vor Schmerzen wieder weit auf, als ihm der General die Antenne des Funkgeräts in die offene Schusswunde trieb. Ein entsetzlicher Schrei hallte durch das Tal.

»Wer hat euch geschickt?«, wollte der General wissen und drehte die Antenne in der Wunde ein paarmal hin und her.

Vor Schmerzen und Todesangst konnte der Ranger kaum noch atmen. »Der… Prä… si…«, keuchte er. »In… Lodge…«

»Ach, wirklich?«, sagte der General, sehr erfreut über die Neuigkeit. Er zog die blutverschmierte Antenne aus der Wunde und stand auf. Väterlich legte er NoMercy die Hand auf die Schulter. »Gute Arbeit, mein junger Soldat«, lobte er, nahm sein rotes Barett ab und setzte es dem Jungen auf den Kopf. »Du wirst hiermit zum Captain befördert.«

NoMercy platzte fast vor Stolz.

»Und jetzt schaffst du den Ranger hier zum Flussufer hinunter.«

NoMercy runzelte verwirrt die Stirn. »Ich soll ihn laufen lassen?«

Der General grinste. »So kann man es auch nennen. Die Krokodile werden sich um ihn kümmern.«

KAPITEL 17

»Siehst du etwas?«, fragte Henri eifrig.

Connor senkte das Fernglas. Nachdem er seinen Rucksack für die erste Safaritour am nächsten Tag gepackt und Charley über die Ankunft in der Lodge informiert hatte, war er mit Henri zu einem Rundgang um die Anlage aufgebrochen. Er wollte sich ein Bild von der Sicherheitslage machen und sich einen Überblick über die Unterkünfte seiner Klienten und der übrigen Gäste verschaffen. Außerdem wollte er sich mit dem zur Lodge gehörenden Parkgelände vertraut machen. Sich genau einprägen, wo der Eingang und die Ausgänge waren. Welche Zufahrtswege und –straßen der Park hatte. Feststellen, welche Routen den schnellsten Weg nach draußen boten, sollte eine Flucht nötig sein. Die Stellen erkunden, die für einen Angriff oder eine Infiltration besonders anfällig waren. Und allgemein feststellen, ob – und wenn ja, welche – Sicherheitsvorkehrungen getroffen worden waren.

Natürlich wollte Henri unbedingt mitkommen; er glaubte allerdings, Connor wollte Löwen und andere große Tiere beobachten. Amber war noch mit Auspacken beschäftigt und wollte später am Swimmingpool zu ihnen stoßen.

»Bis jetzt noch nicht.« Connor reichte Henri das Fernglas, der damit eifrig das Tal absuchte.

Was Connor bisher zu sehen bekommen hatte, hatte ihn nicht sonderlich beruhigt. Die Lodge mochte die perfekte Unterkunft für einen unbeschwerten Safariurlauber sein, aber für einen Personenschützer war sie der absolute Albtraum. Zwar bot sich vom Haus aus ein wunderbarer freier Blick über das Tal und seine Tierwelt, aber das bedeutete auch, dass das Haus völlig ungeschützt auf dem Hügel lag. Ein Gegner konnte sich ihm aus jeder Richtung nähern, und das Tal war dicht mit hohem Gras, Büschen und Buschgruppen bewachsen, die dem Eindringling gute Deckung boten.

Die Lodge besaß kein Perimeter-Alarmsystem. Und keine Überwachungskameras. In den Schlafzimmern waren nicht einmal Brandmelder installiert. Und die luxuriösen Glasfronten der Gästezimmer boten Connors Klienten keinerlei Schutz – eine solche Glaswand konnte man mit einem einzigen Schuss in einen Scherbenhaufen verwandeln. Connor hatte auch das Schloss seiner Zimmertür überprüft und festgestellt, dass es sehr schwach war. Ein kräftiger Tritt würde genügen, um in den Raum einzudringen.

Die einzige Sicherheitsanlage, die Connor entdecken konnte, war der Elektrozaun. Er bestand aus drei Drähten und zog sich um die Lodge – jedenfalls teilweise. Connor hatte bereits zwei Abschnitte entdeckt, an denen mehrere Zaunpfosten umgestürzt waren, sodass die Drähte fast überspannt waren. Er würde Gunner darüber informieren und konnte nur hoffen, dass der Zaun bald repariert würde.

Mehrere Parkranger streiften umher, aber sie achteten vor allem darauf, dass keine wilden Tiere zum Haus vordringen konnten. Connors Hauptsorge war die Leibwache des Präsidenten. Sie hätte eigentlich der wichtigste Abwehrring sein sollen. Die Einheit patrouillierte zwar das Gelände, aber sie machte einen ausgesprochen entspannten Eindruck – man könnte auch sagen, dass die Männer ihren Pflichten nicht nachkamen. Manche standen in kleinen Gruppen beieinander und redeten und rauchten, andere schlenderten müde von einem schattigen Plätzchen zum nächsten. Mindestens zwei Soldaten waren auf ihren Posten fest eingeschlafen. Vielleicht lag es an der Hitze, oder vielleicht auch an der Tatsache, dass es an diesem abgelegenen Ort offensichtlich keine Bedrohungen gab, jedenfalls machte die Präsidentengarde nicht den Eindruck, als ob sie jemanden effektiv beschützen könnte.

»Die sind ja nicht mal in Code Weiß«, murmelte Connor vor sich hin.

»Code was?«, fragte Henri, während er immer noch mit dem Fernglas den Busch absuchte.

»Code Weiß. Das ist eine der Bezeichnungen, mit der man die Aufmerksamkeitsstufe beschreiben kann, in der sich ein Bodyguard befindet.« Connor deutete auf einen Soldaten, der am Elektrozaun herumlungerte und lässig mit einem kleinen Holzstückchen in den Zähnen herumstocherte. »Siehst du den Typ dort? Er hat total abgeschaltet. Wenn er jetzt angegriffen würde, wäre er so schockiert, dass er zuerst gar nicht reagieren könnte.«

Henri senkte das Fernglas und starrte Connor mit einer Mischung aus Aufregung und Angst an. »Werden wir denn angegriffen?«

»Nein. Das ist hier ziemlich unwahrscheinlich. Aber als Bodyguard darf man nicht wie ein Zombie herumlaufen. Man muss immer in Bereitschaft sein. Das nennen wir Code Gelb. Wenn man eine Bedrohung entdeckt, geht man auf Code Orange. Das ist ein Zustand, in dem man bestimmte wichtige Entscheidungen trifft, zum Beispiel erst einmal abzuwarten oder zu fliehen oder zu kämpfen. Und wenn die Bedrohung wirklich eintritt, geht man auf Code Rot. Das ist dann ungefähr so, wie wenn ein Kommandant befiehlt: ›Klar zum Gefecht!‹ Aber egal, in welchem Alarmzustand du bist: Wichtig ist nur, dass du keinen Augenblick lang die Kontrolle über die Situation aufgibst.«

Henri nickte ernst, setzte das Fernglas wieder an die Augen und suchte mit neu erwachtem Interesse den Horizont ab. »Du meinst also, wenn ich etwas sehe, soll ich es dir sofort sagen?«

»Ja, das wäre super. Aber ich glaube, du kannst dich hier ganz sicher fühlen«, sagte Connor und nahm das Fernglas zurück. »Ziemlich unwahrscheinlich, dass wir hier draußen überfallen werden. Die größte Gefahr ist, dass sich jemand verletzt oder dass sich wilde Tiere für uns interessieren.«

»Wie die Affen dort drüben?« Henri deutete auf eine Aufhäufung riesiger Felsbrocken, die hinter Connor aufragte und die höchste Stelle des Hügelkammes bildete, auf dem die Lodge lag.

Connor drehte sich um. Ein Trupp großer Affen mit hundeähnlichen Gesichtern hockte auf einem der größten Felsen. »Das sind Paviane, glaube ich«, meinte Connor. Ein paar Augenblicke später entdeckte er Amber, die ein paar Meter unterhalb der Tiergruppe auf einen der Felsen kletterte. »Was hat denn deine Schwester vor?«

Die Felsgruppe lag eindeutig außerhalb der Sicherheitszone, die durch den Elektrozaun markiert wurde. Connor sprang sofort auf und rannte los. Zwei Klienten gleichzeitig beschützen zu müssen, war immer eine schwierige Aufgabe, und sie wurde bestimmt nicht leichter, wenn einer der Klienten ständig Extratouren unternahm, nur um ein bisschen was zu erleben. Connor kroch unter dem Zaun durch und lief zu den Felsen hinüber. Henri folgte ihm.

»Was machst du denn da oben?«, wollte Connor wissen.

Amber kletterte scheinbar mühelos an den Felsen hinauf. Sie hatte ihr rotes Haar zu einem Pferdeschwanz zusammengebunden, der frei über ihren Rücken schwang, als sie sich zurücklehnte und nach dem besten Aufstieg suchte.

»Ich klettere. Siehst du doch wohl«, gab sie zurück und schwang sich locker zum nächsten Punkt, der ihr Halt bot.

»Aber du bist außerhalb des Zauns! Sagst du es mir nächstes Mal bitte, bevor du losziehst?«

»Warum?«

»Es könnte gefährlich sein.« Connor blickte zu den Affen hinauf. Ein paar Tiere stießen Laute aus, die wie eine Mischung aus Husten und Bellen klangen. Die jüngeren Tiere kletterten aufgeregt auf den Felsen umher.

»Das sind nur Paviane«, sagte sie, während sie nur an den Fingerspitzen in zwei kleinen Nischen hing.

Connor staunte über die Kraft, die das schlanke, zierliche Mädchen offenbar besaß. Er vermutete, dass nicht einmal die superharte Ling so etwas schaffen würde.

»Du siehst selber wie ein Affe aus!«, rief Henri, sprang auf und ab, kratzte sich in den Achselhöhlen und ahmte die Schreie der Paviane nach.

»Und du nervst genau wie ein Affe!«, gab sie gereizt zurück. »Warum gehst du nicht auf Löwenjagd oder so?«

Als sich Amber zum nächsten größeren Felsen weiterhangelte, stieß einer der männlichen Paviane ein drohendes Grunzen aus und fletschte die großen gelben Zähne.

»Ich glaube, der Große dort oben freut sich nicht über deine Kletterei«, sagte Connor warnend.

»Warum soll ich mir darüber Sorgen machen? Du kümmerst dich doch um mich, oder?«

»Das *versuche* ich doch gerade!«

»Connor hat recht«, ertönte plötzlich eine Stimme. Gunner

tauchte hinter ihnen auf. Trotz seiner Ausbildung in Überwachungstechniken hatte Connor nicht einmal seine Schritte gehört. Das war schon das zweite Mal, dass Gunner sich anschlich, ohne dass Connor ihn bemerkte.

»Paviane können sehr aggressiv werden, wenn jemand ihr Territorium bedroht«, erklärte der Ranger.

Amber blickte über die Schulter herab und lächelte entschuldigend. »Nach dem langen Flug brauche ich einfach ein bisschen Bewegung.«

»Verständlich... aber von der Nische dort solltest du die Hände lassen«, sagte Gunner.

»Warum? Klettern Sie auch?«

»Nein.« Gunner hob einen langen Ast auf und stieß ihn in den Felsspalt in der Nähe von Ambers rechter Hand.

Ein brauner Skorpion kroch heraus und huschte davon. Erschrocken schrie Amber auf und ließ sich auf den Boden fallen.

»Natürlich lockt es einen, auf Erkundungstour zu gehen«, sagte Gunner und führte die drei von den immer aufgeregter schreienden Pavianen weg. »Aber ihr dürft nie, keine Sekunde lang, vergessen, dass wir hier in Afrika sind. Ein wildes Land mit wilden Tieren. Schon ein paar Schritte von euren bequemen Zimmern entfernt lauern alle möglichen Gefahren.«

Wie beiläufig hob er mit dem Stiefel einen Stein an. Eine Schlange kroch heraus und zischte laut. Connor fluchte und sprang zurück, während die Schlange im langen Gras verschwand.

Amber grinste schadenfroh. »He, Connor, du bist weiß wie die Wand! Ich dachte, du bist ein superharter Typ?«

»Ich mag nur keine Schlangen«, antwortete Connor. Sein Mund war vor Angst völlig ausgetrocknet.

Die Angst vor Schlangen hatte er seit seiner Kindheit. Damals hatte er auf einem Campingtrip mit seinem Vater im Freien geschlafen und eine Natter war in seinen Schlafsack gekrochen. Er hatte immer noch Albträume darüber.

»Keine Angst, Connor. Es war nur eine Sandschlange. Die zischen nur, sind aber nicht giftig«, erklärte Gunner.

Connor beäugte misstrauisch das Gras ringsum. »Sah mir aber ziemlich tödlich aus.«

Gunner schüttelte den Kopf. »Nein. Die Schlange, vor der du wirklich Respekt haben musst, ist die Schwarze Mamba. Sie ist an ihrem sargförmigen Kopf und dem schwarzen Gaumen leicht zu erkennen. Und sie ist nicht nur die schnellste Schlange der Welt, sondern auch eine der aggressivsten und giftigsten. Am Gift einer Schwarzen Mamba kann ein erwachsener Mensch in weniger als zwanzig Minuten sterben. Deshalb nennt man den Biss dieser Schlange auch den Todesbiss.«

»So ähnlich nennen manche Jungs auch die Küsse meiner Schwester«, kicherte Henri.

Amber funkelte ihn wütend an.

»Spaß beiseite, junger Mann: Die Schwarze Mamba ist die gefährlichste Schlange Afrikas«, warnte Gunner ernst. »Glaub mir: So einer Schlange möchtest du im Busch auf keinen Fall begegnen.«

KAPITEL 18

Das Wort »Boma« bezeichnet in der Suaheli-Sprache eigentlich ein Gebäude; es kann aber auch einen nur mit Palisaden befestigten Ort bedeuten. Genau das war hier der Fall. Trockene Schilfwände umgaben ein Rondell. Der Eingang war mit ausgebleichten Schädeln von Antilopen und Gnus geschmückt. Der Boden bestand aus rotem Lehm, den Generationen von Afrikanern steinhart gestampft hatten. Mitten im Rondell loderte ein großes Lagerfeuer, das mit lautem Knacken und Zischen orangefarbene Funken wie Tausende kleine Glühwürmchen in den sternenklaren Nachthimmel sprühte.

Amber, Henri und Connor saßen an einem der einfachen, im Halbkreis um die Feuerstelle aufgebauten Holztische und betrachteten wie gebannt die fremde Umgebung. Abgesehen vom Knacken und Knistern des Holzfeuers war nur das endlose Zirpen der Zikaden zu hören. Kellner erschienen mit einer Vielfalt traditioneller burundischer Delikatessen, von einem Eintopf mit roten Bohnen über Süßkartoffeln bis hin zu Ugali, einem traditionellen Maisgericht. Aber wie sich bald herausstellte, waren das nur die Beilagen zu einem Mahl, das aus Impala, Kudu und anderen exotischen Wildgerichten bestand. Präsident Bagaza eröffnete das Essen mit ein paar kurzen Worten. Der Alkohol löste die Zungen und schon bald herrschte lebhaftes Stimmengewirr.

»Kannst du überhaupt etwas verstehen?«, fragte Amber auf Englisch.

»Manches schon«, antwortete Connor und deutete auf sein Smartphone. »Es hat eine Übersetzungs-App.«

»Und ich dachte, dir bleibt das erspart!«, lachte sie, schien aber von dem Smartphone beeindruckt zu sein. Sie beugte sich ein wenig näher und flüsterte: »Ich kann die Safaritour morgen kaum erwarten. Endlich mal weg von den Erwachsenen und ihrem doofen Smalltalk. Aber pass mal auf, was ich jetzt mache – vielleicht kann ich die langweilige Quatscherei hier am Tisch ein bisschen aufmischen...«

Mit boshaftem Lächeln wandte sich Amber an den Minister für Handel und Tourismus, der gerade ihrem Vater die Pläne für die nächste Erweiterung des Nationalparks erläuterte. »Also, ich hätte da mal eine Frage«, mischte sie sich auf Französisch in das Gespräch. »Was hat man eigentlich mit den Leuten gemacht, die früher da lebten, wo heute der Park ist?«

Ihr Vater erstarrte förmlich bei dieser unverblümten und sogar ziemlich frechen Frage. Minister Feruzi lächelte gönnerhaft, aber in seinen Augen blitzte kurz Wut auf. Oder vielleicht war es nur der Widerschein des lodernden Feuers? Connor war nicht sicher.

»Sie wurden in wunderbare neue Unterkünfte umgesiedelt, direkt außerhalb des Parks. Mit Schule und Trinkwasserbrunnen. Wir haben einen großen Teil der Entwicklungshilfe für die Gemeinden verwendet, die hier leben, und natürlich werden sie auch direkt vom Tourismus profitieren, den der Park und die Lodge anziehen werden.«

»... *das hier ist ein typisch burundisches Gericht, Cerise, müssen*

Sie unbedingt ... und außer der Töpferei ist auch das Korbflechten in Burundi sehr verbreitet ...«

Connor tippte auf den Ohrhörer. Die Übersetzungs-App schien mit der Gesprächssituation Probleme zu haben, denn sie fing auch Gesprächsfetzen von den anderen Tischen in der Boma auf. Er versuchte, die Empfindlichkeit des Mikrofons anzupassen. Die App verfügte über zwei Mikrofoneinstellungen: breit gestreuter, »omnidirektionaler« Empfang, mit dem praktisch alle Laute der Umgebung aufgefangen wurden, und eine Richtmikrofoneinstellung, mit der man ein einziges Gespräch herauspicken konnte. Während er das Mikrofon auf Ambers immer hitziger werdende Diskussion mit Minister Feruzi einstellte, fing er ein paar Wörter eines anderen Gesprächs auf, das weder auf Französisch noch auf Englisch geführt wurde. Es klang eher wie ein Flüstern. Die App brauchte ein paar Sekunden, bis sie die Sprache identifiziert hatte: »Kirundi«, zeigte das Smartphone an.

»... glauben Sie also tatsächlich, dass die Schwarze Mamba wieder zurückgekommen ist?«

Connor blickte auf. An einem der anderen Tische flüsterte Minister Rawasa dem grauhaarigen Minister Mossi etwas ins Ohr.

»Natürlich nicht«, gab Mossi verächtlich zurück. »Ich weiß aus zuverlässiger Quelle, dass er im Kongo umgekommen ist.«

»Aber wenn das nicht stimmt? Der Mann ist der leibhaftige Teufel. Giftiger für unser Volk als eine echte Schwarze Mamba! Wenn er zurückkäme, würde das womöglich einen neuen Bürgerkrieg auslösen ...«

»Ich sage Ihnen doch, er ist tot!«

»Ich habe gehört, nichts und niemand kann die Schwarze Mamba umbringen.«

Plötzlich setzte außerhalb der Boma lautes Trommeln ein.

Die Gespräche wurden übertönt. Eine Kolonne von Männern in weißen, roten und grünen Gewändern marschierte singend in die Boma. Sie trugen große Trommeln auf den Köpfen. Dort stellten sie die Trommeln im Halbkreis um ihren Anführer auf. Einen schweren Rhythmus schlagend, trat der Anführer vor und sprang unglaublich hoch in die Luft. Er heulte und wirbelte die Trommelstöcke hoch und tanzte wie ein Besessener.

Der erderschütternde Schlag vieler Trommeln dröhnte durch Connors Körper. Der Lärm war ohrenbetäubend. Dann trat ein weiterer Trommler vor und übernahm den Tanz. Er wirbelte rückwärts durch die Luft und landete wieder mit perfekter Präzision auf den Füßen. Die Vorführung war atemberaubend – nacheinander traten auch die anderen Trommler in die Mitte, um zu tanzen. Schließlich hoben sie die Trommelstöcke hoch über die Köpfe und marschierten wieder hinaus. Schon bald wurden sie von der Dunkelheit verschluckt. Das Trommeln verklang in der Nacht wie ein abziehendes Gewitter.

Präsident Bagaza stand auf und klatschte; die Gäste folgten seinem Beispiel. Als der Applaus verklungen war, verkündete er: »Das waren die Royal Drummers of Burundi. Ihre Musik unterscheidet sich von jeder anderen afrikanischen Musik, weil bei ihnen die Tanzbewegungen den Rhythmus der Musik vorgeben und nicht andersherum. Und das ist auch ein gutes Beispiel dafür, Botschafter Barbier, was Burundi zu einer einzigartigen Nation in Afrika macht. Denn wir werden immer in unserem eigenen Rhythmus trommeln.« Er hob sein Glas und rief: »Möge Burundi wachsen und gedeihen!«

»Möge Burundi wachsen und gedeihen!«, wiederholten die Gäste und prosteten dem Präsidenten zu.

Danach kehrten die Gespräche bald wieder zu den früheren Themen zurück.

»Können wir dieses neu gebaute Dorf besichtigen?«, fragte Amber den Minister.

Feruzi runzelte zuerst verärgert die Stirn, doch dann lächelte er. »Natürlich! Aber damit musst du bis zu deinem nächsten Besuch warten.«

»Warum?«

»Ich denke, du hast den Minister jetzt genügend ausgefragt, Amber«, unterbrach Laurent das Gespräch, als er bemerkte, dass der Minister allmählich sauer wurde. Mahnend legte er seine Hand auf Ambers Hand.

Amber zog ihre Hand zurück. »Aber ich will die Leute kennenlernen, die aus dem Park vertrieben wurden.«

»Amber, ich weiß, du bist idealistisch«, raunte ihr Laurent leise zu, »aber auch Naturschutz lässt sich nicht ohne gewisse Opfer verwirklichen.«

»Aber...«

»Das reicht jetzt«, sagte er warnend. »Ich denke, es ist höchste Zeit, dass du auf dein Zimmer gehst.«

Amber biss die Zähne zusammen, widersprach aber nicht mehr. Wütend stand sie auf und marschierte aus dem Boma.

»Darf ich noch ein bisschen hierbleiben?«, fragte Henri.

»Natürlich«, antwortete seine Mutter lächelnd. Connor stand auf.

»Ich will nur sehen, dass Amber sicher in ihr Zimmer kommt«, erklärte er.

Außerhalb der Boma war es stockdunkel. Nur der Widerschein des Feuers warf einen orangefarbenen Schein über Gras und Büsche. Der Weg zur Lodge wurde von einer Reihe Kerzen beleuchtet.

Auf halbem Weg holte er Amber ein. Sie blieb stehen und starrte ihn an. »Warum läufst du mir nach?«

»Ich begleite dich bis zur Zimmertür.«

Ihr Blick sagte ihm deutlich, was sie davon hielt: nichts. »Schon klar, du bist schließlich dafür da, uns zu beschützen. Aber bei mir kannst du dir das sparen, ich kann ganz gut selbst auf mich aufpassen, trotzdem danke. Und wenigstens habe *ich* keine Angst vor Schlangen.«

Diese letzte Bemerkung traf ihn. »Hör mal, ich hab mehr als ein Jahr Ausbildung hinter mir, im unbewaffneten Kampf, Überwachungstechniken, Defensivfahren, Körperdeckung ...«

»Körperdeckung?«

»Genau. Bei einem Überfall schütze ich dich mit meinem Körper.«

»Ach – das also sind deine Absichten bei mir?«, fragte sie neckisch, verschränkte die Arme und betrachtete ihn mit schief gelegtem Kopf.

»Ja ... ich meine NEIN!«, protestierte Connor und wurde rot, als ihm die doppelte Bedeutung klar wurde. »Hör mal, ich versuche nur, meinen Job zu machen.«

»Aha. Na schön. Mit wie vielen hast du denn schon deine famose Körperdeckung ausprobiert?«, fragte sie spöttisch.

Connor stöhnte innerlich. »Das ist mein dritter Einsatz.«

»Nicht gerade viele.«

»Aber alle leben noch!«, sagte Connor heftig. Er holte Luft, um sich wieder zu beruhigen. »Hör mal, ich glaube, wir haben auf dem falschen Fuß angefangen. Ich bin nicht hier, um dich von allem abzuhalten, was du gern machen möchtest. Ich bin hier, um für deine Sicherheit zu sorgen.«

»Sicherheit vor was?« Amber machte eine vage Handbewegung in die Dunkelheit. »Vor den Moskitos? Ist mir ein Rätsel, warum mein Vater dich überhaupt angeheuert hat. Ich brauche keinen ... Knaben, der mir dauernd nachläuft und so tut, als würde er mich beschützen. Wenn du dich nützlich machen willst, dann schütze meinen Bruder und sorge dafür, dass er mir nicht mehr ständig auf den Geist geht. Gute Nacht.«

Er schaute ihr betroffen nach.

»Frauen!«, schnaubte Gunner, der hinter Connor aus der Dunkelheit auftauchte. Er zuckte mitfühlend die Schultern. »So mysteriös und unergründlich wie Afrika« – er zwinkerte Connor zu – »und genauso faszinierend ...«

KAPITEL 19

»Die Trommler waren irre!«, rief Henri und boxte vor Begeisterung in die Luft, als Connor ihn zu seinem Zimmer begleitete. Henris Eltern, der Präsident und seine Minister nahmen noch einen Gute-Nacht-Schluck auf der Hauptveranda der Lodge ein.

»Wie hoch die springen konnten!« Henri versuchte, den Sprung nachzuahmen, und kam im Dunkeln prompt ins Stolpern.

Connor packte ihn am Arm, bevor er ins Gebüsch fallen konnte. »Sei vorsichtig. Denk immer daran, was Gunner gesagt hat. Bleib auf den Pfaden, in den Büschen könnten Schlangen sein.«

»In Ordnung«, presste Henri mühsam heraus.

»He, alles okay?«, fragte Connor besorgt, als er das Keuchen hörte.

»Prima.« Henri zog einen Inhalator aus der Tasche und atmete ein paarmal ein und aus. »Nur ein bisschen Asthma.« Seine Stimme klang schon wieder klarer.

Der Pfad führte bergauf; Connor ging langsamer. Von hier aus konnte er Ambers Fenster sehen. Das Licht brannte. Sie hatte die Vorhänge vorgezogen, aber ihr Schatten war dahinter zu erkennen.

»Deine Schwester«, sagte er zögernd, »ist sie immer so ...« Er suchte nach einem möglichst diplomatischen Ausdruck. »... so eigensinnig?«

Henri grinste, nickte und seufzte. »Kannst ruhig zickig sagen. Ihr Freund hat ihr letzte Woche ganz plötzlich den Laufpass gegeben. Er hat ihr nur einfach eine SMS geschickt. Und dann hat sie herausgefunden, dass er ihr von ihrer allerbesten Freundin ausgespannt worden war. Seither ist sie noch zickiger!«

»Na ja«, meinte Connor, »das klingt ja tatsächlich ein bisschen hart.«

Henri zuckte die Schultern. »Kann sein. Ist aber ganz okay so, Maurice war eine totale Nullnummer. Ich glaube, sie ist gar nicht mal so sauer auf ihn. Aber es hat sie getroffen, dass es ausgerechnet ihre beste Freundin war. Bis vor ein paar Tagen hat sie ständig geheult.«

»Kann ich verstehen.« Inzwischen waren sie vor Henris Zimmer angekommen. »Wir sehen uns morgen früh. Sonnenaufgang. Safariabfahrt. Freust du dich darauf?«

»Und wie!« Henri nickte begeistert, doch dann musste er gähnen. »Hoffentlich sehen wir ein paar Löwen«, murmelte er müde und verschwand in seinem Zimmer.

In seinem eigenen Zimmer öffnete Connor die Glastür zur Veranda und setzte sich in einen der Liegesessel. Über ihm wölbte sich ein wunderbarer Sternenhimmel. Noch nie hatte er so viele Sterne gesehen. Die Nacht war so klar, dass sie wirklich wie Diamanten funkelten. »Diamonds in the Sky«, wie es in einem Popsong hieß.

Er blickte zu Ambers Suite hinüber. Das Licht brannte, aber hinter den Vorhängen bewegte sich nichts.

Zumindest kenne ich jetzt den Grund für ihr frostiges Benehmen, dachte Connor. Liebeskummer.

Wahrscheinlich hatte Amber vorerst genug von den Jungs. Und wenn sie über die frühere Affäre ihres Vaters Bescheid wusste, glaubte sie womöglich, dass es überhaupt keine treuen Menschen mehr gab – vor allem, nachdem sie nun auch noch von ihrer besten Freundin betrogen worden war. Connor beschloss, Amber ein bisschen mehr Freiraum zu lassen und sich ein wenig zurückzunehmen. Solange er immer wusste, wo sie war, und sie keine Extratouren außerhalb des Elektrozauns unternahm, konnte er sie trotzdem gut beschützen.

Er zog das Smartphone heraus und rief die Nummer der Buddyguard-Zentrale an. Die letzte Tagesmeldung war fällig. Charley meldete sich nach zwei Klingelzeichen.

Nachdem sie seine formelle Statusmeldung aufgenommen hatte, fragte sie: »Wie kommen Simba und Nala mit allem zurecht?«

Bei der Einsatzbesprechung hatten sie bestimmte Codenamen und Passwörter vereinbart, da immer damit gerechnet werden musste, dass der Telefon- oder Funkverkehr abgehört wurde. Kein Netz, ob Telefon oder Internet, war hundertprozentig sicher. Als Codenamen für Amber hatten sie Nala gewählt und Henri hieß Simba. Beide Namen stammten aus dem Film *Der König der Löwen*.

»Besser als erwartet«, antwortete Connor. »Simba hat seinen älteren Bruder voll akzeptiert, Nala ist ein bisschen zurückhaltender.«

»Und was ist mit dem Nest?«, erkundigte sich Charley.

Connor berichtete von den laxen Sicherheitsvorkehrungen, vermied aber jeden konkreten Hinweis, aus dem ein unerwünschter Zuhörer die Lodge hätte lokalisieren können.

»Nicht ideal«, stimmte sie zu. »Aber soweit wir sehen können, sind keine Sturmwolken am Himmel. Es sollte also okay sein. Hast du sonst noch etwas zu berichten?«

»Ich habe zufällig ein Gespräch mitgehört, es ging darum, dass jemand, der Black Mamba genannt wird, bald nach Burundi zurückkehren würde. Hast du eine Ahnung, wer gemeint sein könnte?«

»Tut mir leid, der Name ist mir bisher noch nicht begegnet. Aber ich kümmere mich darum und melde mich dann.«

»Danke. Vielleicht ist es überhaupt nicht wichtig, aber es waren zwei Minister, die sich darüber unterhielten, und ich hatte den Eindruck, dass sie sich Sorgen machten. Und wie läuft es bei der Vogelbeobachtung?« Damit meinte er Amir und seine Operation Hawk-Eye.

Charley senkte die Stimme, als ob sie sich belauscht fühlte. »Geht so. Keine Sorge, unser Freund hat bisher noch keine Federn lassen müssen. Aber jetzt erzähl doch mal: Wie ist deine Luxussuite?«

»Ziemlich primitiv, Luxus kann man das wirklich nicht nennen. Mein Zimmer hat nur ein Kingsize-Bett und zwei Duschen, und der private Pool auf meiner Privatveranda ist auch nicht besonders groß.«

»Du Ärmster. Das klingt ja *furchtbar*.«

»Ist es auch, aber ich denke, ich werde es überleben.«

»Ich rechne fest damit«, sagte Charley in warmem Ton. »Ich glaube, wir müssen jetzt Schluss machen. Halte die Ohren steif und: Bleib sauber!«

Sie beendete das Gespräch. Connor wusste genau, worauf sie mit der letzten Bemerkung angespielt hatte, und seufzte. Dann widmete er sich wieder dem Sternenhimmel. Er fühlte sich immer besser, wenn er mit Charley gesprochen hatte. Irgendwie sicherer. Und mit ihr über die Mission zu reden, half ihm, die Dinge auch aus einer anderen Perspektive zu sehen. Klar, die Sicherheit hier in der Lodge war alles andere als perfekt, aber die Lodge lag so abgelegen, dass das Risiko einer direkten Gefahr wohl eher gering war. Er würde sich bei der Safari morgen vielleicht sogar richtig entspannen können. Connor steckte das Smartphone ein und schloss die Augen …

… und riss sie eine Sekunde später entsetzt wieder auf, als ein durchdringender Schrei die Stille der Nacht zerfetzte.

KAPITEL 20

Connor fuhr von der Liege hoch wie von einem Katapult abgeschossen. Mit einem Satz schwang er sich über das Geländer der Veranda, rannte durch das Gebüsch und sprang auf die Nachbarveranda. Der Schrei war aus Ambers Suite gekommen; er hatte so geklungen, als würde sie angegriffen, aber die Vorhänge verhüllten, was drinnen vor sich ging.

Er wollte die Glastür aufreißen. Von innen verriegelt. Wieder hörte er einen verzweifelten Schrei. Er sprintete um den Bungalow zum Haupteingang ihrer Suite. Auch verschlossen. Er trat einen Schritt zurück und kickte mit aller Kraft gegen die Tür, knapp unterhalb des Schlosses. Es knackte, das billige Schloss gab sofort nach. Connor stieß die Tür auf und stürmte in das Zimmer. Amber war nirgends zu sehen. Sein erster Gedanke war, dass sie gekidnappt worden war. Aber dann hätte er doch jemanden sehen müssen? Plötzlich ein weiterer Schrei – er kam aus dem Bad.

Connor riss die Tür auf. Amber stand, in ein großes Duschtuch gewickelt, mitten in dem weiß gefliesten Raum. Sie zitterte von Kopf bis Fuß.

»Geh weg! Geh weg!«

»Was?« Connor blickte sich nach dem Angreifer um. Es war niemand zu sehen.

»Die Spinne! Da!«

Connor seufzte erleichtert auf. Er war völlig überzeugt gewesen, dass sie in Todesgefahr war.

»Stillhalten!«, befahl er ihr, hielt sie an den Schultern fest und suchte in ihrem feuchten Haar nach der Angreiferin. Die war nicht schwer zu finden. Connor zuckte zurück, als er die Spinne entdeckte. Sie war riesig – allein ihr Körper war so groß wie ein Golfball, dunkelbraun mit behaarten Beinen und zwei ausgeprägten Mundwerkzeugen. Kein Wunder, dass Amber so geschrien hatte; mit dieser Furcht einflößenden Spinne im Haar konnte man leicht einen Herzinfarkt bekommen.

Connor griff nach der Haarbürste und fegte die Spinne weg, bevor sie zubeißen konnte. Mit schockierender Schnelligkeit huschte sie über die Fliesen. Amber schrie noch einmal auf und brachte sich mit einem Sprung in die Badewanne in Sicherheit.

Gunner kam hereingestürmt. »Was ist los?«, wollte er wissen. Sein Blick zuckte von Connor zu Amber, die tropfnass in der Wanne stand.

»Eine Spinne«, erklärte Connor und deutete auf das Tier, das an einer Wand hinaufkroch.

Gunner trat näher heran und betrachtete den eindrucksvollen Gliederfüßler genauer.

»Nur eine Regenspinne. Nicht giftig, kein Grund zur Sorge«, stellte er fest, nahm seinen breitkrempigen Hut ab und stülpte ihn über das Tier. Dann nahm er ein Modemagazin, das auf dem Rand der Badewanne lag, und schob es so unter den Hut, dass die Spinne gefangen war. »Ziemlich harmlos. Sie gehen nachts auf die Jagd und schlafen tagsüber. Sie können zwar beißen, aber der Stich ist nicht schlimmer als ein Bienenstich.« Er warf Amber einen verständnisvollen Blick zu, die immer noch zitterte. »Aber ich gebe zu, sie können einem schon einen verdammt großen Schreck einjagen.«

Amber nickte stumm, ließ aber Gunners Hut keine Sekunde aus den Augen.

»Wenn ihr schon mit Spinnen spielen wollt, solltet ihr auf jeden Fall kleine schwarze Spinnen mit einem großen Hinterleib und einer roten Zeichnung auf der Unterseite wie die Pest meiden. Die Markierung sieht aus wie eine Sanduhr.« Gunner suchte das Badezimmer nach weiteren Kriechtieren ab, während er mit einem leichten Lächeln erklärte: »Diese Spinnen haben nämlich ein Gift, das fünfzehnmal stärker ist als das einer Klapperschlange. Ihren Namen werdet ihr bestimmt schon mal gehört haben – man nennt sie Schwarze Witwe...«

In diesem Moment wurde er von zwei Soldaten der Präsidentengarde unterbrochen, die in das Badezimmer traten.

Besser spät als nie, dachte Connor.

»Falscher Alarm«, sagte Connor zu den beiden Männern, die mit unwirschem Brummen reagierten und wieder abzogen.

Gunner hielt fröhlich den Hut mit der Spinne hoch. »Na, Amber, dieses Tierchen hier wollte dich in Afrika willkommen heißen. Aber jetzt ist hier alles klar.«

Er ging zur Tür und entdeckte das beschädigte Schloss. »Das lasse ich gleich morgen reparieren. Oh, noch eins: Vergesst nicht, morgens immer eure Schuhe oder Stiefel auszuschütteln, bevor ihr sie anzieht. Ihr wollt bestimmt keine unangenehmen Überraschungen erleben.«

Damit verschwand er in der Nacht, um den achtbeinigen Eindringling irgendwo auszusetzen.

Connor wandte sich an Amber. »Ist jetzt alles wieder in Ordnung?«

Nachdem die Spinne weggeschafft worden war, hatte sich Amber wieder gefasst. Sie zog das Duschtuch enger um sich und scheuchte ihn mit einer Handbewegung aus dem Badezimmer.

»Ja, wieso fragst du?«, gab sie ein wenig hochnäsig zurück.

Aber sie wurde dabei doch ein wenig rot und blickte ihn auch nicht direkt an. Aber als sie die Tür hinter ihm schloss, lächelte sie schüchtern. »Na, wenigstens bist du mutig genug, um Spinnen zu vertreiben.«

KAPITEL 21

Der Morgen war angebrochen. Schon warf die Sonne die ersten Strahlen über den Horizont und übergoss die Savanne mit goldenem Schein. Ein paar grasende Zebras blickten auf, als der kleine Konvoi von Landrovern über den Feldweg rumpelte und rötliche Staubwolken in die stille, warme Luft wirbelte.

Im ersten Fahrzeug saß Connor neben Henri auf dem Rücksitz. Henri konnte vor Aufregung kaum noch ruhig sitzen. Ständig ruckte sein Kopf wie der eines Erdmännchens von rechts nach links, während er nach großen Tieren Ausschau hielt. Auf dem Beifahrersitz klammerte sich Amber an den Türgriff und unterdrückte ein Gähnen; der frühe Aufbruch passte ihr überhaupt nicht. Gunner saß am Steuer. Obwohl noch genug Platz gewesen wäre, hatten Laurent und Cerise beschlossen, ihren Kindern möglichst viel Freiheit zu geben, damit sie die Safaritour richtig genießen konnten. Sie selbst folgten im zweiten Fahrzeug. In den übrigen vier Geländewagen saßen der Präsident, seine Minister und deren Frauen sowie eine kleine Abteilung der Präsidentengarde.

Vorne auf dem Radkasten neben der Kühlerhaube hockte ihr Führer Buju, ein stiller Burundier mit dunklem, nachdenklichem Blick und scheuem Lächeln. Vor der Abfahrt hatte Gunner ihn vorgestellt und erklärt, Buju sei im Ruvubutal aufgewachsen, verdiene sich als Jäger und Sammler seinen Unterhalt und kenne jeden Winkel und Wasserlauf im Park besser als seine eigene Hand. Buju würde ihnen bei der Safari als Tracker dienen.

Buju war so still, dass man seine Anwesenheit kaum bemerkte, aber sein Blick war aufmerksam und ruhig. Er schien sich völlig in die Umgebung einzufügen. Connor war überzeugt, dass kein Raubtier es schaffen würde, sich an die Gruppe anzuschleichen, ohne von Buju bemerkt zu werden. Doch trotz dieser beruhigenden Tatsache erlaubte sich Connor nicht, selbst in seiner Aufmerksamkeit und Bereitschaft nachzulassen. Obwohl es natürlich gut war, dass noch ein weiteres Augenpaar nach Gefahren Ausschau hielt, war Connor letztlich doch für die Sicherheit seiner Klienten verantwortlich.

Buju hob die Hand; die Kolonne kam zum Stillstand. Gunner schaltete den Motor aus. Nacheinander verstummten auch die übrigen Motoren; jetzt waren auch die Geräusche der Wildnis wieder zu hören – ein Chor von Vogelstimmen, summende Insekten, gelegentlich auch das Wiehern eines Zebras. Der »Soundtrack« von Afrika. Dann hörten sie ein unheimliches »Wuup! Wuup!« aus der Ferne.

»Hyänen«, erklärte Gunner leise. »Aber weit entfernt, wahrscheinlich in den Hügeln dort drüben.« Er wies auf einen entfernt gelegenen Höhenrücken, über den gerade die Sonne stieg.

»Warum haben wir hier angehalten?«, wollte Henri wissen.

Gunner legte den Finger auf die Lippen. Buju deutete stumm auf ein Dickicht aus Dornenbüschen, ungefähr zwanzig Meter weiter vorn am Weg. Amber streckte den Kopf und hielt die Kamera bereit.

»Was ist da?«, fragte Henri, kniete sich auf den Sitz und spähte angestrengt durch die Windschutzscheibe.

Amber schüttelte den Kopf und zuckte die Schultern. Und dann tauchte plötzlich ein Tier aus dem Gebüsch auf, grau wie Schiefer, mit riesigem tonnenförmigem Rumpf, kurzen, stämmigen Beinen und einem dicken, abfallenden Hals. Am Ende des massigen Kopfs thronten zwei Hörner, ein kürzeres und ein großes, spitzes Horn.

Es kam ihnen wie ein Urzeittier vor, wie eine Kreatur aus *Jurassic Park*. Das Nashorn trampelte gemütlich quer über den Feldweg, blieb aber dann mitten auf dem Weg stehen. Es hatte Witterung bekommen. Stumm staunten sie das Tier an.

Gunner sprach weiter, aber so leise, dass sie ihn kaum verstehen konnten. »Ihr habt unverschämtes Glück, ein Spitzmaulnashorn in freier Wildbahn zu erleben. Diese Spezies, die man auch ›schwarzes Rhinozeros‹ nennt, ist vom Menschen fast bis zum Aussterben gejagt worden. In ganz Afrika gibt es heute weniger als fünftausend Exemplare.«

Immer noch stand das Nashorn völlig still auf dem Weg. Nur die Ohren zuckten. Dann schwang es den gewaltigen Kopf in ihre Richtung und schnaubte.

»Nashörner sehen sehr schlecht, aber ihr Geruchssinn und ihr Gehör sind außerordentlich gut«, fuhr Gunner fort, während Amber ein Foto nach dem anderen aufnahm. Er deutete auf einen kleinen Vogel mit rotem Schnabel, der auf dem Rücken des Rhinozeros saß. »Das ist ein Madenhacker. Lange Zeit glaubte man, dass der Vogel für das Nashorn ganz nützlich ist, weil er Zecken und sonstige Insekten aus der Haut pickt und durch sein Zischen und Kreischen eine Art Frühwarnsystem vor Raubtieren darstellt. Aber vor Kurzem hat man herausgefunden, dass diese Vögel eigentlich ziemlich blutdurstige Bodyguards sind.«

Amber warf Connor einen Blick über die Schulter zu und hob vielsagend eine Augenbraue.

»Die Madenhacker wurden nämlich dabei ertappt, dass sie die meiste Zeit gar keine Zecken herauspickten, sondern den Schorf von verheilenden Wunden wieder aufrissen und sich vom Blut des Nashorns ernährten. Kann schon sein, dass die Beziehung beiden Tieren nützt, aber der Madenhacker ist eben auch ein Parasit.«

Connor konnte nur hoffen, dass Amber ihn nicht für einen Parasiten hielt. Bei der Vorbereitung auf die Safari hatte er sich bewusst auf Distanz zu ihr gehalten und sich stattdessen stärker mit Henri befasst. Aber er hatte auch festgestellt, dass sie ihn seit dem Zwischenfall mit der Spinne gestern Nacht ein wenig offener und freundlicher behandelte.

Sie beobachteten den kleinen Vogel, der mit seinem roten Schnabel auf dem Rücken des Nashorns herumhackte. Das Nashorn zuckte ein wenig, dann wandte es ihnen langsam die Hinterseite zu. Und plötzlich ließ es mehrere riesige Dungballen fallen, die auf dem Weg einen beachtlichen dampfenden Haufen bildeten.

»Igitt!«, rief Henri.

»Na ja, das kann einem schon den Appetit aufs Frühstück verderben«, meinte Connor.

Gunner grinste. »Ein erwachsenes Rhinozeros produziert bis zu zwanzig Kilo Dung am Tag. Wisst ihr, dass der Geruch des Dungs bei jedem Nashorn anders ist, sozusagen einzigartig? Sie benutzen häufig eine gemeinsame Dunggrube, einen Misthaufen, der ihnen als eine Art Informationstafel dient. Jeder Dunghaufen gibt sozusagen Auskunft darüber, welches Nashorn da war, wie alt es war und ob es sich um ein brünstiges Weibchen handelte. Könnt ihr euch so ähnlich wie einen Post auf eurer Facebookseite vorstellen.«

»Na toll! Womöglich mit Foto!«, sagte Amber lachend.

Das Nashorn hatte inzwischen sein Geschäft beendet, trottete weiter und verschwand im Dickicht.

»Was für ein spektakulärer Auftakt unserer Safari!«, sagte Gunner und startete den Motor. »Eure erste Nahbegegnung mit einem der ›Großen Fünf‹, und es ist grade mal sechs Uhr morgens!«

»Die ›Großen Fünf‹? Wer sind die anderen vier?«, wollte Amber wissen.

»Elefant, Löwe, Büffel, Leopard. Leoparden kann ich euch aber nicht versprechen. Sie sind ziemlich schwer aufzustöbern.«

»Gehören Nilpferde nicht dazu?«, fragte Henri. »Die sind doch größer als Leoparden!«

Gunner schüttelte den Kopf. »Es geht nicht um die Größe. Der Ausdruck ›Big Five‹ wurde von weißen Großwildjägern geprägt. Damit bezeichneten sie die Tiere, die am gefährlichsten zu jagen waren. An sich hast du natürlich recht, Nilpferde sollten ebenfalls dazu gehören. Sie töten jedes Jahr mehr Menschen als jedes andere Tier in Afrika.«

»Echt? Und was ist mit den Moskitos?«, fragte Amber.

»Na gut, da muss ich dir recht geben. Moskitos übertragen Malaria und sind damit schuld am Tod von Millionen. Aber Moskitos greifen dich eigentlich nicht direkt an, sie wollen nur dein Blut als Nahrung. Nilpferde dagegen verteidigen höchst eifersüchtig ihr Revier. Ich versichere dir, du möchtest ganz bestimmt nicht zwischen ein Nilpferd und das Wasser geraten. Aber wenn du schon so genau nachfragst: Es gibt noch eine Bestie in Afrika, die mehr Menschen tötet als sämtliche Moskitos, Nilpferde, Elefanten, Löwen und Krokodile zusammen.«

»Welche Bestie meinen Sie?«, fragte Connor gespannt.

»Die tödlichste Spezies auf Erden«, sagte Gunner und schaute seine drei jungen Begleiter ernst an. »Der Mensch.«

KAPITEL 22

Ein einzelner Ventilator surrte wie ein überdimensionaler Moskito in einer Ecke des primitiven Büros am Rand eines ruandischen Grenzstädtchens. Das Büro war eigentlich kaum mehr als eine schiefe, weiß getünchte Ziegelhütte mit rostigem Wellblechdach. Die schwache Brise, die der Ventilator erzeugte, bewegte die stickige Luft kaum. Der Diamantenhändler nahm den Stein aus dem Beutel. Er war ein magerer Mann mit Halbmondbrille und trug ein mindestens zwei Nummern zu großes Hemd. So vorsichtig wie ein Vater, der zum ersten Mal sein neugeborenes Kind in den Arm nimmt, legte er den Stein unter das Mikroskop, schob die Brille auf die Stirn und blickte durch das Okular.

»Rosa... sehr selten... starke Nachfrage...«, murmelte er und drehte an der Feineinstellung des Mikroskops. »Sehr hoher Reinheitsgrad..., jedenfalls intern.«

Der Händler richtete sich wieder auf und blinzelte, als traute er seinen Augen nicht, einen derart wertvollen Diamanten gesehen zu haben. Er schob die Brille wieder auf die Nase und schaute den Kunden an, der im gegenübersaß. Seit er eingetroffen war, hatte der Weiße völlig regungslos auf dem Stuhl gesessen. Aber seine Körperhaltung ließ keinen

Zweifel daran, dass er schon bei der leisesten Provokation wie ein Panther zuschlagen konnte.

»Woher haben Sie ihn?«, fragte der Händler atemlos.

»Ich bezahle Sie nicht, damit Sie mir Fragen stellen«, antwortete Mr Grey kalt, »sondern für eine erste Begutachtung.«

»Natürlich«, beeilte sich der Händler zu versichern und wandte sich wieder dem Mikroskop zu. Gewalt war dem Händler nicht unbekannt, und er erkannte auch sofort die unterschwellige Drohung in dem, was der Weiße gesagt hatte. Er hatte nicht die Absicht, den Fremden zu verärgern. Mit größter Aufmerksamkeit nahm er den Stein unter dem Mikroskop hervor und legte ihn auf eine Digitalwaage. Als die Ziffern aufleuchteten, versuchte er zwar, seine Überraschung zu verbergen, konnte aber nicht verhindern, dass sich seine Augen weiteten.

»Ein wenig mehr als dreißig Karat, im Rohzustand«, verkündete er schließlich und schaffte es sogar, nüchtern und sachlich zu klingen.

»Geschätzter Wert?«

Der Händler leckte sich die Lippen und blickte nachdenklich auf den Edelstein. »Schätzungsweise zwanzig Millionen Dollar, wenn nicht sogar noch mehr.«

Mr Grey nickte kühl, nahm den Stein und legte zehn Hundertdollarscheine auf den Tisch. »Für Ihre Schätzung. Plus weitere zehn dafür, dass Sie Ihre Zunge im Zaum halten.« Er zählte weitere zehn Scheine ab und legte sie dazu. »Falls nicht, komme ich zurück und schneide sie Ihnen eigenhändig heraus.«

»Diskretion ist meine Philosophie«, versicherte ihm der Händler salbungsvoll und steckte das Geld ein. Als sein Kunde bereits an der Tür stand, räusperte sich der Händler und fügte hinzu: »Äh... Falls Sie Probleme haben, den Stein ohne die richtigen Zertifikate aus Afrika hinauszuschaffen, könnte ich Ihnen ...«

»Das ist meine Sorge, nicht Ihre«, fiel ihm Mr Grey ins Wort und trat in die heiße Mittagssonne hinaus.

Er überquerte die von Schlaglöchern übersäte Straße und stieg in seinen ramponierten Landrover. Dann zog er ein Handy aus der Tasche und wählte eine Nummer. Eine Stimme meldete sich, durch die verschlüsselte Verbindung verzerrt. »Status?«

»Der Stein ist echt. Zwanzig Millionen, Minimum.«

»Eine befriedigende Investition also«, antwortete die Stimme. Aber Mr Grey hätte nicht sagen können, ob die Person am anderen Ende über den Betrag erfreut oder enttäuscht war. »Haben Sie schon den Export arrangiert?«

»Ja. Ich treffe meinen Kontaktmann in sechs Tagen. Er bringt den Stein in die Schweiz. Dort wird er ein KP-Zertifikat erhalten.«

Mit dem internationalen KP-Zertifikat sollte verhindert werden, dass es sich bei exportierten Diamanten um sogenannte ›Blutdiamanten‹ aus Konfliktgebieten handelte.

»Gute Arbeit, Mr. Grey. Verläuft auch sonst alles nach Plan?«

»Sogar noch ein bisschen schneller als geplant. Der Staatsstreich steht anscheinend unmittelbar bevor. Der General hungert nach Krieg. Er hat mich um weitere Waffen gebeten.«

»Das lässt sich leicht arrangieren. Aber können wir denn darauf vertrauen, dass er sich an unsere Absprachen hält?«

»Er kennt die Folgen, wenn er sich nicht daran hält«, sagte Mr Grey kalt. »Aber bei dem General sitzt der Colt sehr locker im Gürtel. Keinerlei Ethik, keine Grenzen.«

»Dann scheint er mir der ideale Kandidat zu sein, um ein

Chaos auszulösen«, antwortete die Stimme. »Und wie ist der Status der Opposition?«

»Völlig unvorbereitet, wie mir meine Quelle berichtet. Aber ihre Armee ist gut genug ausgerüstet. Ich sehe schon jetzt voraus, dass beide Seiten schwere Verluste erleiden werden.«

Ein paar Sekunden herrschte Schweigen, dann antwortete die Stimme mit unverhohlener Genugtuung: »Wenn zwei Heuschrecken kämpfen, freut sich die Krähe.«

KAPITEL 23

»Safari ist das Suaheli-Wort für Reise«, erklärte Gunner und nahm einen kleinen Tagesrucksack aus dem Kofferraum des Fahrzeugs. »Und die beste Art, Afrika wirklich kennenzulernen, ist zu Fuß.«

Inzwischen war es Nachmittag geworden. Der Ranger hatte ihnen vorgeschlagen, eine kleine Wanderung zu unternehmen. Laurent und Cerise waren begeistert von dieser einmaligen Gelegenheit und schlossen sich dem Ranger und den Kindern an. Der Präsident und seine Gefolgschaft waren inzwischen wieder zur Lodge zurückgekehrt.

Connor warf sich den Rucksack über die Schulter, in dem sich fast seine gesamte Ausrüstung befand – Wasserflasche, Insektenmittel, Erste-Hilfe-Pack und andere wichtige Dinge. In den Seitentaschen seiner Cargohose verstaute er sein Smartphone und den LifeStraw; das Messer seines Vaters befestigte er am Gürtel. Obwohl sie von einem erfahrenen Ranger und einem Tracker geführt wurden, wollte Connor keine Risiken eingehen. Im SAS-Handbuch hatte er gelesen, dass es besser war, immer »das Unerwartete zu erwarten«, und das hieß, dass man mit allem rechnen musste. Das konnte genauso gut für einen Bodyguard gelten. Und da jetzt auch die Leibwache des Präsidenten nicht mehr dabei war, wollte Connor auf jede Notlage vorbereitet sein.

Henri protestierte lautstark, als ihn seine Mutter mit einem Sonnenschutzmittel Faktor 50 einrieb. Amber verdrehte die Augen über sein Gejammer. Sie trug Shorts und ein T-Shirt und hatte ihr wildes Haar mit einem Bandana gebändigt. Nachdem sie ein wenig Lippenbalsam aufgetragen hatte, nahm sie ihre Kamera und die Wasserflasche – offensichtlich wollte sie endlich losmarschieren. Connor setzte gerade die Sonnenbrille und die Baseballmütze auf, als der Botschafter zu ihm herüberkam.

»Wie gefällt dir die Reise bisher? Kommst du zurecht?«

»Alles läuft glatt«, antwortete Connor. »Bisher gibt es nichts Ungewöhnliches zu berichten.«

»Vielleicht waren meine Befürchtungen unbegründet«, gestand der Botschafter, während er den Blick über die wunderbare, offene Savanne gleiten ließ. »Trotzdem ist es gut, wenn jemand in Ambers Alter dabei ist. Sie wirkte in letzter Zeit ein wenig... bedrückt. Vielleicht schaffst du es, sie aufzumuntern? Und dafür zu sorgen, dass ihr nicht langweilig wird, während ich mit den diplomatischen Diskussionen beschäftigt bin?«

Er schaute Connor bedeutungsvoll an, und Connor fiel wieder das peinliche Gespräch ein, in das Amber beim Boma-Dinner den Minister Feruzi verwickelt hatte.

»Ich werde es versuchen«, versprach Connor, dem inzwischen klar geworden war, dass der Botschafter nichts von Ambers Liebeskummer wusste.

Als alle bereit waren, versammelte Gunner die Gruppe um sich. »Ein paar Grundregeln für diese Safari. Befolgt meine Anweisungen immer, ohne zu zögern und ohne zu widersprechen. Wir bleiben immer dicht beisammen. Wir gehen immer hintereinander. Wir reden nicht, außer wenn wir uns versammeln, um etwas Interessantes zu erklären. Und wenn wir einem gefährlichen Tier begegnen: auf gar keinen Fall weglaufen. Wenn ihr zu fliehen versucht, weckt ihr nur den Jagdinstinkt; das Tier wird euch dann für eine leckere Beute halten. Denkt immer daran: Wir sind hier nicht im Zoo. Wir sind in Afrika.«

»Sind Sie denn sicher, dass uns nichts geschieht?«, fragte Cerise und legte schützend den Arm um ihren Sohn.

»Bisher habe ich noch niemanden verloren«, antwortete Gunner. »Allerdings seid ihr ja auch die ersten Gäste ...«

Er grinste, damit auch alle verstanden, dass er das scherzhaft gemeint hatte, dann deutete er mit dem Daumen auf den jungen Ranger, der hinter ihm stand, ein Gewehr über der Schulter. »Keine Sorge, Madame Barbier, Alfred hier wird uns beschützen.«

Gunner nickte Buju zu, der sich an die Spitze setzte. Die Franzosen gingen in einer Reihe hinter ihm, dann folgten Connor und Alfred. Schweigend marschierten sie durch das hohe Gras. Obwohl Connor durch die Mütze von der direkten Sonne geschützt wurde, strahlte der Boden wie ein Spiegel die Hitze zurück. Schon nach wenigen Minuten war er in Schweiß gebadet.

Ringsum brummte die Savanne vor Leben. Schwärme von Fliegen schwirrten zwischen den Büschen, Perlhühner flatterten gackernd in den Schutz des Dickichts, bunte Vögel flogen zwischen den einzeln stehenden Bäumen hin und her. In der Luft hing jetzt nicht mehr das Abgas der Fahrzeuge, sondern eine schwere Mischung von Gerüchen – Dung, getrocknetes Gras, Staub, der von der rot gebackenen Erde aufwirbelte.

Das war eine ganz andere Erfahrung, als im sicheren Kokon des Landrovers durch die Savanne zu fahren. Connor fühlte sich schutzlos, angreifbar und verletzlich. Plötzlich wurde ihm klar, dass sie sich hier nicht mehr von den anderen Tieren im Park unterschieden. Ohne Alfred und sein Gewehr wären sie ziemlich schlecht ausgerüstet, um sich gegen Löwen oder andere Raubtiere zu verteidigen, wenn diese sich mit scharfen Klauen und Reißzähnen auf sie stürzen sollten.

Doch gleichzeitig verspürte Connor auch eine innere Erregung, in die Wildnis eintauchen zu dürfen. Seine Sinne schienen plötzlich geschärft zu sein; selbst die winzigsten Einzelheiten fielen ihm auf: eine Kolonne schwarzer Ameisen, die über den Pfad marschierte; das Knirschen ausgedorrter Grasbüschel unter den Stiefeln; der glänzende Käfer, der eine Dungkugel, die dreimal so groß war wie er selbst, einen kleinen Abhang hinaufrollte. Das war Afrika, so urtümlich, wie es nur sein konnte.

Buju blieb neben einem Dornengebüsch stehen und Gunner winkte die Gruppe näher heran. Sie spähten über das Gebüsch – und sahen einen Elefantenbullen, der Blätter von einer Akazie riss. Henris Augen wurden groß, als er das riesige Tier sah, das keine zehn Meter entfernt war.

»Das größte Landtier der Welt«, erklärte Gunner leise. Zweige knackten, als der Elefant den Rüssel um einen Ast wand und die Blätter abstreifte. »Sie verbringen bis zu sechzehn Stunden am Tag mit Nahrungsaufnahme. Der Rüssel ist ein wirklich bemerkenswerter Körperteil. Er besteht aus über hunderttausend Muskeln, aber keinerlei Knochen. Mit ihm kann der Elefant die Größe, Form und Temperatur eines Gegenstands herausfinden. Sein Geruchssinn ist viermal besser entwickelt als der eines Bluthunds. Glücklicherweise stehen wir im Moment nicht in Windrichtung. Deshalb hat er uns noch nicht bemerkt – das haben wir Bujus Geschick zu verdanken.«

»Er ist wunderbar«, flüsterte Cerise. Amber fokussierte und nahm ein Foto auf.

»Und was passiert, wenn er uns entdeckt?«, fragte Connor. Das Dornengebüsch kam ihm nicht gerade wie ein effektiver Schutzwall gegen einen wütend heranstürmenden Elefantenbullen vor.

»Die meisten Elefanten sind verständlicherweise misstrauisch, wenn sie Menschen sehen«, antwortete Gunner. »Wenn sie sich bedroht fühlen, stampfen sie zuerst auf den Boden, stellen die Ohren aus und heben den Kopf. Aber wirklich in Schwierigkeiten ist man erst, wenn er die Ohren zurückklappt, den Rüssel einrollt und laut trompetet. Das bedeutet, dass er angreifen wird. Und Elefanten sind extrem schnell und erstaunlich agil, trotz ihrer Größe und ihres Gewichts. Wenn man zu Fuß unterwegs ist, würde ich empfehlen, auf den nächsten Baum oder eine steile Böschung hinaufzuklettern. Elefanten meiden größere Hindernisse.«

»Die Elefanten stehen in diesem Park doch unter Schutz?«, fragte Amber, während sie weiter fotografierte.

»Sie sind hier so sicher wie in jedem anderen Nationalpark«, erklärte Gunner. »Natürliche Feinde haben sie nicht, vom Menschen abgesehen. Aber sie haben auch außerordentliche Fähigkeiten entwickelt, zwischen Menschen zu unterscheiden. Zum Beispiel können sie Männer und Frauen und Erwachsene und Kinder unterscheiden – nur nach den Stimmen.«

»Und was ist mit Wilderern?«, fragte Laurent.

»Die verschiedenen Parksektoren werden von bewaffneten Rangern patrouilliert. Aber solange man für ein Kilo Elfenbein viele Tausend Dollar bekommt, wird die Wilderei ein riesiges Problem bleiben, das gebe ich zu.« Gunner seufzte tief. »Heutige Wilderer sind gut ausgestattet und schwer bewaffnet. Manchmal wildern auch reiche Europäer oder Amerikaner, um sich einen Nervenkitzel zu verschaffen, aber die meisten Wilderer sind Afrikaner aus der Umgebung, die einen schnellen Dollar machen wollen. Neuerdings mischen auch organisierte Verbrecherbanden, Aufständische und sogar Terroristenorganisationen mit. Aber wir kämpfen dagegen an, auch dank der Unterstützung, die wir von Ländern wie Frankreich bekommen.« Er nickte zu dem Elefanten hinüber. »Wenn der dort drüben mit seinen riesigen Stoßzähnen aus reinem Elfenbein so lange überleben konnte, beweist das, dass wir unseren Job gut machen.«

Der Elefant hatte inzwischen genug gefressen und trottete davon. Buju wartete, bis der Elefant in sicherer Entfernung war, dann setzten sie den Marsch fort. Immer noch im Gänsemarsch durchquerten sie ein ausgetrocknetes Flussbett und kamen an einer Herde Impalas vorbei. Der Wind änderte die Richtung ein wenig, und die Tiere erschraken, als sie die Anwesenheit von Menschen witterten. Buju blieb neben einem riesigen, seltsamen Baum stehen. Der Stamm hatte einen Durchmesser von rund zehn Metern und ragte gut zwanzig Meter empor. Die Baumkrone bestand aus kräftigen Ästen, die sich so unförmig und wirr wie ein Wurzelgestrüpp ausbreiteten. An langen Stielen hingen Früchte herab, die so groß wie Kokosnüsse waren.

»Das ist ein Affenbrotbaum oder Afrikanischer Baobab«, erklärte Gunner und klopfte auf den massigen Stamm. »Auch bekannt als Baum des Lebens.«

»Warum heißt er so?«, fragte Cerise.

»Der Baobab ist ein lebenswichtiger Baum, sowohl für die Tierwelt als auch für die Menschen in der Umgebung. Er bietet Schutz, Kleidung, Wasser, Nahrung. Die Rinde ist fast feuerfest und aus ihren Fasern kann man Kleidung und Seile machen. Die Früchte« – er wies auf die herabhängenden großen Hülsen – »kann man aufschlagen und das Fruchtfleisch roh essen. Es ist zwar ein bisschen bröselig und trocken, aber vollgepackt mit Vitamin C. Die Samen kann man mahlen und als Kaffeepulver verwenden. Und wenn man durstig ist, kann man ein kleines Stück der inneren Rinde herausschneiden und die Feuchtigkeit heraussaugen. Reife, alte Bäume sind oftmals hohl und bieten einen idealen Unterschlupf. Die Kinder des Hadza-Stamms werden traditionell in einem hohlen Baobab geboren. Sie sehen, der Baum wird nicht ohne Grund der Baum des Lebens genannt. Es gibt aber auch eine Legende, die zu erklären versucht, warum das Astwerk so verschlungen wie Wurzelgestrüpp ist. Diese Geschichte erzählt, dass der Baum vom Teufel verkehrt herum gepflanzt worden sei.«

Als sie um den mächtigen Stamm herumgingen, gerieten sie in eine Wolke von Fliegen. Sie schwirrten um die Überreste eines Kadavers herum, der in der Sonne verweste. Der Verwesungsgestank war so stark, dass sie einen Würgereiz unterdrücken mussten.

»Was ist das denn?«, fragte Laurent, die Hand über der Nase.

Gunner kniete nieder und untersuchte kurz die schon reichlich zerstörten Überreste. »Eine Gazelle.«

»Das arme Ding«, sagte Amber.

»In Afrika überleben nur die Starken«, erklärte Gunner. »Es gibt hier ein altes Sprichwort: ›Jeden Morgen erwacht in Afrika eine Gazelle. Sie weiß, dass sie schneller laufen muss als der schnellste Löwe, wenn sie am Leben bleiben will. Und jeden Morgen wacht ein Löwe auf. Er weiß, dass er schneller laufen muss als die langsamste Gazelle, wenn er nicht verhungern will. Egal, ob man ein Löwe ist oder eine Gazelle: Sobald die Sonne aufgeht, muss man laufen!‹«

KAPITEL 24

»Wer hat die Gazelle getötet?«, fragte Henri, den der Kadaver offenbar faszinierte. »Ein Löwe?«

»Wahrscheinlich«, antwortete Gunner. Buju sagte etwas und deutete auf den sandigen Boden. »Aber warte mal, vielleicht täusche ich mich«, korrigierte Gunner sich daraufhin.

Er ging in die Hocke und die anderen versammelten sich dicht um ihn.

»Spuren hier, seht ihr?«, sagte Buju leise. »Vier Zehen, keine Klauenabdrücke, dreilappiger Ballen. Das ist die Spur einer Großkatze.«

Henri schaute zu Connor auf. Seine Augen glänzten vor Aufregung.

»Die Spur ist relativ klein und rund, das deutet auf einen Leoparden hin«, fuhr Buju fort.

»Ein Leopard hat die Gazelle getötet?«, fragte Henri atemlos. »Ich will unbedingt einen Leoparden sehen!«

Buju deutete auf andere Spuren in der Nähe. »Das hier sind Löwenspuren.«

»Wie können Sie das unterscheiden?«, fragte Connor, der keinen großen Unterschied entdecken konnte.

»Sie sind eher oval geformt und größer, weil das Tier schwerer ist.«

Der Tracker ließ den Blick aufmerksam über den Boden gleiten, während er versuchte, die Szene zu rekonstruieren, die sich hier abgespielt hatte. Er deutete nach Osten. »Ein Leopard schlägt die Gazelle draußen auf der Savanne. Schleift sie hierher.« Er deutete auf das geknickte Gras und breite Schleifspuren. »Er versucht, seine Beute auf den Baum zu schaffen, aber drei ... nein, vier Löwen vertreiben den Leoparden.« Er wies seine Zuhörer auf die zahlreichen Kratzspuren am Fuß des Stammes hin. »Und dann kommen auch noch Hyänen und jagen die Löwen davon.«

»Aber die Spuren sehen doch genauso aus wie die Leopardenspuren«, meinte Laurent.

»Nein, sehen Sie die Klauenspuren?«, fragte Buju und zeigte auf die winzigen Spitzen an den Zehenabdrücken. »Und die Ballen sind nur zweilappig. Definitiv Hyänen.«

»Und wohin ist dann der Leopard gegangen?«, fragte Henri eifrig.

Buju blickte sich im weiteren Umkreis um, dann deutete er nach Nordosten, in Richtung eines zerklüfteten Hügels in der Ferne, auf dem eine einzelne Akazie stand. »Dorthin, zum Dead Man's Hill.«

»Klingt wie ein netter Ort für ein Picknick«, meinte Amber und machte eine Nahaufnahme von einer der Löwenspuren.

»Der Hügel ist als Jagdrevier des Leoparden bekannt«, sagte Gunner. »Die Einheimischen fürchteten sich schon immer vor dem Hügel und der Schlucht, die daneben liegt. Ihrem Aberglauben zufolge kehrt niemand von dort zurück. Aber schauen wir doch mal, ob Buju der Spur für eine Weile folgen kann. Vielleicht haben wir Glück und stoßen auf den Leoparden, wenn er auf einem Baum liegt, oder auf die Löwen, die ihm den Kadaver gestohlen haben.«

Gunner schlug vor, dass sie ihre Plätze innerhalb der Reihe tauschten, damit jeder einmal die Chance hatte, direkt hinter ihm zu gehen. So rückte Connor nach vorn; Buju und der Ranger bildeten die Spitze der Kolonne. Schweigend gingen sie weiter. Buju hielt immer wieder an, um die Spuren zu prüfen; manchmal änderte er dann die Richtung.

»Buju kann den Busch besser lesen als jeder andere Mensch, den ich kenne«, flüsterte Gunner über die Schulter, während sich Buju wieder bückte und aufmerksam ein Büschel Gras betrachtete. »Er folgt den kleinsten Hinweisen und verschafft sich erst einmal einen allgemeinen Eindruck von der Richtung, in die das Tier lief. Dann schaut er auf die Landschaft hinaus und versucht abzuschätzen, wohin sich das Tier gewendet haben könnte; erst dann sucht er nach weiteren Spuren. Das ist viel schneller und effektiver, als immer nur nach dem nächsten Abdruck zu suchen.«

»Aber wonach sucht er dann?«

»Niedergetretenes Gras. Abgebrochene Zweige, Kratzspuren an Stämmen. Abdrücke im Sand oder Lehm, Steine, die verschoben wurden. Aber wirklich gut ist er, wenn er versucht, das Alter einer Spur abzuschätzen. Das sieht er daran, wie stark ein abgebrochenes Blatt, ein geknickter Grashalm oder Stängel verwelkt ist oder wie feucht die Erde unter einem Stein ist, der bewegt wurde. Ein guter Tracker ist so etwas wie ein Experte für Spurensicherung an einem Tatort.«

Nachdem sie eine halbe Stunde weitermarschiert waren, ohne einen Leoparden oder Löwen zu sehen, verkündete Henri: »Ich bin hungrig.«

»Aber wir haben doch gerade erst zu Mittag gegessen!«, seufzte seine Mutter.

»Kein Problem«, sagte Gunner. »Machen wir eine kleine

Pause. Hier im Busch gibt es immer etwas zu essen. Man muss nur wissen, wo man danach suchen muss.«

Er führte sie zu einer umgestürzten Akazie, legte das Ohr auf den Stamm und lauschte. Dann schälte er ein Stück Rinde ab. In dem verrotteten Holz wimmelte es von weißen wurmähnlichen Insekten.

»Nashornkäferlarven«, erklärte er erfreut, nahm eine dicke Larve und zeigte sie ihnen. »Gekocht sind sie eine Delikatesse im Busch, aber man kann sie auch roh essen.«

»Sie machen wohl Witze«, sagte Amber und betrachtete die Larve angeekelt.

Gunner schüttelte den Kopf. »Keineswegs. Die Insekten enthalten mehr Protein als Rindfleisch oder Fisch, sie sind die perfekte Überlebensnahrung.«

Er hielt die Larve direkt vor Henris Mund. Der Junge verzog das Gesicht. »Äh... sooo hungrig bin ich auch wieder nicht.«

Gunner lachte. »Kann ich verstehen. Aber Honig isst du doch bestimmt? Die Bienen saugen den Saft aus den Blüten und dann würgen sie ihn mehrmals wieder hoch, vermischt mit ihren Körpersäften. Trotzdem findest du den Honig nicht ekelhaft, oder?« Gunner warf sich die Larve in den Mund und kaute. »Sie schmecken allerdings nicht so gut, ein bisschen wie Nasenpopel.«

Henri kicherte und Gunner spülte seinen lebendigen Snack mit einem Schluck Wasser hinunter.

»Wenn euch das nicht so zusagt, könnt ihr auch mal Termiten probieren«, schlug Gunner vor und führte sie zu einem großen Erdhügel hinüber. Er nahm einen langen Grashalm und schob ihn in eines der unzähligen kleinen Löcher, die auf dem Hügel zu sehen waren. »Termiten sind eine ausgezeichnete Nahrungsquelle. Und wenn man ein Stück von einem

Termitennest ins Feuer wirft, nimmt der Rauch einen Geruch an, der die Moskitos vertreibt.«

Er zog den Halm wieder aus dem Loch. Nun wimmelten unzählige blassbraune Ameisen darauf herum.

»Connor, möchtest du nicht mal probieren?«, fragte er und bot Connor den Halm an.

»Sooo hungrig bin ich auch wieder nicht«, äffte Connor Henri nach. Er wedelte die Fliegen weg, die hartnäckig um seinen Kopf schwirrten.

»Im Busch darfst du nicht wählerisch sein.«

»Nun mach schon, sei kein Frosch«, drängte ihn Amber. Ihre grünen Augen funkelten boshaft.

Als Frosch wollte Connor auf keinen Fall gelten, deshalb nahm er den Halm und aß einen Mundvoll Termiten. Er spürte, wie die kleinen Insekten über Zunge und Zähne krabbelten. Rasch schluckte er sie hinunter und hätte schwören können, dass er sie sogar noch in seiner Speiseröhre herumkrabbeln spürte. »Sie schmecken wie Dreck«, sagte er.

»Aber wie frischer Dreck!«, grinste Gunner. »Und gebraten haben sie einen wunderbaren Nussgeschmack. Na gut, wenn Termiten nicht nach deinem Geschmack sind, können wir auch Schlangen jagen.«

»Schlangen?«, rief Connor entsetzt. Schon bei dem bloßen Gedanken drehte sich ihm fast der Magen um.

»Ja. Schlangen sind im Busch so etwas wie ein Steak!«, lachte Gunner. »Sechzig Prozent Protein, und das bedeutet Energie.«

»Aber sind denn nicht die meisten giftig?«, fragte Laurent.

»Nur der Kopf mit den Zähnen. Man hackt den Kopf ab, wickelt den Körper mitsamt der Haut und allem um glühende Kohlen und bekommt dann eine herzhafte Mahlzeit.

Das einzige Problem ist, die Schlange zu töten, bevor sie zubeißt.«

Er drehte sich zu Henri um. »Na, was möchtest du essen – Larven, Termiten oder Schlangensteak?«

Henri war ein wenig blass um die Nase. Kleinlaut stotterte er: »Äh… äh… ich hab eigentlich eher auf eine Tafel Schokolade oder einen Müsliriegel gehofft…«

KAPITEL 25

»Die machen aber nicht viel«, flüsterte Henri, als er durch Connors Fernglas blickte. Sie kauerten hinter einem Gebüsch und beobachteten ein Löwenrudel, vier Tiere, das lustlos im Schatten eines Baums faulenzte. Nur ab und zu wedelte eine der Katzen mit dem Schwanz die Fliegen weg.

Amber warf ihrem Bruder einen gereizten Blick zu und schnalzte mit der Zunge. »Du bist doch nie zufrieden, wie? Buju hat dich zu einem Rudel Löwen geführt und trotzdem jammerst du ständig!«

»Aber im Fernsehen tun sie viel mehr, sie jagen und... machen so Sachen«, murrte Henri. »Und schlafen nicht immer!«

»Na, warum springst du dann nicht ein wenig vor ihren Nasen herum? Vielleicht kommen sie dann auf Touren und jagen dich?«, schlug Amber mit spöttischem Grinsen vor.

»Würde ich dir nicht empfehlen«, mischte sich Gunner ein. »Löwen sind Nachtjäger, meistens jedenfalls, und schlafen tagsüber bis zu zwanzig Stunden. Aber sie jagen natürlich, wenn sich eine Gelegenheit bietet. Und du wärst für sie ein netter kleiner Snack, Henri.«

»Wenn die Löwen doch selbst jagen, warum stehlen sie dem Leoparden die Beute?«, fragte Laurent.

»Weil Löwen bei ihrer Jagd eine ziemlich schlechte Erfolgsquote haben. Von fünf Versuchen ist nur einer erfolgreich. Für ihre Nahrungsversorgung sind sie darauf angewiesen, auch Aas zu fressen.«

»Der Leopard tut mir leid«, warf Cerise ein. »Er machte die ganze Arbeit und dann kommen die Löwen und sahnen ab.«

»Der braucht Ihnen nicht leidzutun, Madame. Leoparden sind großartige Überlebenskünstler. Sie sind vielleicht nicht so schnell wie ein Gepard und schwächer als ein Löwe, aber am Ende haben sie immer die Nase vorn.« Gunner deutete auf das umliegende Grasland. »Ein Leopard könnte jetzt nicht mal fünfzig Meter von uns entfernt sein, aber wir würden ihn trotzdem nicht bemerken.«

Es war, als sei die Temperatur plötzlich abgestürzt. Alle schauten sich nervös um, ihre Blicke zuckten über das Gras und zu den Büschen, und allen schoss die Frage durch den Sinn, was wohl geschehen würde, wenn dort irgendwo tatsächlich ein Leopard lauerte.

»Sie sind hervorragend getarnte Jäger«, fuhr Gunner fort, was keineswegs zu ihrer Beruhigung beitrug. »Außerdem sind sie hervorragende Schwimmer und Kletterer und können sehr weit springen. Ein Leopard kann einen Kadaver mit sich schleppen, der dreimal so schwer ist wie er selbst, sogar eine kleine Giraffe. Er hat sogar genug Kraft, seine Beute auf einem Baum in Sicherheit zu bringen. Kein Beutetier ist vor ihm sicher. Glauben Sie mir: Von allen Großkatzen ist der Leopard die cleverste, listigste und gefährlichste. Er ist der perfekte Räuber.«

»Aber würde er auch Menschen angreifen?«, fragte Cerise verängstigt.

»Absolut«, antwortete Gunner erbarmungslos. »Ein Leopard könnte jeden von uns leicht töten. Er kann sich jederzeit von einem Baum fallen lassen, hinter einem Gebüsch hervorspringen oder im Gras lauern. Er würde Sie bei der Kehle packen und mit seinem starken Gebiss erwürgen.« Connor sah, dass der Ranger die entsetzten Gesichter der Gruppe richtiggehend genoss. »Leoparden fressen jede Art von tierischem Protein, von Termiten über Schlangen bis hin zu Wasserböcken. Aber wenn es kein Angebot seiner normalen Beutetiere gibt, kann sich ein Leopard auch auf Menschen spezialisieren. Manche Leoparden haben sich zu richtigen Menschenfressern entwickelt – während des Bürgerkriegs fraßen sie menschliche Leichen und kamen so auf den Geschmack. Vor *diesen* Leoparden muss man sich wirklich in Acht nehmen.«

Die lange und ausführliche Erklärung ließ die Zuhörer sprachlos werden. Plötzlich erschien ihnen die Savanne nicht mehr wie ein perfektes Paradies – eher wie ein gefährliches Jagdrevier, in dem sie selbst die Beutetiere waren.

Gunner blickte auf die Uhr. »Nun, es wird Zeit für den Rückmarsch«, verkündete er gut gelaunt. »Nur noch eine Stunde bis zur Dämmerung. Und wir wollen definitiv nicht das Dinner der Löwen werden.«

Er marschierte los, und die anderen folgten ihm hastig, wobei sie sich ständig umblickten. Buju ging wieder voraus, führte sie am Flussufer des Ruvubu entlang, der in der Spätnachmittagssonne golden schimmerte. Ein paar Nilpferde suhlten sich im seichten Uferwasser, schnaubten und stießen seltsame Mu-Mu-Laute aus. Ab und zu erspähte Connor auch die Schnauze und die schwarzen schlitzförmigen Augen von Krokodilen, die durch die Wasseroberfläche brachen. Ein paar aalten sich auf den Sandbänken, die langen Schnauzen mit den sägeförmigen Zähnen weit aufgesperrt.

»Die Krokodile müssen die Schnauzen aufreißen, um sich

abzukühlen«, erklärte Gunner. »Sie schwitzen durch die Münder. Sie können stärker zubeißen als jedes andere Tier, und sie gehören auch zu den schnellsten – sie können innerhalb von fünfzig Millisekunden zuschnappen!«

»Offenbar ist alles in diesem Land tödlich«, bemerkte Connor.

Der Ranger lachte. »Nur die Tüchtigsten überleben, mein junger Freund. Seltsamerweise sind ihre Kiefermuskeln gar nicht so stark. Ein einigermaßen starker Mensch, zum Beispiel auch du, könnte die Schnauze eines Krokodils mit bloßen Händen geschlossen halten. Das Problem ist nur, dass die meisten Opfer das Krokodil gar nicht erst kommen sehen, denn bei seinen Angriffen nutzt dieses vor allem den Überraschungseffekt und weniger seine Schnelligkeit. Deshalb sollte man Wasser nicht zweimal an derselben Stelle schöpfen. Ein Krokodil könnte dich beim ersten Mal beobachten, beim zweiten Mal holt er dich dann ...«

»Aua!«, schrie Amber plötzlich auf.

Connor wirbelte herum, er rechnete schon mit dem Schlimmsten. Aber ihr Kameragurt hatte sich nur in einem Dornenbusch verfangen. Amber wollte den Gurt losreißen, verwickelte sich dabei aber noch mehr im Astgewirr.

»Vorsichtig – das Zeug ist wie Stacheldraht«, warnte Gunner und kam von der Kolonnenspitze zu ihr zurück. »Es wird deine Kleider im Nu zerfetzen und dir viele Kratzer zufügen.«

Sehr sorgfältig machte er sich daran, einen Dorn nach dem anderen von ihr zu lösen. Connor versuchte zu helfen, schaffte es aber nur, sich selbst in den Daumen zu stechen.

Amber biss die Zähne zusammen, als die Dornen über ihre Haut kratzten.

»Tut mir leid«, sagte Gunner. »Deshalb nennt man diese Büsche auch Wait-a-while-Busch. Die Dornen halten dich fest und lassen dich nicht mehr los. Die südafrikanischen Spezialtrupps benutzten diese Büsche sogar, um Feinde zu fangen und sie an der Flucht zu hindern.«

»Das glaube ich aufs Wort!«, sagte Amber mit einem Blick auf die vielen blutigen Kratzer, die sie sich zugezogen hatte.

Als sie endlich befreit war, nahm Connor ein antiseptisches Tuch aus seinem Erste-Hilfe-Pack und bot ihr an, die Wunden sauber zu wischen. Sie ließ es zu und hielt ihm den Arm hin. Sie schaute ihm zu und zum ersten Mal lächelte sie ihn warm an. »Danke.«

»Gern geschehen«, antwortete Connor und steckte den Erste-Hilfe-Pack wieder in den Rucksack.

»Okay – gehen wir«, befahl Gunner.

»Moment – wo ist Henri?«, fragte Cerise.

Connor blickte sich um. Der Junge war nirgends zu sehen. Connor hatte sich so auf Ambers Kratzer konzentriert, dass er nicht mehr auf ihren Bruder geachtet hatte. Er verfluchte seine Nachlässigkeit.

»Henri!«, rief Laurent. Aber es kam keine Antwort.

Connor verfolgte ihre Spuren ein Stück weit zurück. Aber das hohe Gras und dichte Unterholz verrieten nichts – hier würde jeder, der den Pfad verließ, schon nach wenigen Schritten völlig außer Sicht geraten.

»Buju und Alfred, ihr durchsucht die Umgebung«, befahl der Ranger. »Alle anderen bleiben bei mir. Wir wollen nicht noch jemanden verlieren.«

Cerise begann zu weinen. »Glauben Sie, dass ihn ...« – sie blickte ängstlich zu den Büschen – »ein Leopard ...?«

»Keine Sorge, Madame Barbier«, sagte Gunner beruhigend. »Er ist wahrscheinlich nur ein paar Schritte abseits gewandert. Meine Männer finden ihn bestimmt.«

Aber am Ende war es Connor, der Henri durch eine Lücke

im Gebüsch zuerst erblickte. Henri stand auf einer Uferböschung und blickte auf den Fluss hinunter. Dort hob gerade ein Krokodil den Kopf aus dem Wasser.

»Henri! Bleib vom Ufer weg!«, brüllte Connor und rannte hinüber. Die anderen folgten ihm auf dem Fuß.

»Ich hab eine tote Gazelle gefunden!«, sagte Henri, dem offenbar gar nicht klar war, für wie viel Aufregung er gesorgt hatte.

Connor warf einen Blick hinunter. Tatsächlich war ein Kadaver auf das Ufer gespült worden. Aber es war nicht mehr viel übrig, kaum mehr als eine Ansammlung von blutverschmierten Rippen, von denen noch ein paar Hautfetzen herabhingen.

Doch dann wurde Connor klar, dass es nicht Haut war, sondern kakifarbener Stoff.

»Ich glaube nicht, dass das eine Gazelle ist«, sagte Connor und zog Henri rasch von der Leiche weg.

KAPITEL 26

»Ein Leichenfund ist nicht gerade die beste Werbung für den Park«, sagte Minister Mossi sarkastisch und schaute vorwurfsvoll zu Minister Feruzi, der in einem bequemen Ledersessel im Rauchersalon der Lodge mehr lag als saß. »Kommen Sie in den Ruvubu-Park und schwimmen Sie mit menschenfressenden Krokodilen!«

»Der Mann wurde nicht von einem Krokodil getötet«, korrigierte ihn Gunner, der mit dem Safarihut in der Hand vor dem Steinkamin stand.

»Was soll das heißen?«, fuhr Präsident Bagaza auf.

»Er wurde zuerst erschossen. Dann erst sind die Krokodile über ihn hergefallen.«

Minister Feruzi drückte die Zigarette in dem silbernen Aschenbecher aus. »Wie kommen Sie zu dieser Annahme?«

»Das ist keine Annahme. Buju hat eine Kugel im Brustkorb gefunden.«

Zigarettenrauch hing wie Nebel in der Luft, während der Präsident und seine Minister schweigend über diese Neuigkeit nachdachten.

»Wissen wir denn schon, wer der Mann ist?«, fragte Minister Rawasa leise. »Ein Dorfbewohner aus der Gegend?«

»Schwer zu sagen, es ist zu wenig von ihm übrig«, antwortete Gunner mit grimmiger Miene. »Aber ich denke, es ist entweder Julien oder Gervais. Die Kakifetzen an der Leiche passen zu unserer Parkuniform. Und beide haben sich nicht zurückgemeldet.«

»Aber ... das ist eine Katastrophe! Das Letzte, was wir beim ersten Besuch des Botschafters brauchen können!« Der Präsident stand auf und blickte nachdenklich auf das Tal hinaus. »Was meinen Sie, wer könnte es getan haben?«

»Wilderer höchstwahrscheinlich.«

»Welchen Sektor patrouillierten die beiden Ranger?«, fragte Minister Feruzi und zündete sich die nächste Zigarette an.

»Sektor acht, Nordosten.«

»Halten Sie Ihre Männer von dem Gebiet fern, Gunner.«

Der Ranger runzelte die Stirn. »Wollen wir die Mörder nicht fangen?«

»Doch, das wollen wir. Aber erst, wenn die nötige Verstärkung eingetroffen ist.«

»Es handelt sich wahrscheinlich nur um eine kleine Gruppe von Wilderern«, wandte Gunner ein. »Ich könnte eine Gruppe von Rangern zusammenstellen. Solange die Spuren noch frisch sind, kann Buju sie bis zu ihrem Camp verfolgen.«

»Überlassen Sie es uns zu entscheiden, was zu tun ist«, sagte Minister Feruzi mit fester Stimme.

Gunner biss die Zähne zusammen. Der Präsident sah, was in ihm vorging, trat neben ihn und legte ihm beruhigend die Hand auf die Schulter. »Ich verspreche Ihnen, Gunner, dass wir diese Verbrecher finden werden. Aber Ihr Job ist es, dafür zu sorgen, dass der Botschafter und seine Familie eine unvergessliche Safari erleben.« Er führte Gunner zur Tür. »Stellen Sie die Identität des Toten fest und übermitteln Sie seiner Familie mein herzlichstes Beileid. Wenn er verheiratet war, richten Sie der Frau aus, dass sie für ihren Verlust angemessen entschädigt wird.«

»Jawohl, Monsieur le Président.«

»Ach so, noch etwas, Gunner!«, rief ihm Minister Feruzi nach. »Geben Sie den französischen Gästen keine näheren Informationen über den Vorfall. Überlassen Sie das uns. Es wäre nicht gut, wenn sie sich unnötig Sorgen machten.«

»Ich habe verstanden.« Gunner verließ den Raum.

Der Präsident schaute seine Minister der Reihe nach an. »Und nun? Wie gehen wir mit der Sache um?«

Minister Feruzi hüstelte hinter der Hand. »So tragisch es auch sein mag, aber der Tod des Rangers gibt uns ein weiteres Argument in die Hand, um noch mehr finanzielle Unterstützung zu bitten, damit wir die Wilderei bekämpfen können.«

»Darum geht es jetzt nicht«, widersprach der Präsident ungehalten. »Was ist, wenn die Ranger über ein Diamantenfeld gestolpert sind und dafür mit ihrem Leben bezahlen mussten?«

»Wir sollten sofort eine Einheit Soldaten losschicken und Sektor acht gründlich durchsuchen lassen«, schlug Minister Mossi vor.

»Wäre das nicht eine Überreaktion?«, fragte Minister Feruzi und schnippte Asche von der Zigarette.

»Das meine ich auch«, sagte Minister Rawasa. »Wir wollen doch nicht, dass sich der Botschafter beunruhigt, wenn es im Park plötzlich vor Soldaten wimmelt.«

»Gut, ich habe mir Ihre Argumente angehört«, sagte der Präsident schließlich. »Aber für uns muss es Priorität haben, ein mögliches Diamantenfeld im Park zu sichern. Wenn man den Gerüchten glaubt, dass die Schwarze Mamba wieder im Land ist, müssen wir entschlossen handeln, um die Interessen unseres Landes zu schützen.«

KAPITEL 27

»Sie beharren darauf, dass man sich keine Sorgen machen muss«, berichtete Connor bei seinem Anruf in der Buddyguard-Zentrale am Abend. »Nur ein tragischer Unfall, angeblich kommt so etwas leider immer wieder mal vor.«

»Wahrscheinlich ist es nicht ungefährlich, im Fluss zu schwimmen, vor allem in einem Nationalpark voller wilder Tiere«, meinte Charley. Ihr Gesicht löste sich kurz in Pixel auf, dann wurde es wieder klar. »Wissen sie schon, wer der Tote ist?«

Connor schüttelte den Kopf. »Sie vermuten, dass er ein Einheimischer ist ... war.«

»Du scheinst davon nicht überzeugt zu sein?« Charley kannte ihn nur zu gut.

»Ich habe das Gefühl, dass sie etwas verheimlichen. Oder jedenfalls nicht die ganze Wahrheit sagen.« Connor sprach leise, obwohl er ganz allein in der Rezeption des Lodge saß. Trotzdem ging er zum Eingang hinüber, um sich zu vergewissern. »Ich habe den Leichnam nicht so genau anschauen können, aber es hingen ein paar Stofffetzen an den Rippen. Genau dieselbe Farbe wie die Rangeruniformen hier. Und unser Ranger scheint sich mehr Sorgen zu machen, als man erwarten würde, wenn ihm der Tote wirklich völlig unbekannt wäre.«

Charley spitzte nachdenklich den Mund. »Vielleicht steckt tatsächlich mehr dahinter, aber vergiss nicht, für die burundische Regierung ist die Safari eine Goodwill-Tour. Sie brauchen das Geld der Franzosen. Wahrscheinlich werden sie alles tun, um den Zwischenfall unter den Teppich zu kehren. Was ich noch fragen wollte: Wie nehmen die Löwenkinder die Sache auf?«

Connor blickte unwillkürlich zur Lounge hinüber, wo die beiden vor dem Kamin saßen. Henri spielte irgendein Spiel auf seinem Smartphone und Amber las ein Buch. »Nur Simba hat die Leiche gesehen. Ich glaube, seine Eltern machen sich mehr Sorgen als er, vor allem die Mutter. Aber Nala fragt schon, wann die nächste Exkursion stattfindet.«

»Und wann findet sie statt?«

»Morgen, es soll eine Sunset-Safari werden. Der Tourismusminister hat vorgeschlagen, dass wir während der Tageshitze am Pool bleiben und erst kurz vor Sonnenuntergang aufbrechen.«

»Na, hoffen wir, dass der Trip ein bisschen weniger aufregend verläuft. Übrigens habe ich ein paar Informationen über die Schlange gesammelt, die du erwähnt hast.«

Sie wirkte plötzlich sehr ernst. Connor verspürte ein leises Unbehagen. Vermutlich hatte Charley ihm nichts Angenehmes mitzuteilen.

»Black Mamba ist entweder ein Spitzname oder ein Ehrentitel, je nachdem ... Gemeint ist ein berüchtigter Rebellenführer namens General Pascal«, erklärte Charley. »Er wurde in Burundi geboren, fing schon mit sechzehn an zu kämpfen und war dann abwechselnd als Aufständischer und als Soldat aktiv, sowohl in seinem Heimatland als auch in der Demokratischen Republik Kongo. Mit achtzehn schloss er sich der Rebellentruppe Forces pour la Défense de la Démocratie an, kurz FDD genannt. Ein paar Jahre später setzte er sich wieder ab und kämpfte auf der Seite der Union of Congolese Patriots. Schließlich gründete er seine eigene Rebellentruppe und nannte sie Armée Nationale de la Liberté, also Nationale Freiheitsarmee, kurz ANL. Die Gruppe wurde fast über Nacht berüchtigt, als sie ein Flüchtlingslager der Vereinten Nationen an der burundischen Grenze überfiel und dreihundert Menschen tötete. Die meisten waren Frauen, Kinder und Babys. Sie wurden zu Tode geprügelt, erschossen ... oder ... oder lebendig in ihren Unterkünften ... verbrannt ...« Charley hatte Schwierigkeiten weiterzusprechen.

Connor ließ sich schwer in einen der Ledersessel sinken.

»Der Mann ist ein Ungeheuer.«

»Das ist noch lange nicht alles«, seufzte Charley. »Die Gruppe griff sogar die Hauptstadt Bujumbura an. Wieder dreihundert Tote, zwanzigtausend mussten fliehen. Er fachte einen Aufstand an, bei dem es zu mehreren Massakern kam, sodass man schon von Völkermord sprach. Der Friedensprozess wurde um Jahre zurückgeworfen, bis schließlich die ANL besiegt und über die Grenze in den Kongo zurückgedrängt wurde. Die Black Mamba ist für unzählige Gräueltaten verantwortlich und wurde vor dem Internationalen Strafgerichtshof angeklagt, Kinder als Soldaten rekrutiert zu haben.«

»Kinder?«, fragte Connor, der kaum fassen konnte, was er da zu hören bekam. »Du meinst ... Kinder wie wir?«

Charley nickte ernst. »Seine Taktik war einfach und äußerst brutal: Er entführte die Kinder und zwang sie, ihre eigenen Eltern zu töten. Wer sich weigerte, wurde selbst totgeprügelt. Und wer mitmachte, musste alle Verbindungen zum Dorf und zur eigenen Familie opfern. Die Kids hatten nichts mehr zu verlieren; die ANL wurde ihre Ersatzfamilie.«

»Aber warum Kinder?«

»Weil Kinder leichter zu manipulieren sind. Er verpasst ihnen eine Art Gehirnwäsche. Danach tun sie alles, was er von ihnen verlangt. Außerdem sind Kinder billiger als Erwachsene: Sie essen weniger, verlangen keinen Sold und haben ein unterentwickeltes Gespür für Gefahr, deshalb kann man sie leichter in lebensgefährliche Situationen schicken.«

Zu seiner Verblüffung wurde Connor klar, dass diese Beschreibung ziemlich genau auf seine eigene Situation als Buddyguard zutraf. Allerdings hatte man ihn nicht dazu gezwungen. Und man hatte ihn sehr gut ausgebildet, damit er Leben rettete, und nicht, damit er andere tötete.

»Deshalb nennt man General Pascal die Schwarze Mamba«, fuhr Charley fort. »Er gilt als gefährlichste und giftigste ›Schlange‹ Afrikas und ist ein äußerst gewissenloser, rücksichtsloser, brutaler, böser Mensch. Oder vielleicht sollte ich sagen: Er war es. Alle Berichte deuten darauf hin, dass er vor zwei Jahren im Kongo ums Leben kam. Aber dafür gibt es keinerlei Beweise. Ich werde gleich mal mit Colonel Black reden. Nach dem, was du zufällig von den Ministern erfahren hast, sollte er den Bedrohungsstatus von Operation Lionheart auf Stufe zwei anheben.«

Was das bedeutete, war Connor vollkommen klar. Für die Operation hieß das, dass die Buddyguard-Organisation jetzt von einer realen Gefahr ausging.

»Wir müssen aufhören, Connor. Behalte die Löwenkinder scharf im Auge. Und pass auf dich auf. Du bist in der Wildnis.«

Connor klatschte einen Moskito auf seinem Hals flach. »Weiß ich doch«, murmelte er und schaute auf seine Hand. Ein Tropfen Blut.

Sein eigenes Blut.

KAPITEL 28

Vollmond vor rabenschwarzem Himmel. Das silberne Mondlicht hob die Silhouette des Dead Man's Hill mit der einsamen Akazie auf dem Gipfel deutlich hervor und warf einen geisterhaften Schimmer über das Tal. Wie achtlos weggeworfener Müll lag ein armseliger Haufen von Jungen und Männern unter dem dürftigen Schutzdach halb zerrissener Zeltplanen, die man zwischen Bäume gespannt hatte, jeder zu erschöpft, um auch nur zu merken, dass ihr Bett aus nichts weiter als hartem Fels, Lehm und ein bisschen trockenem Gras bestand. In den dunklen Rändern des primitiven Lagers hielten ein paar Soldaten Wacht – nicht, um Eindringlinge fernzuhalten, sondern um jede Flucht aus dem Lager zu verhindern.

Ein wenig weiter flussaufwärts schritt General Pascal vor seinem Zelt hin und her, eine Whiskyflasche in der Hand und ein Satellitentelefon ans Ohr gepresst. Blaze hockte in der Nähe auf einem Stein, schärfte seine Machete und hörte Gangsta Rap aus einem überdimensionalen Kopfhörer. Unter dem flackernden Licht einer Petroleumlampe spielten No-Mercy, Dredd und zwei weitere Kindersoldaten mit den Kampfnamen Hornet und Scarface Karten. Der wackelige, uralte Campingtisch knickte jedes Mal fast zusammen, wenn sie im Eifer des Spiels die abgegriffenen, zerknitterten Karten auf den Tisch knallten.

»Ich hab gewonnen«, verkündete Hornet und griff nach dem Geld.

Dredd packte seine Hand samt den Scheinen. »Nope. Du hast beschissen!«

»Sagst du das noch mal?«, fragte Hornet, stand auf und ließ die eindrucksvollen Muskelpakete zucken.

Dredd knurrte leise, zog die Hand zurück und teilte die Karten neu aus. Hornet setzte sich wieder und steckte den Gewinn in die Hosentasche.

»Sollen sie doch kommen«, sagte General Pascal verächtlich am Telefon. Er hörte kurz zu. »Keine Sorge. Wir sind gut bewaffnet und weitere Waffen sind unterwegs. Außerdem ist die Sache spätestens morgen Abend vorbei.«

Er beendete das Gespräch und drehte sich zu Blaze um, der eine Seite des Kopfhörers anhob. Laute Musik schallte heraus.

»Eine Armeeeinheit wurde in Marsch gesetzt. Sie soll das Gebiet hier durchkämmen«, erklärte der General. »Sobald es hell wird, will ich Späherpatrouillen in allen Sektoren haben, ist das klar?«

Blaze nickte und drehte sich zu den Kartenspielern um. »Ihr habt es gehört, Jungs?«

Alle salutierten nachlässig, ohne das Kartenspiel zu unterbrechen. Aber sie hatten kaum eine weitere Runde hinter sich, als ein gellender Schrei die Stille der Nacht zerriss. Das Echo hallte durch das Tal, gefolgt von panikartigem Schreien.

General Pascal warf die leere Whiskyflasche weg und griff nach seiner Pistole. Blaze, NoMercy und die anderen sprangen auf und rannten hinter dem General her. Im Arbeitercamp herrschte helle Aufregung. Die Zwangsarbeiter standen eng beieinander und starrten mit vor Angst weit aufgerissenen Augen in den kohlschwarzen Dschungel.

»Was ist los?«, bellte der General, wobei er ebenfalls ins Dickicht starrte und mit seiner Glock eine Halbkreisbewegung vollführte.

»Die Idioten ... schreien einfach los«, antwortete einer der Kindersoldaten schulterzuckend.

Blaze versetzte dem Jungen einen Rückhandschlag. »Du solltest doch Wache halten, oder nicht?«

Der Junge tastete die aufgeplatzte Lippe ab. Ein ausgemergelter Arbeiter stotterte: »Er ... er ... hat ihn ... geholt ...«

»Wer?«, brüllte ihn der General an.

»Jonas.«

»Ich will nicht wissen, wie der Mann heißt«, schrie der General, »sondern wer ihn geholt hat! Hast du gesehen, wer es war?« Wütend spuckte er auf den Boden.

Der Arbeiter schüttelte den Kopf, aber ein anderer sagte: »Ein böser Geist! Ein ... ein Untoter ...«

Angst lief durch die Arbeiter, die heftig zu zittern begannen. Auch die Soldaten blickten voller Entsetzen um sich.

»Das Tal ist verflucht«, jammerte jemand.

Die anderen stöhnten auf, Panik machte sich breit.

»Nein, kein böser Geist, kein Untoter«, sagte schließlich ein älterer Mann, leise und ehrfurchtsvoll. »Es war ein Leopard. Der größte, den ich jemals gesehen habe.«

Mit schwieligem Finger deutete er auf eine Felsengruppe und auf einen Baum. Eine dünne Blutspur glänzte im Mondlicht, der einzige Beweis für das Verschwinden des Gefangenen.

»Ein Menschenfresser!«, staunte General Pascal.

Alle starrten in den Dschungel, die Angst vor einem übernatürlichen Wesen packte sie noch fester, verstärkt durch ihre über viele Generationen anerzogene Furcht vor der Wildnis. Wenn eine Großkatze mit einer Vorliebe für Menschenfleisch in diesem schmalen Tal herumschlich, war keiner mehr sicher.

»Das ist ein böses Omen«, murmelte Dredd.

»Nein! Das ist ein *gutes* Omen!«, verbesserte ihn der General. Er grinste breit; seine Zähne leuchteten wie ausgebleichte Knochen. »Der Leopard ist bei Weitem der gerissenste Killer.«

Er kauerte nieder und tippte den Zeigefinger in einen der Blutstropfen der Beute des Leoparden. Mit dem Blut zeichnete er sich ein Kreuz auf die Stirn.

»Blut wurde vergossen. Aber nicht von einem meiner Soldaten, denn wir sind die Auserwählten«, verkündete er, tippte noch einmal in das Blut und kennzeichnete damit auch NoMercy, Dredd, Hornet und die anderen Soldaten. »Wir sind nicht die Gejagten – wir sind die Jäger.«

KAPITEL 29

»Raubtiere beobachtet man am besten in der Abenddämmerung«, erklärte Gunner, der wieder am Steuer des Landrovers saß und den kleinen Konvoi auf dem Weg zu einer Hügelkette in der Ferne anführte.

Amber, Henri und Connor schauten auf das immer noch hitzeflimmernde Tal hinaus. Bis zum Sonnenuntergang waren es noch mehrere Stunden, aber schon verwandelte sich die Savanne im Licht der Spätnachmittagssonne in eine wie von flüssiger Bronze übergossene mythische Landschaft. Die rote, reiche Erde schien vor Wärme zu glühen; der Ruvubu floss wie flüssiges Gold durch die weite Talsenke des Parks. Die Fahrzeuge rumpelten und holperten durch die hügelige Landschaft. Buju hatte sich auf seinem Sitz auf der Motorhaube angeschnallt. Immer wieder wies er die jungen Passagiere auf die wunderbaren Sehenswürdigkeiten hin, die sich ihnen boten: eine Herde Elefanten, deren Ohren wie große Segel gegen ihre Köpfe schlugen, während sie gemächlich zu ihrem Wasserloch trotteten; Impalas und Antilopen sprangen in die Luft, als vollführten sie einen Freudentanz; fast wie Türme aufragende Giraffen schritten majestätisch zwischen den Akazienhainen hindurch, und eine große Herde schwarzer Büffel ergriff vor der Autokolonne die Flucht, wobei ihre Hufe über den ausgetrockneten Boden trommelten und rote Staubwolken aufwirbelten.

Beim Aufbruch war die Stimmung ein wenig gedrückt gewesen. Der Leichenfund ging niemandem aus dem Kopf. Aber die paradiesischen Wunder des Parks verdrängten bald die düsteren Gedanken. Amber fotografierte ständig, voller Staunen über die Vielfalt der Tierwelt, die sie hier zu sehen bekam. Henri suchte die Savanne nach Löwen auf der Jagd ab; er wollte unbedingt »live« erleben, wie ein Löwe seine Beute tötete. Selbst Connor hatte sein Smartphone herausgeholt und filmte ein paar der eindrucksvolleren Tiere. Später wollte er das Video dem Rest des Alpha-Teams schicken, damit sie sehen konnten, was ihnen entging.

»Schaut, dort! Ein Gepard!«, sagte Gunner und hielt an.

Buju deutete in eine mittlere Entfernung, wo sie deutlich eine schwarz gefleckte Gestalt erkennen konnten, die sich durch das lange Gras an eine Herde Antilopen anschlich und nicht weit von der Herde in Deckung ging. In dem gelben Gras war der Räuber mit seinem goldgelben Fell kaum zu erkennen, weshalb die Antilopen auch sorglos und zufrieden weitergrasten. Plötzlich brach der Gepard explosionsartig aus seinem Versteck hervor. Seine Schnelligkeit war atemberaubend. Die Antilopen schraken auf und jagten in reiner Panik davon. Der Gepard setzte hinter den Tieren her, in unregelmäßigem Zickzacklauf, wobei sein Schwanz hin- und herwippte. Er schien sich auf einen jungen Bock zu konzentrieren. Immer wieder musste der Gepard die Richtung ändern, als die Antilope versuchte, den Verfolger abzuschütteln. Aber trotz aller Anstrengung war der Gepard schneller und beweglicher. Schließlich holte er den Bock ein. In einer einzigen, fließenden Bewegung brachte er ihn mit einem Prankenhieb zu Fall und stürzte sich auf seine Kehle. Erbarmungslos drückte er dem Bock mit den Zähnen die Kehle zu und erstickte ihn. Die Beine der Antilope strampelten noch eine Weile, dann wurden sie still.

»Wow! Das war ... super!«, rief Henri und grinste begeistert.

Amber warf ihrem Bruder einen wütenden Blick zu. »Na, bist du jetzt zufrieden?«

Henri nickte aufgeregt. »Das war das Allerbeste, was ich jemals gesehen habe! Ich kann es kaum erwarten, einen Löwen auf der Jagd zu sehen!«

Amber seufzte. »Kannst du denn nie genug kriegen von Leichen und toten Tieren? Das müsste dir doch jetzt für die ganzen Ferien reichen!«

»Machst du Witze?«, gab Henri zurück und nahm Connor das Fernglas aus der Hand, um den Gepard beim Verzehren der Beute zu beobachten.

Amber schüttelte in stummer Verzweiflung den Kopf und wandte sich wieder nach vorn.

»Das gehört zum Kreislauf des Lebens, Amber«, meinte Gunner weise. »In Afrika gehen Leben und Tod immer Hand in Hand.« Gedankenverloren schaute er einen Moment in die Ferne, dann fuhr er fort: »Auch der Gepard scheitert häufig. Er mag das schnellste Landlebewesen sein, aber er ermüdet sehr schnell.«

»Wie schnell kann er werden?«, fragte Connor.

»Bis zu 120 Stundenkilometer in ungefähr drei Sekunden. Schneller als die meisten Sportautos.«

Connor war beeindruckt. Da die »Show« vorbei war, setzte sich der Konvoi wieder in Bewegung.

»Ich denke, der Sonnenuntergang wird dir besser gefallen«, sagte Gunner, lehnte sich zu Amber hinüber und deutete durch das Beifahrerfenster. »Wir fahren dort hinauf. Die Aussicht von dort oben ist der Traum jedes Fotografen.«

Er wies auf ein höher gelegenes Plateau. Der Konvoi musste zuerst ein ausgetrocknetes Flussbett durchqueren, das so breit war wie eine vierspurige Autobahn. Beide Böschungen stiegen steil an und waren dicht mit Bäumen bewachsen. Mitten im Flussbett hob Buju die Hand. Der Konvoi stoppte und Buju sprang von der Kühlerhaube. Aufmerksam suchte er den Sand ab, dann kniete er nieder. Sorgfältig las er die Spur.

»Was hat er denn jetzt entdeckt?«, flüsterte Amber.

»Bin nicht sicher.« Gunner schaltete den Motor aus.

Auch die anderen Motoren verstummten. Alle – Laurent und Cerise, der Präsident und seine Garde, die Minister und ihre Frauen – warteten gespannt. Mindestens eine Minute verstrich, dann richtete sich Buju auf und winkte Gunner zu sich. Beide Männer beugten sich über etwas auf dem Boden.

Ohne den Motorenlärm wirkte die Stille noch bedrückender. Connor schwitzte in der schwülen Abendluft. Ständig musste er Fliegen abklatschen. Er schaute in den wolkenlosen Himmel und entdeckte ein paar Geier, die hoch über ihnen kreisten. Unwillkürlich lief ihm ein Schauder über den Rücken.

»Was können sie denn gefunden haben?«, fragte Amber.

»Löwenspuren?«, fragte Henri hoffnungsvoll.

»Könnten auch Leoparden sein«, antwortete Connor und ließ den Blick rasch ringsum schweifen.

»Echt?« Henri riss die Augen auf.

Der Konvoi stand in einer lang gezogenen Reihe im breiten Flussbett, nur das letzte Fahrzeug stand ein Stück weiter zurück, noch auf der Böschung. Laurent und Cerise lauschten aufmerksam ihrem Ranger, der gerade auf einen auffälligen gelb-roten Vogel deutete, der auf einem Ast hockte. Der Fahrer im Landrover des Präsidenten reckte sich weit aus der halb offenen Tür, spähte über die anderen Fahrzeuge nach vorn und wunderte sich offenbar, weshalb der Konvoi angehalten hatte. In den übrigen Fahrzeugen schwitzten die burundischen Minister und ihre Frauen und langweilten sich.

Aus irgendeinem Grund regte sich in Connor so etwas wie ein sechster Sinn. Ringsum herrschte Stille – es war *unnatürlich* still. Vielleicht hatten ihn die kreisenden Geier beunruhigt. Oder vielleicht war es auch nur die drückende Schwüle in dem schluchtähnlichen, trockenen Flussbett. Aber er hörte keine Vögel, selbst die Insekten summten nicht mehr. Gunner hatte ihm erklärt, wenn der Busch völlig still wurde, war das ein sicheres Zeichen, dass ein Raubtier in der Nähe war.

Er ließ den Blick aufmerksam über die büschelartig wachsenden hohen Gräser wandern, über das dichte Unterholz auf den Böschungen und über die Bäume, die den Fluss säumten. Nirgends entdeckte er irgendetwas Ungewöhnliches, aber schließlich waren seine Augen auch gar nicht trainiert, die versteckten Anzeichen von wilden Tieren auszumachen. Das war eine Fähigkeit, die auch Leute wie Buju oder Gunner erst nach vielen Jahren gelernt hatten. Doch dann glänzte etwas leicht im Unterholz. Connor nahm Henri das Fernglas weg und fokussierte es auf die Stelle. Sein Atem stockte. Ein Augenpaar, kalt und berechnend, starrte genau zu ihm zurück.

Connor sah Intelligenz in diesen Augen. Und in diesem Moment wurde ihm klar, dass sie alle in großer Gefahr waren.

KAPITEL 30

»Siehst du etwas?«, fragte Henri aufgeregt.

Plötzlich brach eine einzelne Impala hinter einem dichten, hohen Grasbüschel hervor. Und im selben Augenblick schnitt ein kurzes, scharfes *Knack!* durch die Stille. Connor drehte sich schnell um – und entdeckte den Fahrer des Präsidenten, der über dem Lenkrad zusammengebrochen war. Im ersten Moment glaubte Connor, der Mann ruhe sich einfach nur aus, doch dann entdeckte er Blutspritzer überall auf der Windschutzscheibe. Eine Sekunde später begann der Landrover des Präsidenten zu rattern, als würde er von einem Steinhagel getroffen.

»RUNTER! SOFORT!«, brüllte Connor, stieß Henri unsanft auf den Fußraum vor den Hintersitzen und warf seinen Rucksack über ihn. Der eingebaute kugelsichere Schild würde ihn hoffentlich schützen.

Sturmgewehre ratterten. Amber schrie; sie saß starr wie ein erschrockenes Reh auf ihrem Sitz, offensichtlich im Schock. Er hechtete förmlich nach vorn auf den Fahrersitz, stieß Ambers Kopf nach unten und tauchte ebenfalls unter das Armaturenbrett. Einen Sekundenbruchteil später barst die Windschutzscheibe in einem Kugelhagel. Glasscherben prasselten auf sie herab.

»Was ist los?«, schrie Amber, die am ganzen Körper zitterte. Connor schob sie noch weiter in den Fußraum und versuchte, sie so gut wie möglich zu schützen.

»Ein Anschlag!«, rief er.

Er riskierte einen schnellen Blick, um die Lage einzuschätzen. Auf beiden Böschungen ragten die schwarzen Läufe von mindestens einem Dutzend Gewehren aus den Büschen hervor, aus denen ständig gefeuert wurde. Präsident Bagaza hatte sich in seinem Fahrzeug niedergekauert; sein Bodyguard lag über ihm, mit einem Einschussloch im Kopf. Zwei weitere Leibwächter hingen halb aus den Türen, Blut rann aus ihren Körpern in den Sand. Der Rest der Leibwache schien ebenfalls schon stark dezimiert worden zu sein, die kleine Einheit im letzten Landrover, der noch auf der Böschung stand, feuerte wild auf den versteckten Feind, aber offenbar in Panik und ohne genau zu zielen. Nur ihr Fahrer schien noch seinen Verstand beieinanderzuhaben, denn er hatte gerade den Motor gestartet und trat auf das Gaspedal, offenbar entschlossen, dem Präsidenten zu Hilfe zu kommen.

Wieder schlugen Kugeln in Connors Fahrzeug ein. Jodys Regel Nummer eins für Überfälle aus dem Hinterhalt schoss ihm durch den Kopf: *Bleib immer in Bewegung.*

Buju und Gunner waren nicht zu sehen, deshalb lag es an Connor, seine Schützlinge aus der Todeszone zu schaffen. Er drehte den Zündschlüssel um, hörte den Motor anspringen und wieder ausgehen. Er versuchte es noch einmal. Der Motor stotterte ein paarmal, dann starb er wieder ab. Connor fluchte und wartete einen Moment, der Motor durfte auf keinen Fall ersaufen. Er hörte ein schrilles Jaulen und rechnete mit dem Schlimmsten, als eine raketengetriebene Granate dicht über das Fahrzeug hinwegflog. Eine halbe Sekunde später krachte es gewaltig und der Landrover des Finanzministers explodierte in einem riesigen Feuerball. Die Druckwelle traf Connors Fahrzeug mit voller Wucht.

»Mama! Papa!«, schrie Amber, außer sich vor Angst, und kam aus der Deckung.

Connor stieß sie wieder in den Fußraum zurück. »Es war nicht ihr Auto!«, brüllte er und versuchte noch einmal, den Wagen zu starten.

Der Gestank von brennendem Diesel und schmorendem Gummi verpestete die Luft. Hinter ihnen stieg eine riesige schwarze Rauchwolke in den Himmel. Beim dritten Mal klappte es, der Motor sprang an.

»Bleibt unten!«, befahl Connor scharf, als sich Amber und Henri aufsetzen wollten. Er packte das Steuer mit einer Hand und wollte den Gang einlegen. Stattdessen hielt er den Türöffner in der Hand. Erst in diesem Moment wurde ihm klar, woran er in seiner Panik gar nicht gedacht hatte: In diesem Land saß der Fahrer auf der linken Seite, in England dagegen rechts. Deshalb befand sich auch der Gangschalthebel auf der anderen Seite. Connor hatte Schwierigkeiten, die Bewegungen am Ganghebel zu koordinieren, doch schließlich gelang es ihm, den ersten Gang einzulegen. Es knackte laut. Er trat auf das Gaspedal. Die Räder wirbelten Dreck auf, griffen aber dann doch und der Wagen schoss vorwärts. Der Wagen von Laurent und Cerise raste an ihm vorbei, dessen Fahrer, tief über das Lenkrad gebeugt, versuchte, dem tödlichen Überfall zu entkommen.

Connor fuhr hinter ihm her, würgte den zweiten Gang hinein und gewann rasch an Fahrt. Er versuchte, so gut wie möglich in den Spuren des anderen Fahrzeugs zu bleiben. Mit den steilen Böschungen auf beiden Seiten blieb ihnen nichts anderes übrig, als im Flussbett zu bleiben. Das Feuer der Angreifer war immer noch hauptsächlich auf die Fahrzeuge des Präsidenten und seiner Leibwache konzentriert. Doch gerade, als Connor zu hoffen wagte, dass ihm und den Barbiers die Flucht gelingen könnte, traf eine Kugel einen Vorderreifen des vorausfahrenden Autos. Der Fahrer verlor die Kontrolle, das Fahrzeug geriet mit zwei Rädern auf den steilen Böschungshang und kippte um. Es fiel genau in Connors Weg. Connor riss das Steuer herum und wich hart nach links aus. Der Wagen stieg auf zwei Räder, verpasste äußerst knapp den umgestürzten Landrover und kippte fast selbst um. Henri, der immer noch im Fußraum vor dem Rücksitz lag, wurde von einer Seite auf die andere geschleudert und schrie auf.

»Kannst du denn *überhaupt* Auto fahren?«, schrie Amber, die sich verzweifelt unter dem Armaturenbrett festklammerte, aber nichts sehen konnte.

Connor nickte. »Aber sicher doch – hab's letzte Woche gelernt.«

Das schien Amber nicht sonderlich zu beruhigen. Er wollte gerade auf die Bremse treten, um zu wenden und ihre Eltern herauszuholen, als ein Mann hinter einem Baum zum Vorschein kam und die Böschung hinuntersprang, die AK-47 direkt auf Connor gerichtet.

Connor sah sofort, dass Anhalten Selbstmord wäre. Er duckte sich so tief wie möglich und trat das Gaspedal bis zum Anschlag durch. Der starke Motor beschleunigte den Wagen in Sekunden. Der Mann schien voll auf die Durchschlagkraft seiner Kugeln zu vertrauen, denn er wich nicht aus, sondern feuerte ein halbes Magazin in den heranrasenden Landrover. Selbst über dem Röhren des Motors hörte Connor, wie die Kugeln mit schrillem *PING!* von der stählernen Stoßstange abprallten. Der Geländewagen nahm immer mehr Tempo auf, der Abstand zu dem Mann verkleinerte sich rasend schnell. Schon glaubte Connor, dass sich der Mann überhaupt nicht mehr in Sicherheit bringen wollte. Ein Zusammenprall würde unweigerlich seinen Tod bedeuten. Erst in letzter Sekunde warf sich der Mann zur Seite. Aber es war schon zu spät. Connor hörte einen schweren, dumpfen Laut, als der mächtige Frontschutzbügel des Landrovers noch ein Bein des Mannes erwischte. Im Seitenspiegel sah er, wie der Mann weggeschleudert wurde und sich vor Schmerzen zusammenkrümmte. Weiter hinten sah er den Wagen der Barbiers, aus dessen Motorhaube Rauch aufstieg. Von den Insassen war kein Lebenszeichen zu sehen.

Connor hielt das Gaspedal voll durchgedrückt. Seine Hauptsorge waren Henri und Amber und nicht ihre Eltern. Er hasste es, eine derart unbarmherzige Entscheidung treffen zu müssen, aber er wusste, wenn er jetzt umdrehte, würden sie alle ums Leben kommen.

Er raste durch die nächste Biegung des Trockentals und ließ das Schlachtfeld hinter sich zurück. So sehr konzentrierte er sich auf das Fahren, dass er den tiefen Graben erst in letzter Sekunde bemerkte, der sich von einem Ufer zum anderen erstreckte. Gerade noch rechtzeitig stieg er auf die Bremse. Schleudernd und Sand und Steine sprühend kam der Landrover direkt vor dem Graben zum Stillstand.

Connors Puls raste. Eine Falle! Verzweifelt blickte er sich um. Aber die Böschungen waren auch hier zu steil und außerdem mit Bäumen bewachsen. Das Trockental war wie geschaffen für einen Überfall aus dem Hinterhalt. War das Opfer erst einmal in der Falle, gab es kein Entrinnen mehr.

KAPITEL 31

Bewaffnete stürmten heran und umzingelten den Landrover. Aber Connor weigerte sich, kampflos aufzugeben. Wieder trat er das Gaspedal voll durch. Der Motor heulte auf. Connor rammte den Rückwärtsgang ein – beinahe hätte er versehentlich in den fünften Gang geschaltet – und der Wagen schoss rückwärts. Es war ein Akt der Verzweiflung, wieder in die ursprüngliche Gefahrenzone zurückzurasen, aber im Moment seine einzige Option.

Die Männer feuerten sofort. Kugeln schlugen in die Karosserie ein.

»Falsche Richtung!«, schrie Amber. Sie war weiß wie Kreide. Blut rann aus einer Schnittwunde auf der Wange.

»Nur ein kleiner Umweg!«, schrie er zurück. »Haltet euch fest!«

Er nahm den Fuß vom Gas, riss das Lenkrad hart nach rechts herum und zog die Handbremse. Der Landrover geriet ins Schleudern und drehte sich. Aber die geplante Rockford-Wende geriet zur Katastrophe. Hier, auf dem ausgetrockneten Boden des Flussbetts, rutschten die Reifen des Allradwagens nicht so gut wie auf Asphalt. Der Wagen drehte sich nur ungefähr halb und kam abrupt zum Stillstand, wobei aber der Schwung so groß war, dass er zur Seite kippte wie ein Schiff im Sturm. Connor und seine beiden Schützlinge mussten sich an allem festklammern, was sie finden konnten. Einen entsetzlichen Augenblick lang drohte das Fahrzeug vollends umzukippen, aber dazu reichte der Schwung doch nicht aus. Stattdessen krachte es mit solcher Wucht wieder auf alle vier Räder zurück, dass sie glaubten, die eigenen Knochen klappern zu hören.

Bis ins Mark erschüttert, aber unverletzt, löste Connor die Handbremse und kurbelte das Lenkrad wie wild in die entgegengesetzte Richtung. Noch während er versuchte, die Wende auf dem unnachgiebigen Lehmboden voll auszuführen, stürmten die Angreifer heran und durchlöcherten die Karosserie. Eine der Kopfstützen wurde völlig zerfetzt. Als sie näher kamen, sah Connor sie zum ersten Mal aus der Nähe. Geschockt stellte er fest, dass sie noch sehr jung waren, manche nur in seinem Alter. Einer der Burschen mit einem schwarzen Bandana schwang ein überdimensionales Sturmgewehr und feuerte mit so wilder Lust auf den Landrover, als spielte er ein Videospiel.

Doch der Blick des Jungen war völlig ausdruckslos, wie tot. Er verstörte Connor mehr als alles andere und trieb ihn zu äußerster Anstrengung, um sich und seine Schützlinge zu retten. Die Gänge krachten, als er Gas gab und durch das trockene Flussbett zurückraste. Hinter der Biegung kamen sie am umgekippten Landrover der Barbiers vorbei. Amber reckte den Kopf hoch und hielt verzweifelt nach ihren Eltern Ausschau. Das Fahrzeug hatte Feuer gefangen, erste Flammen züngelten am Unterboden entlang und Rauch drang unter dem Motorraum hervor. Das Dach war halb eingedrückt, sodass sie nicht ausmachten konnten, wer sich noch im hinteren Teil des Autos befand. Aber als Connor flüchtig einen blutverschmierten, leblosen Arm aus einem zersplitterten Fenster hängen sah, hatte er nur noch wenig Hoffnung, dass Laurent und Cerise den Überfall überlebt hatten. Ihr Ranger lag ein paar Meter von dem Wrack entfernt. Er mochte den Unfall überlebt haben; die Kugeln in Brust und Kopf hatte er nicht überlebt.

Connor wagte nicht anzuhalten. Amber ließ sich schluchzend in den Fußraum zurückfallen. Er kurvte um das lodernde Wrack von Minister Mossis Landrover herum und vermied es, mehr als nur einen flüchtigen Blick auf die brennenden Leichen des Fahrers und des Bodyguards auf den Vordersitzen zu werfen. Den Minister selbst sah er nicht – und auch keine Spur von den Fahrzeugen der beiden anderen burundischen Minister, die weiter hinten im Konvoi gefahren waren; Connor konnte nur hoffen, dass sie dem Blutbad irgendwie entkommen waren.

Connors Ziel war der Feldweg, auf dem der Konvoi unterwegs gewesen war. Weiter vorn sah er, dass Präsident Bagaza inzwischen in das letzte Fahrzeug der Kolonne evakuiert worden war, das einzige außer Connors, das noch fahrtüchtig war. Aber es stand immer noch auf der Böschung und der Präsident und seine Leibwache standen unter schwerem Feuer. Ohne Rückzugsmöglichkeit und ohne Deckung konnte es nicht mehr lange dauern, bis sie niedergemäht würden. Leichen lagen überall herum; Blutlachen hatten sich auf dem Flussbett gebildet, als wollte der Strom wieder zu fließen anfangen, doch nicht mit Wasser.

Plötzlich heulte eine Granate über Connors Landrover hinweg und explodierte ein paar Meter vor ihnen. Steine, Erdbrocken, Sand wurden wie eine Fontäne in die Luft geschleudert und prasselten so dicht auf das Auto herab, dass Connor fast völlig blind fahren musste. Instinktiv riss er das Lenkrad herum und kurvte um Haaresbreite an dem rauchenden Krater vorbei, den die Granate in das Flussbett gerissen hatte. Dahinter wurde die Luft wieder klar. Connor sah den Abhang, der vom Feldweg in das Flussbett führte. Schleudernd und mit teilweise durchdrehenden Rädern jagte er den Wagen zum Feldweg hinauf. Der Lärm der Schießerei wurde schwächer.

Doch gerade als er dachte, es geschafft zu haben, tauchten von oben zwei Jeeps mit offenen Pritschen auf. Sie schwangen herum und stellten sich Motorhaube an Motorhaube. Connors Fluchtweg war blockiert.

»Gut festhalten!«, brüllte Connor den Geschwistern zu, die vor Entsetzen und Angst stumm waren.

Connor zwängte den zweiten Gang hinein und gab noch mehr Gas. Der Wagen schoss den Abhang hinauf. Die Männer auf den Pritschen der Jeeps eröffneten das Feuer, aber Connor fuhr weiter. Der Landrover krachte in die Blockade und zerschmetterte die vorderen Kotflügel beider Fahrzeuge. Die Männer wurden von den Pritschen herabgeschleudert. Der Frontschutzbügel des Rovers wurde stark eingedrückt, erfüllte aber seinen Zweck und schützte den Motor. Metall scheuerte kreischend aneinander, als Connor die Jeeps so rammte, dass der Landrover sich zwischen ihnen hindurchzwängen konnte. Dann, mit einem letzten, fast triumphierenden Aufheulen des Motors, kam der Landrover frei und raste auf dem Feldweg davon.

KAPITEL 32

»Was ist passiert? Wer hat auf uns geschossen? Und warum?«, sprudelte es aus Amber hervor. Sie hatte sich gerade wieder auf den Beifahrersitz geschoben. Der Wind pfiff durch die geborstene Windschutzscheibe und zerrte an ihrem roten Haar.

»Weiß ich nicht«, gab Connor knapp zurück. Der Weg war von Schlaglöchern übersät und er musste sich voll konzentrieren. »Ich weiß nur, dass wir so weit wie möglich von ihnen wegkommen müssen. Bist du verletzt?«

Amber tastete die Wunde auf ihrer Wange ab. »Ich glaub nicht... ist nur ein Kratzer.«

»Gut. Henri, wie steht's bei dir?«

Henri gab keine Antwort.

»Henri?«, rief Connor lauter. »Rede mit uns!« Er warf einen Blick in den Innenrückspiegel, aber Henri war nicht zu sehen. Connor erschrak – er hoffte, dass der Junge nicht von einer Kugel erwischt worden war.

Amber drehte sich um und schaute in den Fußraum. »Henri – was ist mit dir?«

Keine Antwort.

»Er reagiert nicht!«, rief sie Connor entsetzt zu.

»Blutet er?«

»Ich glaube nicht. Er scheint unverletzt zu sein.«
»Wahrscheinlich ist er im Schock«, erklärte Connor. »Ist auch kein Wunder.«
Amber schüttelte Henri sanft an der Schulter. »Henri – bist du okay?« Sie rüttelte ihn noch einmal. »Er nickt.«
Connor seufzte erleichtert auf. Es grenzte an ein Wunder, dass sie alle drei den Angriff unverletzt überstanden hatten. Doch dann bemerkte er einen Blutfleck auf der linken Seite seines T-Shirts. Er verspürte keine Schmerzen, aber wahrscheinlich wurde der Schmerz im Moment noch durch das Adrenalin verdrängt.
Er beschloss, die Wunde vorerst nicht zu untersuchen. Ob sie nun ernst war oder nicht, solange sie noch in der Nähe des Hinterhalts waren, wäre es zu riskant, auch nur eine Minute lang anzuhalten.
»Wir müssen unbedingt zur Lodge zurück«, verkündete er. »Das ist unser sicherster Rückzugsort. Jedenfalls so lange, bis Buddyguard einen Hubschrauber schicken kann, der uns ausfliegt.«
»Aber wir können doch nicht einfach... verschwinden«, stotterte Amber. »M... meine Eltern...«
Connor hätte ihren flehenden Blick nicht aushalten können; er konzentrierte sich deshalb auf den Feldweg. »Wenn sie entkommen konnten, werden sie ebenfalls zur Lodge zurückkehren.«
»*Wenn?*«
»Gib mir mal mein Handy«, sagte er, um dem Thema auszuweichen, jedenfalls so lange, bis sie aus der unmittelbaren Gefahrenzone heraus waren. Er deutete auf den Rücksitz, wo er es hatte fallen lassen, als er sich über Amber geworfen hatte. Benommen befolgte Amber die Anweisung, und das rettete ihr das Leben. Eine Kugel schlug durch ihre Kopfstütze

und verfehlte ihren Hals um Haaresbreite. Weitere Kugeln schlugen in den Wagen ein.

»Sie verfolgen uns!«, schrie Amber und krümmte sich auf ihrem Sitz so tief wie möglich zusammen.

Im Rückspiegel sah Connor einen der Jeeps mit hoher Geschwindigkeit heranrasen. Dahinter stieg eine große Staubwolke in die Luft. Connor fuhr schneller. Der gesamte Aufbau des Landrovers wurde bis in die letzte Niete erschüttert, als der Wagen in ein Schlagloch nach dem anderen krachte. Die Federung quietschte entsetzlich. Connor kämpfte sich am Steuer ab, das ihm bei jedem Schlagloch fast aus den Händen gerissen wurde.

Eine Kugel prallte vom Armaturenbrett ab. Ein zweiter kurzer Blick in den Rückspiegel bestätigte ihm, wovor er sich am meisten fürchtete: Die Angreifer holen unerbittlich auf. Und Connor und seine Schützlinge waren noch meilenweit von der Lodge entfernt. Ihm wurde klar, dass seine Chancen, den Verfolgern zu entkommen, nahe null waren. Er traf eine verzweifelte Entscheidung und riss das Steuer herum.

»Wohin fährst du denn, um Gottes willen!«, schrie Amber.

»Dschungel«, antwortete er knapp. »Sie sind schneller und holen uns ein. Vielleicht können wir sie dort abschütteln.«

So schnell es das Terrain zuließ, raste er zwischen Büschen und Bäumen hindurch und nutzte sie zugleich als Deckung. Aber die Savanne war ein unregelmäßiges, zerklüftetes Terrain. Die Federung und der Aufbau des Landrovers wurden hier noch härter getestet als auf dem Feldweg. Einmal kollidierte Connor beinahe frontal mit einem großen Felsbrocken, ein anderes Mal fast mit einem von Grasbüscheln getarnten Baumstumpf. Über kleinere Büsche fuhr er einfach hinweg, wobei deren Äste mit kreischendem Geräusch am Unterboden entlangkratzten.

»Pass auf!«, schrie Amber.

Eine Antilopenherde raste in Panik mit riesigen Sprüngen vor ihnen vorüber und Connor riss das Steuer herum, um ihnen auszuweichen. Er schaffte es nur knapp. Hinter ihnen waren wieder Schüsse zu hören, aber er wagte nicht, sich umzusehen. Sie schnellten über eine Bodenwelle; der Landrover hob mit allen vier Rädern ab und krachte mit einem mächtigen Schlag wieder auf den Boden. Sie verloren einen Teil des Auspuffs, sodass der Motor nun röhrte wie ein äußerst gereizter Löwe. Connor spielte ein tödliches Versteckspiel mit den Verfolgern, das ihm alles abverlangte, um den Schutz des Dschungels zu erreichen. Ringsum wurde das Unterholz dichter. Einen Augenblick lang glaubte er tatsächlich, die Verfolger abgeschüttelt zu haben. Aber dann pulverisierte ein neuer Kugelhagel einen Baumstamm direkt links vor ihnen. Rindenstücke, Blätter und Holzsplitter prasselten auf den Rover nieder.

Connor riss den Wagen rabiat nach rechts und folgte schmalen Spuren, die tiefer in den Dschungel führten, vielleicht nichts weiter als ein Wildwechsel. Die Sonne flimmerte durch das dichter werdende Blätterdach; das Scheuern und Schaben am Unterboden wurde lauter. Sie verloren die Verfolger aus den Augen. Doch dann, ohne jede Warnung, fiel der Boden steil ab. Der Rover kippte nach vorn. Der Abhang war zu steil, Connor verlor die Kontrolle über das Fahrzeug, das nun auf seiner wilden Abwärtsfahrt durch Büsche pflügte und gegen Felsbrocken und Bäume prallte. Die drei Insassen wurden in der Kabine hin und her geschleudert, Connor war absolut machtlos, den halsbrecherischen Abwärtsschwung zu stoppen. Ein riesiger Baum ragte vor ihnen empor; der Landrover krachte gegen den mächtigen Stamm. Bei dem frontalen Crash wurde der Motorraum eingedrückt wie eine Ziehharmonika.

Connor stöhnte vor Schmerzen. Benommen tastete er die Stirn ab, die auf das Lenkrad geprallt war: ein tiefer Schnitt über der linken Augenbraue; Blut quoll zwischen seinen Fingern hervor. Aber er lebte. Allmählich lichtete sich die Benommenheit und er schaute sich nach seinen beiden Schützlingen um. Amber lag verkrümmt und still auf dem Beifahrersitz; ihr Kopf hing leblos aus der Tür.

Er schüttelte sanft ihre Schulter. »Amber! Alles okay?«, fragte er.

Sie stöhnte leise. »Glaub schon«, brachte sie mühsam hervor. Außer dem tiefen Kratzer an der Wange hatte sie nun auch zahlreiche weitere Wunden im Gesicht, eine Lippe war aufgeplatzt und oberhalb des Knies war eine Prellung zu sehen.

»Irgendetwas gebrochen?«

»Ja... meine Kamera.« Sie zeigte ihm die zerschmetterte Kamera. »Aber das werde ich überleben.«

Connor stieg mühsam aus dem Fahrzeug. Seine Beine gaben fast nach und er musste sich an der Fahrertür festhalten und wieder hochziehen. Von außen spähte er auf den Rücksitz. Henri lag zusammengekrümmt im Fußraum vor dem Sitz.

»Wie ist es bei dir, Henri?«, fragte Connor. Langsam fühlte er sich wieder ein wenig stärker. Sein Verstand setzte wieder ein.

Henri zeigte ihm den erhobenen Daumen. Connor musste unwillkürlich grinsen. Soweit er sehen konnte, war Henri durch seine Lage im Fußraum vor dem Schlimmsten bewahrt worden, würde aber wohl ein paar schwere Blutergüsse davontragen. Connor zog die Hintertür auf, die sich nur schwer öffnen ließ, hielt Henri die Hand hin und zog ihn aus dem Wrack. Die Beifahrertür ließ sich nicht mehr öffnen, so dass er Amber helfen musste, durch das geborstene Beifahrerfenster zu klettern.

Connor blickte sich hastig um. Der Wagen war in eine versteckte Schlucht gestürzt. Mit ihm brauchte er nicht mehr zu rechnen: Ein Rad fehlte, wahrscheinlich war die Vorderachse gebrochen und vermutlich würde auch der Motor nicht mehr anspringen. Jetzt mussten sie sich zu Fuß zur Lodge durchschlagen.

Connor holte seinen Rucksack aus dem Wagen. Er fand auch sein Fernglas, das neben dem Sitz steckte. Zu seinem Entsetzen konnte er aber das Smartphone nirgends entdecken. Er lehnte sich weiter durch das Fenster, um unter den Sitzen nachzuschauen, als plötzlich der Dschungel in einem Kugelhagel förmlich zu explodieren schien. Connor packte Amber und Henri und zerrte sie mit sich hinter den nächsten Baum. Die Verfolger standen oben an der Felskante und feuerten blind in das Dickicht hinab. Jetzt ging es ums nackte Überleben. Connor stieß die Geschwister vor sich her den steilen Abhang hinunter. Die drei rannten um ihr Leben.

KAPITEL 33

»Man kann einem Speer nicht ausweichen, der von hinten kommt!«, knurrte Präsident Bagaza wütend.

Er kniete im blutbespritzten Sand. Die Hände waren gefesselt, aber er hielt den Kopf stolz aufrecht. Doch er stand unter Schock, wie auch die wenigen Überlebenden seiner Garde: Völlig unerwartet war die Schwarze Mamba wieder erschienen. Der Präsident war entschlossen, dem Feind keine Schwäche zu zeigen.

General Pascal schnaubte verächtlich und rammte die Stiefelspitze in den Bauch des Präsidenten. »Dein Amt hat dich ganz schön feist gemacht, Bagaza.«

»Und du bist immer noch der Feigling, der du immer warst, Pascal. Unschuldige Frauen und Kinder töten, das kannst du. Und Kinder, die du nicht tötest, machst du zu hirnlosen Schlächtern, damit sie für dich kämpfen.« Der Präsident warf bei diesen Worten einen Blick auf NoMercy, der in der Nähe stand.

General Pascal lachte. »Ach, Bagaza! Als hättest nicht auch du genug verbrochen! An deinen Händen klebt genauso viel Blut und Schmutz wie an meinen!«

»Aber wenigstens habe ich versucht, mir meine Sünden von den Händen zu waschen. Ich habe das Land vom Abgrund zurückgeholt«, erwiderte der Präsident heftig. »Während du uns wieder in einen Bürgerkrieg stürzen willst, nur um dir die Taschen mit Diamanten vollzustopfen!«

»Warum denn nicht? Der Bürgerkrieg hat doch auch dich ziemlich reich gemacht, oder nicht? Und jetzt bin ich eben dran. Ich habe mich entschlossen, für die Präsidentschaft zu kandidieren.«

Präsident Bagaza konnte seine Verblüffung nicht verbergen. »Aber ... wer würde dich schon wählen? Dich, die Schwarze Mamba? Niemand!«

»Bist du dir da so sicher?« Der General wandte sich an seine Rebellen. »Wer von euch denkt, dass ich der nächste Präsident sein sollte?«

Jeder Einzelne, ob Mann oder Junge, hob die Hand.

»Und wer würde für unseren lieben Freund hier stimmen?«, fragte Pascal und klopfte dem Präsidenten mit herablassender Kumpelhaftigkeit auf die Schulter.

Alle ließen die Hände sinken.

General Pascal lächelte seinen Gegner an. »Die Wahl ist vorbei. Du hast leider verloren.« Damit zog er die Glock 17 und schoss Präsident Bagaza direkt in ein Auge. Der Präsident fiel rückwärts in den Sand. General Pascal stieg über den leblosen Körper seines Erzfeindes hinweg und ging die Böschung hinauf.

»Was ist mit den Gefangenen?«, fragte Blaze und wies mit der Mündung seiner AK-47 auf die vor Todesangst zitternden Soldaten.

General Pascal dachte kurz nach, dann sagte er lässig: »Sie dürfen wählen – langer oder kurzer Ärmel.«

Die Wärter schauten sich voller Entsetzen an, als Blaze seine Machete zückte. Zwei der Rebellen packten den ersten Gardisten in der Reihe; Blaze tippte mit der Machete auf dessen Ellbogen und Handgelenk und schaute den Mann fragend an. Der Soldat flehte um Gnade. In diesem Moment ertönte Motorenlärm und ein Jeep kam oben auf der Böschung schleudernd zum Stillstand. Ein Rebell sprang heraus und salutierte vor dem General.

»Wir haben das erste Fahrzeug gestellt, aber das mit den Kindern ist entkommen.«

»Ihr habt drei *Kinder* in einem Landrover entkommen lassen?«, fragte der General fassungslos. »*Kinder?*«

»Sie sind in eine Schlucht gefahren«, erklärte der Rebell.

General Pascal schnaubte belustigt. »Und – sind sie tot?«

Der Rebell schüttelte den Kopf. »Sie sind in den Dschungel geflohen.«

Das Grinsen verschwand aus dem Gesicht des Generals. »Mein Befehl war doch deutlich genug, oder?«, bellte er wütend. »*Niemand* darf entkommen! Niemand, der einen Alarm auslösen könnte!«

Er wandte sich an Blaze.

»*Jagt sie!* Ich will sie haben, tot oder lebendig!«

KAPITEL 34

»Ich glaube, wir haben sie abgehängt«, sagte Connor und lief langsamer.

»Und *ich* glaube, wir haben uns verirrt«, gab Amber mit einem Blick auf den Dschungel zurück.

Dagegen wusste Connor nichts zu sagen. Die Vegetation war immer dichter geworden, eine Orientierung war so gut wie unmöglich. Bisher hatte er sich voll darauf konzentriert, den Verfolgern zu entkommen, und deshalb kaum darauf geachtet, in welche Richtung sie liefen. Ein fataler Fehler, wie er jetzt einsehen musste. Er hätte wie ein Bodyguard denken sollen, hätte die Situation ständig neu analysieren und sich die Fluchtroute einprägen sollen. Jetzt waren sie orientierungslos in einem Territorium, das ihm völlig unbekannt war. Und noch schlimmer: Es war lebensgefährlich, hier ohne Hilfe, ohne Waffen und ohne Orientierung unterwegs zu sein.

Henri stolperte über einen Ast; Connor zog ihn hoch und stützte ihn. Der Atem des Jungen ging pfeifend, die wilde Flucht durch das Dickicht hatte ihm das Letzte abverlangt. Er war blass, schwitzte heftig und seine Lippen waren blau angelaufen, was Connor für ein sehr schlechtes Zeichen hielt.

»Wo ist dein Inhalator?«, fragte Amber, während Connor

Henri zu einem umgestürzten Baumstamm führte, auf den er sich setzen konnte.

»Ta…sche«, keuchte Henri.

Amber holte den Inhalator heraus. Henri griff danach, als sei es der letzte Strohhalm, der ihn vor dem Ertrinken bewahren konnte. Er atmete zweimal durch das Gerät. Eine Minute verging und Henri rang immer noch um Atem. Blanke Panik lag in seinem Blick. Noch einmal atmete er zwei Dosen ein.

»Beruhige dich, Henri. Langsam atmen«, sagte Amber beschwichtigend und streichelte seinen Arm. »Wir sind in Sicherheit. Sei ganz ruhig.«

Tatsächlich flaute Henris Keuchen allmählich ab und seine Lippen nahmen wieder ihre normale Farbe an. Er schloss die Augen, beugte sich vor und legte den Kopf in die Arme.

»Geht es ihm wieder besser?«, fragte Connor besorgt. Ein schwerer Asthmaanfall hier, mitten im Dschungel, könnte schlimme Folgen haben.

Amber nickte. »Er muss sich nur erholen. Das dauert eine Weile.« Ihr Blick fiel auf Connors Brust. Entsetzt riss sie die Augen auf. »Du blutest!«

Connor blickte an sich hinunter. Der Blutfleck auf dem T-Shirt hatte sich weiter ausgebreitet. Er hob das Hemd an und zog vorsichtig den blutgetränkten Stoff von der Wunde. Eine Kugel hatte seinen Brustkorb gestreift und eine lange blutige Furche hinterlassen. Sein T-Shirt war zwar stichsicher, bot aber keinen Schutz gegen ein 30-Zoll-Hochgeschwindigkeitsgeschoss. Immer noch sickerte Blut aus der Wunde. Erst jetzt, da er die Wunde untersuchte, registrierte sein Gehirn die Verletzung und der Schmerz setzte ein.

Connor verzog das Gesicht, stellte den Rucksack ab und holte das Erste-Hilfe-Set heraus.

»Lass mich das machen«, sagte Amber, nahm ihm das Päckchen ab und befahl ihm, sich zu setzen.

Erschöpft ließ sich Connor auf den Baumstamm sinken. Amber nahm ein Desinfektionstuch heraus und reinigte die Wunde.

»Aua! Das brennt!«, stöhnte er.

»Du Weichei.« Sie inspizierte die Wunde. »Sieht schlimmer aus, als sie ist. Das war wirklich nur ein Streifschuss.«

Sie nahm eine Wundkompresse heraus und drückte sie sanft auf die Wunde. »Halt das mal fest.«

Während sie gekonnt die Wunde versorgte, fragte er: »Wieso kannst du das so gut?«

»Ich trainiere Kinder im Bergsteigen. Hab mich dafür ausbilden lassen. Erste Hilfe gehört natürlich dazu.« Sie wickelte eine Mullbinde mehrmals um seinen ganzen Oberkörper und fixierte sie. »So, das sollte reichen.«

Connor nahm sein zweites T-Shirt aus dem Rucksack und zog es an. Amber versorgte die Wunde über seiner Augenbraue.

»Was glaubst du, was ist da passiert?«, fragte sie. »Warum wollten sie uns umbringen?«

»Sie wollten Präsident Bagaza umbringen, nicht uns. Wir waren nur zufällig im Weg.«

»Aber wer macht so etwas? Er kam mir sehr sympathisch vor.«

Connor zuckte die Schultern. »Es gibt hier mehrere Rebellengruppen. In meiner Einsatzinfo werden mindestens vier aktive Milizen erwähnt, die gegen ihn sind. Aber ich vermute, dass es sich hier um die ANL handelt. Sie wird von einem Mann angeführt, der Schwarze Mamba genannt wird.«

»Wer ist er?«, fragte Amber, warf das blutgetränkte Desinfektionstuch weg und klebte ein Pflaster über die Wunde.

»Frag lieber nicht. Aber er ist berüchtigt dafür, dass er vor allem Kindersoldaten rekrutiert. Und ein paar von den Angreifern heute waren Jugendliche in unserem Alter.«

Amber schaute ihn entsetzt an. »Kids?«

Connor nickte grimmig. »Jetzt bist du dran«, sagte er und nahm ein frisches Desinfektionstuch aus der Packung.

»Ich kann's nicht glauben, dass ... Kinder mit Maschinengewehren auf uns schießen! Glaubst du ...« Ihre Lippen begannen zu beben, aber nachdem sie einen Seitenblick auf Henri geworfen hatte, brachte sie sich wieder unter Kontrolle. Leise flüsterte sie: »Glaubst du, sie haben unsere Eltern ... umgebracht?«

»Halt mal still«, befahl Connor und tupfte ihr sanft die aufgeplatzte Lippe ab.

Amber schaute ihn ernst an, aber er wich ihrem Blick aus. Tränen stiegen ihr in die Augen, rannten über die Wangen und zogen dünne Linien durch Blut und Schmutz. Connor wischte sie weg. Ihm war bewusst, wie unwahrscheinlich es war, dass Laurent und Cerise den Überfall überlebt hatten. Ihr Landrover war ein völliges Wrack gewesen, und selbst wenn sie wie durch ein Wunder den Crash überlebt hatten, waren sie mit Sicherheit von den Angreifern erschossen worden, genauso kaltblütig, wie ihr Ranger erschossen worden war. Aber Connor wusste auch, dass er die Hoffnung seiner beiden Schützlinge nicht zerstören durfte, wenn sie diese entsetzliche Situation überleben wollten. Die Hoffnung, dass ihre Eltern noch am Leben waren.

»Ich habe keine Leichen gesehen. Die Chancen stehen gut, dass sie entkommen konnten, genau wie wir.«

»Wirklich?« Amber schaute ihn hoffnungsvoll an. Es war klar, dass sie ihm unbedingt glauben wollte.

»Für uns ist es jetzt am wichtigsten, zur Lodge zu gelangen und Buddyguard zu informieren.«

»Aber bestimmt wird doch dieser... diese Black Mamba genau dort nach uns suchen«, sagte Henri, der die ganze Zeit schweigend zugehört hatte, während sich sein Atem wieder normalisierte.

»Das Risiko müssen wir wohl eingehen. Die Lodge ist das einzige Haus im Umkreis von hundert Kilometern und der einzige Ort, wo wir irgendwelche Kommunikationsmittel finden können. Oder hat einer von euch zufällig ein Handy dabei?«

Henri schüttelte den Kopf. »Nicht erlaubt.«

»Sorry.« Amber schüttelte den Kopf und lächelte entschuldigend. »Hab meins im Zimmer liegen gelassen.«

»Dann bleibt uns nichts anderes übrig.«

Connor packte das Erste-Hilfe-Set wieder ein und warf sich den Rucksack über die Schulter.

»Aber woher wissen wir, in welche Richtung wir gehen müssen?«, fragte Amber mit einer ratlosen Handbewegung, die den ganzen Dschungel einschloss.

Connor drehte sich um sich selbst und versuchte, eine ungefähre Vorstellung von den Himmelsrichtungen zu bekommen. Es gab keine Pfade, keine sichtbaren Markierungspunkte, und durch das dichte Blätterdach war nicht einmal die Sonne zu sehen. Auf keinen Fall durften sie auf dem Weg zurückgehen, auf dem sie gekommen waren, wenn sie nicht den Verfolgern in die Arme laufen wollten. Er blickte auf die Uhr. Weniger als eine Stunde bis zum Sonnenuntergang. Bald würde es dunkel werden, und dann hätten sie überhaupt keine Chance mehr, den Weg zu finden.

Er wusste, dass Amber und Henri auf seine Entscheidung warteten. Sie verließen sich darauf, dass er die Führung übernahm. Gerade wollte er willkürlich irgendeine Richtung bestimmen, als er noch einmal auf seine Uhr blickte: die

G-Shock Rangeman, die ihm Amir und Charley zu seinem Geburtstag geschenkt hatten. Sie war völlig intakt, hatte kaum einen Kratzer abbekommen. Amir hatte recht behalten: Sie war buchstäblich unzerstörbar. Und sie hatte eine Kompassfunktion! Als ob seine Freunde geahnt hätten, dass er eines Tages auf die Uhr angewiesen sein würde! Er schickte einen stillen Dank an die beiden und drehte die Skalenumrandung auf den Kompassmodus.

»Soweit ich mich erinnere, lag der Aussichtspunkt ungefähr nordöstlich von der Lodge. Von dort sind wir mehr oder weniger in eine westliche Richtung gefahren«, erklärte er. »Und wenn das stimmt, müssen wir jetzt nur nach Süden marschieren und werden dann irgendwann zur Lodge kommen.«

KAPITEL 35

»Bist du sicher, dass die Richtung immer noch stimmt?«, keuchte Amber.

Der Marsch war sehr anstrengend. Der Dschungel war immer dichter geworden, je weiter sie in ihn eindrangen. Jetzt mussten sie sich ihren Weg mühsam durch das dichte Unterholz bahnen, über Felsbrocken und halb verrottete Baumstämme klettern. Moskitos schwirrten um jede ungeschützte Stelle der Haut, was äußerst lästig und ärgerlich war, obwohl sie sich reichlich mit Insektenschutzmittel eingerieben hatten. In den Baumwipfeln schnatterten Affen, die meistens unsichtbar blieben, manchmal jedoch so wild hintereinander her durch das Astwerk jagten, dass ein Blätterschauer auf die drei Flüchtlinge niederging.

Connor wischte sich den Schweiß von der Stirn und aus den Augen und checkte erneut den Kompass. Es war praktisch unmöglich, einen geraden Weg durch den Dschungel zu suchen. Der Boden war fast völlig von Lianen, Moosgeflechten und Farnen überwuchert. Ständig mussten sie den Kurs ändern und Dickichten, Farngruppen oder zu dicht stehenden Bäumen ausweichen.

»Wir müssen irgendwo höher hinauf«, sagte er. »Vielleicht können wir dann sehen, wo wir uns befinden.«

Kurz darauf stießen sie auf einen Wildwechselpfad. Im Halbdunkel konnte Connor ausmachen, dass der Pfad langsam anstieg; er entschied sich, ihm zu folgen. Es wurde rasch dunkler; der Dschungel wurde förmlich von der anbrechenden Nacht verschluckt. Bald würden sie einander nicht mehr sehen können, von den Verfolgern ganz zu schweigen. Henris Augen zuckten ständig hin und her, bei jedem fremden Geräusch, bei jeder Bewegung zuckte er ängstlich zusammen und wehrte sich nicht einmal, als ihn Amber an die Hand nahm. Je weiter sie den kleinen Hügel hinaufstiegen, desto steiniger wurde der Boden. Sogar der Wald dünnte ein wenig aus, und plötzlich, als tauchten sie aus den Tiefen des Meeres auf, öffnete sich das Blätterdach und enthüllte einen tiefblauen Abendhimmel, an dem die ersten Sterne blinkten.

Sie standen auf einem Felsgrat, der vor ihnen steil abfiel. Von hier aus konnten sie einen Teil des Ruvubutals überblicken. Mit dem Fernglas suchte Connor nach vertrauten Orientierungspunkten, nach irgendetwas, das ihm bekannt vorkam. Die Sonne, jetzt nur noch ein feuriger orangefarbener Ball, hing tief am Horizont, also genau im Westen. Im Süden wand sich der Ruvubu gemächlich durch die Talebene. Und weiter im Osten konnte er den zackigen Felsgipfel des Dead Man's Hill ausmachen. Das ausgetrocknete Flussbett, in dem der Überfall stattgefunden hatte, lag außer Sicht hinter den Bäumen, aber Connor entdeckte eine dunkle Linie, die ungefähr von dort kam und sich über die Savanne erstreckte. Er hielt sie für den Feldweg, auf dem sie gefahren waren; wenn das stimmte, musste die Linie ungefähr in die Richtung führen, in der die Lodge lag. In einer Landschaft ohne Straßen hob sich sogar ein gewöhnlicher Feldweg wie eine Narbe von der Umgebung ab.

»Wir sind ein wenig vom Kurs abgekommen«, gab er zu

und wies auf einen Punkt in der Ferne. »Dort ungefähr muss die Lodge sein. Irgendwo hinter dem Hügelkamm.«

Amber kniff die Augen zusammen und spähte angestrengt in die halbdunkle Landschaft. »Was schätzt du, wie weit ist es noch?«

»Schwer zu sagen. Bei unserem Tempo ... mindestens ein halber Tag. Wahrscheinlich mehr.«

Amber warf einen Blick auf ihren Bruder, der durch den Anstieg wieder unter Atemnot litt. »Wir brauchen eine Pause.«

Connor schaute seine beiden Schützlinge an. Sie waren müde, genau wie er selbst, überhitzt und durstig. Seit dem Überfall funktionierten sie nur noch durch Adrenalin und Schock. Beides ließ jetzt nach, bald würden sie kollabieren. Er nickte und suchte nach einem geeigneten Ruheplatz, der nicht von Farnen oder Gräsern überwuchert war. Er nahm die Trinkflasche aus dem Rucksack, in der aber nur noch ein paar Schlucke Wasser waren. Er bot sie Amber an, die sie aber zuerst an ihren Bruder weitergab. Sie selbst trank nur einen Schluck, dann gab sie ihm die Flasche zurück.

Er winkte abwehrend. »Trink den Rest.«

»Spiel nicht den Helden«, sagte sie und drückte ihm die Flasche wieder in die Hand. »Du brauchst es genauso wie wir.«

Connor trank den letzten Rest, aber das schale, warme Wasser schaffte es kaum, seinen völlig ausgetrockneten Mund zu befeuchten. Erst jetzt wurde ihm wirklich bewusst, dass sie um ihr Überleben kämpften.

Die Flucht vor den schwer bewaffneten Angreifern war nur eines ihrer Probleme. Die größte Gefahr für ihr Leben ging von der Natur aus – in der afrikanischen Wildnis unterwegs zu sein, bei Nacht, ohne Wasser, ohne Nahrung, ohne Waffen.

Colonel Blacks weise Worte beim Abschied schossen ihm durch den Sinn: *Man sollte immer auf das Schlimmste gefasst sein. Besonders in Afrika.* Der Colonel hatte wohl noch nie ein wahreres Wort gesagt, wenn man die verzweifelte Lage betrachtete, in der sie sich befanden. Jetzt bereute er bitter, dass er das SAS-Handbuch zu den Überlebenstechniken nicht gründlicher gelesen hatte.

Doch ein eisernes Gesetz hatte er sich eingeprägt: dass die richtige Ausrüstung den Unterschied zwischen Leben und Tod ausmachen konnte. Connor breitete den Inhalt des Rucksacks auf dem Boden aus und machte eine Bestandsaufnahme. Das wichtigste Hilfsmittel, das Smartphone, hatte er irgendwo im Wrack des Landrovers verloren. Aber er hatte noch das Erste-Hilfe-Set, eine leere Wasserflasche, das Fernglas, Malariatabletten, Sonnencreme, Insektenschutzmittel, ein Maglite, einen einzigen Energieriegel, die Sonnenbrille mit der Nachtsichtfunktion und, in einer Scheide an seinem Gürtel, das Feldmesser seines Vaters.

»Und was ist das?«, fragte Henri und deutete auf eine blaue Röhre, die er zuletzt aus dem Rucksack genommen hatte.

Connor nahm die Röhre in die Hand und grinste, froh über Bugsys Voraussicht. »Ein LifeStraw«, erklärte er. »Mit diesem Ding können wir sogar abgestandenes Wasser aus einem Tümpel trinken, ohne krank zu werden.«

Damit war zumindest ein entscheidender Überlebensfaktor teilweise gelöst. »Was habt ihr in den Taschen?«, fragte Connor.

Amber legte einen Lippenbalsam mit Kirschgeschmack auf den Boden, dazu eine Packung Papiertaschentücher und einen Haargummi. Henri steuerte zwei Bonbons und seinen Inhalator zur Ausrüstung bei. Connor seufzte innerlich über die magere Ausbeute, ließ sich aber nichts anmerken. Er riss die Folie auf und teilte den Energieriegel in drei Teile. »Zeit fürs Abendessen, Leute. Nicht sehr viel, aber besser als gar nichts.«

Die kleinen Haferriegelstücke waren im Nu aufgegessen und erinnerten sie nur noch deutlicher daran, wie hungrig sie waren.

»Ist das hier essbar?«, fragte Connor scherzhaft, hob den Lippenbalsam hoch und roch daran.

»Kirschgeschmack. Macht deine Lippen ganz weich«, lächelte Amber. »Aber als Dessert? Nicht ideal.«

Henri bot ihnen die beiden Bonbons an.

»Spar sie dir auf«, sagte Connor und lächelte über seine Großzügigkeit. »Die brauchen wir als Frühstück.«

Die Dämmerung senkte sich nun rasch über die Landschaft. Selbst mit seiner Nachtsicht-Sonnenbrille und der kleinen Taschenlampe war Connor klar, dass es reiner Wahnsinn wäre, sich nachts durch den Dschungel zu schleichen.

»Wir müssen einen sicheren Lagerplatz für die Nacht suchen«, sagte er und packte alles wieder in den Rucksack.

»Gehen wir nicht zur Lodge?«, fragte Henri mit einem ängstlichen Blick zu dem düsteren Dschungel, von dem sie umgeben waren.

Connor schüttelte den Kopf. »Zu gefährlich. Am besten gehen wir hier irgendwo in Deckung und warten bis zur Morgendämm…«

Er brach ab, denn er hatte ein leises Rascheln im Dickicht gehört. Er legte den Finger auf die Lippen.

Das Rascheln kam näher. Connor glaubte, dass es mehr als nur eine Person war, vielleicht schlichen sie direkt auf den Hügelkamm zu, auf dem sie sich befanden. Dann hatten die Angreifer aber schnell aufgeholt! Aber zweifellos hatten sie einen Tracker dabei, der die Spuren genau lesen konnte.

Rasch blickte er sich nach einem Versteck um und entdeckte eine Nische in den Felsen. Er trieb Amber und Henri hinein. Sie legten sich so flach wie möglich in die Nische und warteten auf die Feinde. Connor zog geräuschlos das Messer aus der Scheide. Damit konnte er zwar gegen ein Sturmgewehr nichts ausrichten, aber den Griff in der Hand zu spüren gab ihm Kraft und Mut.

Das Geräusch kam näher. Connor hörte Amber dicht an seinem Ohr panikartig atmen und spürte Henris Zittern. Seine Hand verkrampfte sich um das Messer, als er eine leichte Erschütterung auf dem Boden verspürte. Der Busch, der vor der Felsennische stand, begann zu zittern, und plötzlich erschienen zwei große, geschwungene Hauer, ein großer, flacher Kopf und dahinter ein grauer, borstiger Körper.

Ein Warzenschwein!, dachte Connor erleichtert.

Das Tier grunzte, drehte sich um und trottete weiter an der Felskante entlang, gefolgt von mehreren Jungtieren.

Connors krampfartiger Griff um das Messer entspannte sich; langsam atmete er aus und merkte erst jetzt, dass er die ganze Zeit den Atem angehalten hatte. Aber plötzlich drehte das Warzenschwein den Kopf wieder in ihre Richtung. Es schnüffelte in der Luft, grunzte wütend, legte die Borstenmähne flach und rannte davon. Die Jungtiere quiekten entsetzt und rannten ihrer Mutter nach.

Amber lachte erleichtert. »Na, wenigstens gibt es hier Lebewesen, die vor uns mehr Angst haben als wir vor ihnen!«

Aber als sie aus ihrem Versteck krochen, entdeckten sie den *wahren* Grund, warum die Warzenschweine in panischer Angst die Flucht ergriffen hatten.

KAPITEL 36

Ein harsches Zischen klang ihnen entgegen. Connors Blut gefror förmlich in den Adern. Über die Felsen kroch eine olivbraune Schlange heran. Sie war mindestens drei Meter lang und ihr Körper war so dick wie ein muskulöser Männerarm. Eine so große Schlange hatte Connor erst einmal gesehen: im Zoo, hinter einer dicken Glasscheibe. Doch hier gab es keine Glasscheibe. Die Schlange hob den Kopf und betrachtete sie mit ihren bösartigen Schlitzaugen. Wie ein eisernes Band legte sich die Todesangst um Connors Brust und nahm ihm den Atem. Er begann zu keuchen; Schweiß brach aus allen Poren, seine Finger wurden gefühllos und er konnte kaum noch das Messer halten.

»Ich glaube, wir sind in ihrem Nest«, flüsterte Amber.

Sein Herz raste, so laut, dass er ihre Stimme wie aus einer anderen Welt hörte. Und auch ihre nächsten Worte klangen geisterhaft, fern, vage. »Wir müssen weg!«

Aber Connor starrte wie hypnotisiert den hin und her schwingenden Schlangenkopf an. Seine Glieder waren schwer wie Blei. Schiere Panik hielt ihn in eisernem Griff. So sehr er es auch wollte, er konnte sich nicht mehr von der Stelle rühren.

Amber kroch leise davon. Henri wollte es ihr nachtun,

doch schon bei seiner ersten, sachten Bewegung zischte die Schlange warnend. Ihr Kopf stieg einen vollen Meter hoch; sie öffnete die starken Kiefer und zwei scharfe Giftzähne wurden sichtbar, dahinter ein tiefschwarzer Rachen.

Henri erstarrte mitten in der Bewegung. »Eine Schwarze Mamba!«, flüsterte er.

Erst jetzt registrierte auch Connor den schwarzen Rachen und den sargförmigen Kopf. Gunner hatte sie als gefährlichste Schlange Afrikas bezeichnet. *Glaub mir: So einer Schlange möchtest du im Busch nicht begegnen.*

Jetzt, Auge in Auge mit seinem dunkelsten Albtraum, musste Connor entdecken, wie recht der Ranger gehabt hatte. Nach allem, was Gunner erzählt hatte, besaß dieses Reptil das stärkste, tödlichste Schlangengift der Welt. Die Schwarze Mamba gilt als unberechenbar und extrem aggressiv; bei einem Angriff beißt sie mehrfach zu, und bei jedem Biss injiziert sie ihrem Opfer eine weitere tödliche Dosis. Innerhalb weniger Minuten setzt die Reaktion ein: Schwindel, Schweißausbrüche, entsetzliche Kopfschmerzen, grausame Unterleibsschmerzen. Das Herz gerät aus dem Rhythmus, schlägt unregelmäßig, Krämpfe packen den Körper, schließlich folgt der Zusammenbruch. Der gesamte Körper fällt in einen Schockzustand; heftiges Erbrechen, Fieber, Lähmungen folgen. Schließlich kommt es zu Atemstillstand oder Herzversagen.

Egal wie, es würde jedenfalls ein entsetzlicher, grausamer Tod sein.

Das alles zu wissen, verstärkte Connors Schockstarre nur noch mehr.

Die Schwarze Mamba züngelte und schmeckte die Luft, ihr Zischen klang jetzt noch aggressiver. Plötzlich machte sie einen Täuschungsangriff; Henri zuckte entsetzt zurück. Die schnelle Bewegung provozierte die Schlange zu einem richtigen Angriff.

Connor nahm das alles nur noch in Zeitlupe wahr, während er mit seiner Schlangenphobie kämpfte und seine Lähmung zu überwinden versuchte, um Henri zu beschützen. Er schaffte es nicht. Hilflos musste er mitansehen, wie die Schlange vorschnellte, um ihre todbringenden Giftzähne in das Bein des Jungen zu schlagen.

Ein Stock krachte auf ihren Kopf. Die Schlange fiel bewusstlos zu Boden. Doch der Stock prügelte weiter auf sie ein, bis er zersplitterte. Der sargähnliche Kopf der Schlange war nur noch ein übler Brei aus Knochen, Haut und Blut.

Amber stand schwer atmend neben der Schlange, der sie den Kopf zerschmettert hatte. Sie zitterte am ganzen Körper, aber ihre Augen blitzten vor Wut.

»Ich weiß nicht, wie es euch geht, aber ich hab für heute genug von Überfällen.«

KAPITEL 37

Connor kniete neben dem Biwak, das sie aus Zweigen gebaut hatten. Er versuchte, mit dem Messer und einem Stein Funken für ein Feuer zu schlagen, so wie es sein Vater damals auf ihren Abenteuerausflügen gemacht hatte. Vor ihm lag ein kleiner Haufen Zunder aus zerriebenen ausgedorrten Grashalmen und winzigen Rindenstücken, den er in Brand stecken wollte. Er hatte starke Bedenken, ein Feuer anzuzünden. Das Risiko war hoch, dass die Verfolger die Flammen im Dunkeln sehen würden. Aber auf der anderen Seite war auch die Gefahr groß, dass sie ohne Feuer von wilden Tieren angegriffen würden. Außerdem brauchten sie die Wärme, denn sie hatten eine kalte Nacht vor sich.

Sie hatten den idealen Ort für ihr Nachtlager gefunden, eine flache Höhle in den Felsen. Sie lag am Fuß des Abhangs unterhalb der Felskante. Ein paar Meter entfernt floss ein Bach vorbei, der sich eine Rinne in den felsigen Boden gegraben hatte und in ein kleines Felsbecken mündete. Von dort floss er weiter in den Dschungel. Connor hatte zuerst ein paar Steine in die Höhle geworfen, um festzustellen, ob sie auch wirklich unbewohnt war. Außerdem hatte er vor dem Eingang nach Spuren von Raubtieren gesucht, dabei aber weder abgenagte Knochen noch Kot oder sonstige Spuren entdeckt. Die Höhle schien unbewohnt zu sein.

Er schlug Messer und Stein härter aneinander. Immer noch keine Funken. Frustriert arbeitete er weiter. Allmählich machte er sich Sorgen, dass die Stahlklinge Schaden nehmen könnte. Soweit er sich erinnerte, war das Feuermachen mit seinem Vater entschieden einfacher gewesen – ein schneller Schlag, und schon waren die prächtigsten Flammen aus dem Zunder aufgelodert. Aber bisher hatte er sich nur die Hände wund und sein Messer stumpf geschlagen.

Nachdem er es weitere zehn Minuten versucht hatte, war er nahe daran aufzugeben. Doch plötzlich sah er einen einzigen, winzigen Funken, der wie eine Sternschnuppe auf den Zunder fiel. Connor blies sacht darauf und versuchte verzweifelt, aus dem Funken eine Flamme zu machen. Aber der Funken verlosch fast sofort wieder. Müde, hungrig und gereizt warf er den Stein weg.

»Geht's vielleicht damit?«, fragte Henri plötzlich und hielt ein Streichholzheftchen hoch.

»Woher hast du *die*?«, rief Connor verblüfft.

Henri grinste ein bisschen einfältig. »Hintere Jeanstasche.«

»Warum hast du sie mir nicht *gleich* gegeben?«, fauchte Connor ihn wütend an.

»Hatte ganz vergessen, dass ich sie an der Bar in der Lodge eingesteckt hatte. Ehrlich, ich hab's vergessen!« Er zuckte entschuldigend die Schultern. »Und du hast ja auch so getan, als wüsstest du, wie man es macht...«

Connor schüttelte ungläubig den Kopf und riss ihm das Heftchen aus der Hand. »Ich hab *keine Ahnung!*«, schrie er Henri wütend an.

Henri wich eingeschüchtert zurück. »Aber du bist doch unser Bodyguard.«

Connor holte tief Luft, um seinen Ärger niederzukämpfen. »Tut mir leid, ich wollte dich nicht... Okay – die Schlange hat mich wirklich den letzten Nerv gekostet.«

Er zündete ein Streichholz an und sofort loderte der Zunder auf. Sanft blies er hinein und fütterte die zarte Flamme mit immer größeren Halmen und Zweigen, bis die kunstvolle Pyramide aus Ästen zu brennen anfing. »Das war's wohl mit meinen Überlebenstechniken«, murmelte er und hoffte, dass sein Vater nicht in heller Verzweiflung auf ihn herabblickte.

Amber kehrte mit einer weiteren Armladung trockener Zweige und einem größeren Ast zurück. Oder jedenfalls nahm Connor an, dass es ein Ast war. Bis sie die Schwarze Mamba direkt vor ihm auf den Boden warf. Connor zuckte zusammen und kroch auf allen Vieren davon.

»Abendessen«, erklärte Amber.

»Du machst wohl Witze!«, rief Connor und beäugte die Schlange misstrauisch, als würde sie jeden Augenblick aufwachen und ihre Giftzähne in sein Bein schlagen.

»Weißt du nicht mehr, was Gunner gesagt hat? Im Busch sind Schlangen so gut wie ein Steak. Und wir müssen etwas essen.«

Natürlich hatte sie recht, auch Connors Magen schmerzte vor Hunger. Kein Wunder, dass er so leicht ausrastete. Er kämpfte den Ekel nieder und streckte die Hand nach der Schlange aus, musste aber feststellen, dass er sich nicht dazu überwinden konnte, die ölig-glatte Schuppenhaut anzufassen.

»Tut mir leid. Ich... ich kann das nicht«, gab er schließlich zu und reichte Amber das Messer.

»Wenn es eine Spinne wäre, könnte ich es auch nicht«, sagte sie tröstend.

Vorsichtig legte sie den Kopf zurecht, wobei sie darauf achtete, nicht in die Nähe der Giftzähne zu kommen. Dann säbelte sie dem Reptil den Kopf ab. Als das Feuer heruntergebrannt und nur noch Glut übrig war, legte sie den Schlangenkörper hinein. Die Haut zischte laut und schon bald füllte sich die Höhle mit dem Geruch von röstendem Fleisch. Trotz seiner Angst vor Schlangen lief Connor das Wasser im Mund zusammen.

Er füllte die Flasche mit Flusswasser und alle tranken es durch den LifeStraw-Filter. Dann saßen sie um das Feuer und warteten, bis ihre Schlangenmahlzeit gar war. Inzwischen war die Nacht voll hereingebrochen; ihre Schatten zuckten über die Felswände der Höhle. Insekten schwirrten herum, Zikaden zirpten, Fledermäuse flatterten durch die Nacht und unsichtbare Kreaturen sprangen schreiend und brüllend von Ast zu Ast. Der ständige Lärm des Dschungels beunruhigte Connor und seine Schützlinge sogar noch mehr als die Angst vor ihren Verfolgern. Ängstlich drängten sie sich näher an das Feuer. Von irgendwo aus der Dunkelheit war ein tiefes, drohendes Knurren zu hören, das mehrmals wiederholt wurde. Es klang fast, als sägte jemand an einem Baum.

Amber schaute verängstigt in die Dunkelheit. »Was könnte das sein?«, flüsterte sie mit zitternder Stimme.

»Was auch immer, es ist jedenfalls weit weg«, antwortete Connor. Hoffte er jedenfalls.

Nach einer halben Stunde stach Amber die Messerspitze in die Schlange. »Ich glaube, sie ist gar.«

Sie zog den Körper aus der Glut, schlitzte ihn der Länge nach auf und schnitt das Fleisch in kleine Portionen.

Henri spießte ein Stück mit einem kleinen Ast auf, betrachtete es genau und roch daran. »Bist du sicher, dass man es essen kann?«

»Das Gift ist nur im Kopf, hat Gunner gesagt, also sollte man das Fleisch essen können«, antwortete Amber und roch vorsichtig an ihrem Stück.

Connors Hunger war inzwischen so stark, dass er seine Abneigung gegen Schlangen überwand. Er biss hinein. »Schmeckt wie Hähnchenfleisch!«, sagte er überrascht.

Jetzt begannen auch die beiden anderen zu essen. Als sie satt waren, ließen sie sich erschöpft zurücksinken.

Amber richtete für sich und ihren Bruder an der Rückwand der Höhle ein Lager aus Zweigen, Gras und Blättern ein. Connor legte ein paar Äste auf das Feuer, sodass es wieder zu lodern begann, und sammelte noch mehr Brennholz für die Nacht.

Er hörte die beiden in der Höhle flüstern.

»Aua! Der Boden ist wahnsinnig steinig!«, beschwerte sich Henri.

Amber fegte die kleinen Steine mit der Hand weg und schob Gras und Blätter zusammen, damit sein Kopf weicher lag.

Henri streckte sich aus. »Die Tiere werden uns nichts tun, oder?«

Amber schüttelte den Kopf. »Das Feuer schreckt sie ab. Und jetzt sei still und schlaf endlich.«

Sie schien kurz zu zögern, doch dann beugte sie sich vor und küsste ihn auf die Stirn. Henri starrte sie verblüfft an, offenbar überrascht von ihrer unerwarteten Zärtlichkeit. Dann fragte er leise: »Mama und Papa ... sie sind tot, nicht wahr?« Aber es klang nicht wie eine Frage, sondern wie eine Feststellung, ohne jede Hoffnung.

Amber schob sanft ein paar rote Haarsträhnen von seiner Stirn. »Vielleicht konnten sie fliehen. Wir haben es ja auch geschafft.«

»Aber wie? Sie haben keinen Bodyguard wie Connor, der sie schützt.«

Amber warf Connor einen Blick über die Schulter zu. Ihre Blicke trafen sich. Er versuchte, ermutigend zu lächeln. Sie wandte sich wieder zu ihrem Bruder um. »Ganz bestimmt warten sie in der Lodge auf uns. Und jetzt mach die Augen zu und schlaf ein bisschen. Morgen haben wir einen langen Weg vor uns.«

Aber ihre Stimme verriet, dass sie selbst nur mühsam die Fassung bewahrte, um ihrem Bruder keine Schwäche zu zeigen. Connor bewunderte sie dafür. Mit einem Stock stocherte er im Feuer herum und schaute zu, wie die Funken in den Himmel stoben. Auch um Ambers willen musste er stark sein. Doch er fühlte zugleich, wie ihn die Last der Verantwortung niederdrückte. Angst vor dem Unbekannten, Angst vor dem Versagen ballte sich tief in ihm zusammen. Wenn Amber nicht so mutig zugeschlagen hätte, wäre Henri jetzt tot, vergiftet von einer Schwarzen Mamba. Und es wäre *Connors* Fehler, *sein* Versagen gewesen. Noch jetzt schickte die bloße Erinnerung an die Schlange einen Schauder über seinen Rücken. Widerwillig musste er sich eingestehen, dass er im entscheidenden Moment gelähmt gewesen war; seine Schlangenphobie hatte ihn buchstäblich ohnmächtig werden lassen. Er hätte niemanden schützen können, weder sich noch seine Klienten. Das war nun wirklich nicht das, was man von einem Bodyguard erwartete! Er schützte niemanden, sondern musste selbst beschützt werden! Was war, wenn er beim nächsten Angriff wieder erstarrte und nicht reagierte? Selbst wenn es keine Schlange war, sondern ein Löwe oder Leopard oder ein anderes tödliches Tier? Der Zwischenfall hatte seiner größten Schwäche wieder neue Nahrung gegeben – seinem Selbstzweifel. Wieder einmal fragte er sich ernsthaft, ob er der Aufgabe gewachsen war, die vor ihm lag.

Amber trat heran und setzte sich leise neben ihn. In ihren Augen glitzerten Tränen.

»Wie... wie fühlst du dich?«, fragte er zögernd.

Sie seufzte nur tief und zog die Knie an die Brust. Lange Zeit starrten beide schweigend in das Feuer, lauschten auf das Knacken und Knistern der Flammen und die Geräusche des Dschungels.

Nach einer Weile fragte sie leise: »Glaubst du... ich meine, ganz ehrlich... glaubst du, dass irgendjemand außer uns entkommen konnte?«

Connor dachte an das Chaos, das während des Angriffs geherrscht hatte. »Vielleicht Gunner und Buju. Und ich bin sicher, dass zwei Minister, Feruzi und Rawasa, gemeinsam mit den anderen, die in ihren Autos saßen, fliehen konnten. Wahrscheinlich haben sie schon Alarm ausgelöst und Verstärkung ist im Anmarsch. Und wenn wir Glück haben, folgt Buju unseren Spuren. Dann werden wir vielleicht morgen von einer Militärpatrouille aufgegriffen.«

»Und... meine Eltern...?«

Er hörte die Verzweiflung in ihrer Stimme, aber in diesem Augenblick konnte und durfte er sie nicht belügen.

»Ich weiß es nicht.«

Sie weinte; irgendwann lehnte sie den Kopf an seine Schulter, vielleicht war sie nur müde, vielleicht suchte sie Trost.

»Danke, Connor«, sagte sie mit tränenerstickter Stimme.

»Wofür?«

»Dass du uns gerettet hast.«

Connor schürte wieder das Feuer. »Ich muss *dir* danken. Ich war total von der Rolle, als ich die Schlange vor mir sah.«

»Gegen Schlangen zu kämpfen gehört also nicht zum Bodyguard-Training?«

»Nein, natürlich nicht«, antwortete er, bevor ihm klar wurde, dass sie ihn nur necken wollte.

»Mach dir darüber keine Sorgen. Alle haben Angst vor irgendetwas. Und du hast deine Angst sogar aufgegessen!«, sagte sie mit schelmischem Lächeln.

Connor lachte. »Ja, das kann man wohl gelungene Rache nennen.«

Sie setzte sich aufrecht. »Kann ich dich mal was fragen?«

»Klar doch.«

»Woher wussten die Angreifer, dass wir genau durch dieses Flussbett fahren würden?«

Connor blickte sie offen an. »Das frage ich mich auch schon die ganze Zeit«, gestand er. »Der Angriff muss sorgfältig geplant worden sein. Sie hatten sogar einen Graben quer durch das Flussbett ausgehoben. Sie müssen also im Voraus über unsere Route informiert gewesen sein.«

Ambers Augen weiteten sich, als sie begriff, was das bedeutete. »Du meinst, jemand hat sie ihnen verraten? Aber wer?«

»Wir können nur raten. Einer der Soldaten? Oder vielleicht ein Parkranger?«

»Oder einer der Minister«, ergänzte sie düster.

KAPITEL 38

Der weiße Junge hatte NoMercy direkt angestarrt, bevor der General den Befehl gegeben hatte, das Feuer zu eröffnen. Eine Sekunde Vorwarnzeit, die dem Jungen mit Sicherheit eine Kugel in den Kopf erspart hatte. Und obwohl NoMercy dann den Landrover mit einer ganzen Salve durchsiebt hatte, hatte die blitzschnelle Reaktion des Jungen den beiden anderen Insassen das Leben gerettet. Widerwillig musste sich NoMercy eingestehen, dass er den Kampfgeist des Jungen bewunderte.

NoMercy war überrascht gewesen, als er drei Jugendliche im Präsidentenkonvoi sah. Aber das machte keinen Unterschied, denn bei dieser Mission der ANL ging es um ein viel wichtigeres Ziel: dem Präsidenten aufzulauern und ihn und seine gesamte Begleitung auszulöschen. Ärgerlich war nur, dass die drei Kids hatten fliehen können.

Aber sie würden nicht mehr lange frei sein.

»In welche Richtung sind sie geflohen?«, fragte Blaze den Tracker.

Buju studierte den Boden rings um den Landrover, der gegen den Baum gekracht war. Aus den Spuren konnte er erkennen, welche Verwirrung zunächst geherrscht hatte. Er unterschied drei verschiedene Fußabdrücke. Dann wurde er auf eine Reihe umgeknickter Farnstängel aufmerksam. Er deutete nach Westen.

»Gehen wir!«, befahl Blaze ungeduldig. »Sie haben eine ganze Nacht Vorsprung.«

Buju und Blaze setzten sich an die Spitze; NoMercy und Dredd sowie zwei weitere ANL-Rebellen vom Jeep folgten. Der Dschungel war noch nicht völlig erwacht; die Morgendämmerung drang nur schwach und wie mit gespenstischen Lichtfingern durch das Blätterdach. Die Vögel hatten erst vor Kurzem ihren morgendlichen Chor angestimmt. Immer wieder blieb der Tracker stehen, um weitere Zeichen zu suchen – einen Fußabdruck, niedergetretene Gräser, abgeknickte Zweige, verschobene Steine, einmal sogar ein paar rote Haare, die sich an einer Liane verfangen hatten. Der Suchtrupp kam zwar stetig, aber langsam voran, obwohl Blaze unablässig zur Eile drängte.

Ab und zu hielt Buju an, um zwei Männer vorauszuschicken, die in verschiedenen Richtungen nach der nächsten Spur suchen mussten. Dann fanden sie die Spur wieder und rückten ihrer Beute immer näher. Aber manchmal verlor selbst Buju die Spur und musste anhand des Geländes und der Vegetation Vermutungen anstellen, in welche Richtung sie geflohen waren.

»Bist du sicher, dass wir noch auf ihrer Spur sind?«, knurrte Blaze gereizt, als Buju neben einem umgestürzten Baum anhielt.

Als Antwort hielt der Tracker einen blutverschmierten Wattebausch in die Höhe.

»Einer ist verwundet!«, rief Dredd triumphierend.

NoMercy grinste nur. Vielleicht hatte seine Kugel den Jungen doch erwischt.

»Dann kommen sie nur langsam vorwärts«, freute sich Blaze.

Nicht weit von der Stelle kniete Buju erneut nieder. »Leopard. Groß. Vor einer Stunde hier durchgekommen.«
Die Rebellen warfen sich ängstliche Blicke zu. Der Gedanke, dass ganz in der Nähe ein Menschenfresser herumschlich, gefiel ihnen gar nicht.
»Wir sind nicht auf Leopardenjagd!«, schnauzte Blaze den Tracker an. »Ich will nur wissen, wohin die Flüchtlinge gelaufen sind.«
Buju betrachtete wieder den Boden und bemerkte einen scharfen Richtungswechsel. Er deutete nach Süden.
Die Spur wand sich in einer Zickzacklinie zwischen Bäumen und Sträuchern und unpassierbaren Dickichten durch den Dschungel. Sie stießen auf einen Wildwechsel. Hier konnte sogar NoMercy eine Spur erkennen – den Abdruck einer Schuhsohle auf dem Hang. Jetzt spürten alle, dass sie sich der Beute näherten; die Rebellen nahmen die Gewehre von der Schulter und entsicherten sie. Wenn die Kids nicht die ganze Nacht durchmarschiert waren, konnten sie nicht mehr weit entfernt sein.
Sie gelangten auf einen kleinen Felsenkamm und hielten an. Buju studierte den Boden und ließ den Blick über die Landschaft gleiten.
»Die Spur ist kalt«, verkündete er schließlich.
»Kalt? Was soll das heißen?«, bellte Blaze. »Du bist doch angeblich der beste Tracker in Burundi! Los, such weiter!«
»Auf felsigem Boden ist das viel schwieriger«, antwortete Buju tonlos.
Selbst durch die verspiegelte Sonnenbrille konnte Buju das wütende Blitzen in Blazes Augen sehen. Und schon begann die rechte Hand des Anführers zu zucken. NoMercy trat vorsichtshalber einen Schritt zurück; er hatte es schon oft genug erlebt, wenn Blaze von seinem berüchtigten Jähzorn über-

wältigt wurde. NoMercy hatte keinen Zweifel: Wenn der Tracker nicht schon bald eine heiße Spur fand, würde er Blazes Machete kennenlernen und einen grausamen Tod sterben.

Weiter unten am Hügel stieg ein dünner Rauchfaden durch das Blätterdach.

»Da! Rauch!«, rief einer der Soldaten.

KAPITEL 39

Connor gähnte, streckte sich und rieb sich die Augen. Er fühlte sich steif und wund, nachdem er eine ganze Nacht auf dem harten Felsboden der Höhle verbracht hatte. Amber lag neben ihm, immer noch schlafend, und ihr Gesicht sah so friedlich aus, dass er sie nicht aufwecken wollte, schon gar nicht für den Tag, der nun vor ihnen lag. Er kratzte sich die Brust und setzte sich aufrecht. Die Dämmerung war längst angebrochen; die ersten Sonnenstrahlen stahlen sich in die Höhle. Vögel zwitscherten in den Wipfeln und von der Savanne schallten das unverkennbare *Wuuf-wuuf* der Hyänen und das Brüllen der Löwen herauf.

Afrika erwachte.

Das Feuer war irgendwann erloschen, aber die schwelende Asche verbreitete noch immer leichten Rauch vor dem Höhleneingang. Connor kratzte sich noch einmal, aber ausgiebiger. Überall juckte es ihn, was kein Wunder war, wenn man an die vielen Schichten von Mückenschutz, Staub und Schweiß dachte, die seine Haut förmlich verkrusteten. Dann zwickte ihn etwas so heftig ins Bein, dass er zurückzuckte. Er entdeckte eine wahrhaft riesige Ameise, die sich mit den Widerhaken ihrer Kiefer in seine Haut verbissen hatte. Er fegte sie weg, aber schon entdeckte er drei weitere, ebenfalls sehr große Ameisen. Dann waren es sechs, und während er sie hastig von seinen Beinen wischte, entdeckte er etwas Entsetzliches: Eine wimmelnde Kolonne schwarzer Treiberameisen schwärmte über den Boden und krabbelte an ihm hinauf.

Connor sprang mit einem Satz in die Höhe und schlug wie wild die Insekten von seinen Kleidern. Aber der Kampf war aussichtslos, der Ansturm des Ameisenheeres war zu gewaltig.

Amber schreckte aus dem Schlaf. »Was ist los?«, fragte sie verwirrt, als sie sah, wie er auf seinen Kleidern, Beinen und Armen herumschlug.

»Ameisen!«, rief Connor.

Dabei tanzte er so verrückt wie ein durchgeknallter Derwisch herum, dass sie kichern musste.

»Nicht komisch!«, schrie er und riss sich das T-Shirt vom Leib, um es auszuschütteln und die Ameisen loszuwerden, die bereits über seine Brust krabbelten.

Aber Amber konnte sich nicht mehr beherrschen. Nach all dem Entsetzen, das sie am Tag zuvor erlebt hatte, war das Lachen wie eine Befreiung und ließ sich nicht mehr kontrollieren – bis ihr Blick endlich auf den Höhlenboden fiel und sie die schwarze, wimmelnde Ameisenmasse entdeckte.

»Sie sind überall an mir!«, schrie sie, sprang auf und vollführte nun ebenfalls einen irren Tanz.

Connor hatte keine Ahnung, ob die Ameisen giftig waren, aber ihre Bisse taten jedenfalls sehr weh und hinterließen unangenehm brennende rote Punkte. Sie wurden von einem riesigen Volk angegriffen; Connor sah, dass sie schnell handeln mussten. Auch Amber riss sich das T-Shirt vom Körper.

»Ins Wasser!«, schrie er.

Sie rannten aus der Höhle und sprangen in das vom Bach gebildete natürliche Becken. Die Kühle brachte sofort Erleichterung; die Ameisen wurden abgespült und trieben wie winzige Blätter davon. Connor half Amber, ein paar besonders hartnäckige Ameisen aus ihrem dichten, langen Haar zu pulen.

»Alle weg«, sagte er und schnippte die letzte Ameise ins Wasser.

Amber drehte sich zu ihm um. Dabei verschlangen sich ihre Arme und sie gerieten unabsichtlich in eine Umarmung. Eine Sekunde lang starrten sie sich bewegungslos an. Dann küsste sie ihn auf die Lippen.

Es war ein leidenschaftlicher, fast verzweifelter Kuss. Und Connor versank darin, vergaß einen Moment lang alles, was um sie war, ihre Lage, die Gefahr, und genoss nur einfach diesen wunderbaren, süßen Augenblick.

Aber dann setzte sein Verstand wieder ein und verdrängte die Gefühle. Schlagartig wurde ihm klar, dass es falsch war, was er tat, völlig falsch. Amber war verletzlich, litt nach der Trennung von ihrem Freund noch immer an Liebeskummer, hatte mit knapper Not einen mörderischen Anschlag überlebt und wusste nicht, was aus ihren Eltern geworden war. Vielleicht suchte sie nur nach Trost und Sicherheit und verwechselte es mit Zuneigung. Wer konnte es ihr vorwerfen? Auch für ihn war der Kuss eine kleine Flucht aus der hoffnungslosen Lage. Aber er hatte inzwischen genug Erfahrung, um zu wissen, dass lebensgefährliche Situationen die Gefühle intensivierten und manchmal zu Handlungen führten, die unter normalen Umständen undenkbar wären. Er zwang sich, vernünftig zu denken – er war ihr Buddyguard. Und als solcher durfte er die unsichtbare Grenze zu einer persönlichen Beziehung nicht überschreiten. Diesen Fehler hatte er schon einmal gemacht, als Charley ihn und die Tochter des amerikanischen Präsidenten in genau einem solchen Augenblick überrascht hatte. Eine zweite Verletzung des »No go«-

Prinzips, wonach sich kein Buddyguard mit einem Klienten einlassen durfte, würde automatisch dazu führen, dass ihn die Buddyguard-Organisation feuern würde.

Sanft löste er sich von ihr.

Amber schaute verwirrt zu ihm auf.

»Ich hätte nicht... Ich darf das nicht, ich bin dein Bodyguard.« Er schaute zur Höhle und hoffte, dass Henri den kurzen Kuss nicht beobachtet hatte. Und im selben Augenblick wurde ihm klar, dass der Junge dem Ansturm der Ameisen hilflos ausgeliefert war. »Henri?«, rief er.

Amber wirbelte herum, jeder Gedanke an Zärtlichkeiten war wie weggeblasen. »Henri!«, schrie sie entsetzt, als er auf Connors Ruf nicht reagierte.

Sie kletterten hastig aus dem Pool und rannten zur Höhle. Beide stellten sich schon die schlimmsten Szenarien vor – Henri, von Kopf bis Fuß von bissigen schwarzen Ameisen bedeckt, die ihm in Augen, Ohren, Nase krochen oder ihn gar erstickten. Am Höhleneingang entdeckten sie, dass die Ameisen ihren Vormarsch unerbittlich fortgesetzt hatten – aber von Henri war nichts zu sehen.

»Er kann nicht weit weg sein«, sagte Connor. Er vermutete, dass auch Henri vor den Insekten geflohen war. Rasch ließ er den Blick ringsum über Dickicht und Unterholz schweifen und suchte nach einem Hinweis, wohin Henri geflohen war.

»Und wenn er sich verirrt? Oder von einem wilden Tier angefallen wird?«, sagte Amber mit vor panischer Angst zitternder Stimme.

»Wir müssen ihn suchen.« Connor griff nach seinem Rucksack, bevor auch er den Ameisen zum Opfer fallen konnte.

»Was habt ihr beide denn gemacht?«

Amber und Connor wirbelten herum. Henri trat hinter einem Gebüsch hervor und starrte sie mit offenem Mund an – beide patschnass und mit nackten Oberkörpern. Dann verzog er den Mund zu einem vielsagenden Grinsen.

Amber wurde rot und hielt sich schnell das T-Shirt vor die Brust. Aber sie verbarg ihre Verlegenheit sofort hinter ihrer Wut. »Wo warst du?«, fragte sie scharf. »Wir waren fast verrückt vor Angst!«

Henri hielt die Hände hoch, gefüllt mit frischen Beeren. »Frühstück.«

Connor seufzte erleichtert. »Nächstes Mal sagst du es, bevor du allein davonläufst!«, sagte er streng.

»Tut mir leid – ich dachte, ihr seid bestimmt hungrig.« Henri bot Connor eine Handvoll Beeren an.

Connor schüttelte die letzten Ameisen aus seinem Hemd, dann inspizierte er die Beeren. »Sie könnten giftig sein.«

»Keine Angst, die Affen fressen sie auch, ich hab sie beobachtet«, erklärte Henri und warf sich im Vertrauen darauf, dass sich die Affen nicht irrten, ein paar Beeren in den Mund.

Connor zog sein T-Shirt an, überwand sein Misstrauen und aß ebenfalls ein paar Beeren. Dann trat er die noch glimmenden Reste des Feuers aus. Als er Erde darüber kickte, damit es auch wirklich völlig erlosch, stieg noch ein letzter dünner Rauchfaden in die Luft.

KAPITEL 40

»Frisch«, kommentierte Buju, als er die Beeren untersucht hatte, die auf einem Felsen trockneten. »Könnten aber auch Affen gewesen sein.«

Blaze zog die Mundwinkel herab. Er glaubte es nicht. Stumm nickte er seinen Männern zu, die Höhle und die nähere Umgebung genauer zu untersuchen. Sie schwärmten aus und suchten aufmerksam den Boden ab.

NoMercy entdecke eine Stelle, an der die Erde frisch aufgeworfen worden war. Er kickte den Sand beiseite. Darunter kam Asche zum Vorschein; sie war noch warm.

»Das muss von ihnen sein!«, rief er Blaze zu.

Einer der anderen Rebellen fand eine verkohlte Schlangenhaut. Er hielt sie hoch, damit alle sie sehen konnten.

»Sie haben eine Schwarze Mamba erlegt und gegessen!«, rief er erstaunt und voller Bewunderung.

Dredd durchsuchte inzwischen die Höhle. Unter seinen nackten Füßen knisterte es; er brauchte ein paar Sekunden, bis sich seine Augen an die Dunkelheit in der hintersten Ecke gewöhnt hatten, doch dann entdeckte er an der rückwärtigen Wand einen Haufen Blätter und Gras.

»Hier haben sie geschlafen«, informierte er Blaze.

Doch dann verspürte Dredd plötzlich ein eigenartiges

Kribbeln, das sich über seine Füße die Beine hinaufbewegte. Er schaute hinunter und riss entsetzt die Augen auf, als er ein schwarzes Gewimmel sah. Er stürzte aus der Höhle.

»*Siafu! Siafu!*«, schrie er und hüpfte und stampfte wie wild herum, um die bösartigen Treiberameisen abzuschütteln. NoMercy und die anderen bogen sich vor Lachen.

»Tanz, Dredd, tanz!«, neckte ihn einer der Männer.

»Ruhe!«, brüllte Blaze, dem es völlig egal war, ob Dredd von den Ameisen aufgefressen wurde oder nicht. Er wandte sich an Buju: »Wie lange sind sie schon weg?«

Buju hatte inzwischen eine weitere halb gegessene Beere gefunden, deren Haut schon trocken und deren Inneres noch frisch und feucht war. »Zehn Minuten, vielleicht auch weniger.«

»Welche Richtung?«

Der Tracker inspizierte das Unterholz genauer. Keine abgeknickten Äste, keine heruntergerissenen Blätter, keine flachgetretenen Grasbüschel und auch keine Fußabdrücke. Damit blieb nur ein einziger Weg übrig.

»Sie folgen dem Fluss«, sagte er.

Blaze zog die Machete aus dem Gürtel und grinste breit. »Prima. Jetzt geht die Jagd erst richtig los.«

KAPITEL 41

Zuerst war der Fluss seicht und ging ihnen nur bis über die Knöchel. Doch schon bald stieg er über Kniehöhe und noch höher, gelegentlich mussten sie durch brusthohes Wasser waten. Das Gehen in dem von scharfzackigen Felsen und Steinen übersäten Flussbett war mühsam. Die Strömung nahm zu, je weiter sie flussabwärts gingen, wurde immer stärker und drohte sogar, sie mit sich zu reißen. Aber Connor hatte keine andere Möglichkeit gesehen: Das Unterholz war zu dicht; kein Pfad, nicht einmal ein Wildwechsel, war zu sehen gewesen. Damit blieb nur noch der Fluss als schneller und direkter Weg aus dem Dschungel.

Die drei kämpften sich schweigend voran, Connor ging voraus, gefolgt von Henri, Amber bildete den Schluss. Sie hatte den Kuss nicht mehr erwähnt, und Connor auch nicht, aber wann immer er zurückschaute, um sich zu vergewissern, dass alles in Ordnung war, hielt sie seinen Blick einen Moment länger als nötig und schaute dann schnell weg. Connor war nicht sicher, ob sie nur schüchtern war, flirtete oder die ganze Sache bedauerte. Aber im Moment hatte er sehr viel wichtigere Sorgen als die Folgen, die der Kuss haben mochte.

Connor wusste, dass der Fluss schon bald den Dschungel

hinter sich ließ. Sobald sie den Rand des Dschungels erreichten, würde die offene Savanne vor ihnen liegen. Dort mussten sie vermeiden, Elefanten, Büffeln und Löwen zu begegnen; außerdem durften die Rebellen sie auf keinen Fall entdecken. Um alles noch schlimmer zu machen: Connor hatte keine Landkarte und nur eine sehr vage Vorstellung, wo die Lodge lag. Und selbst wenn es ihnen durch irgendein Wunder gelang, lebend dorthin zu kommen, konnte er nur hoffen, dass sie noch immer in den Händen der Regierung war und dass die Telefone noch funktionierten.

Die Aufgabe kam ihm unlösbar vor. Aber er rief sich immer wieder einen Satz in Erinnerung, den er einmal in einem Buch gelesen hatte: »Versuche nie, einen Elefanten zum Frühstück zu essen.« Ein ziemlich blöder Spruch, den er zuerst überhaupt nicht verstanden hatte, bis ihm Gran erklärte, was er bedeutete: dass man eine Aufgabe, selbst wenn sie einem riesig vorkam, in kleinere Brocken aufteilen konnte, die sich dann leichter bewältigen ließen. So betrachtet, war das, was vor ihnen lag, vielleicht doch nicht so hoffnungslos. Wenn er den Spruch auf die jetzige Situation anwandte, musste er sich zuerst einmal darauf konzentrieren, sie aus dem Dschungel zu führen. Was danach zu tun war, würde man sehen.

Der Fluss wurde breiter. Henri schob sich neben ihn.

»Die Safari hab ich mir ganz anders vorgestellt.« Henri versuchte zu lächeln, zeigte damit aber nur noch deutlicher, wie verängstigt er war.

»Ich auch«, gab Connor zu. »Aber wenigstens hast du jetzt deinen Freunden zu Hause was wirklich Spannendes zu erzählen.«

»Zu Hause? Du glaubst doch nicht, dass wir jemals wieder

nach Hause kommen?« Eine einfache Frage, aber sie traf genau auf den Punkt.

Connor schaute ihn offen an und antwortete mit einer Zuversicht, die ihn selbst verblüffte: »Mein Job ist, dich und deine Schwester zu schützen. Ich verspreche dir, dass ich euch sicher nach Hause bringe.«

Henri nickte stumm, doch nach einer Weile fragte er plötzlich: »Wenn wir wieder zu Hause sind, willst du dann Amber zu einem Date einladen?«

Bei der Frage wäre Connor fast ins Stolpern geraten. »Äh, hm, ich glaube, du machst dir da falsche Vorstellungen. Wir haben doch nur die Ameisen abgewaschen.«

Henri warf ihm einen Seitenblick zu, der so etwas wie »Wer's glaubt, wird selig« ausdrückte, dann meinte er: »Sie mag dich. Sehe ich doch.«

Connor warf einen Blick über die Schulter. Amber war ein paar Meter zurückgefallen und watete vorsichtig durch das steinige Flussbett.

»Wäre doch super, wenn du ihr Boyfriend wärst«, fuhr Henri begeistert fort, »dann wären wir öfter zusammen. Könnten zusammen zum Fußballmatch gehen und ...«

Connor zauste ihm die Haare. »Betreibst du eine Heiratsagentur oder was? Jetzt müssen wir erst einmal aus dem Dschungel kommen, verstehst du?«

Sie stiegen gerade vorsichtig durch einen kleinen Wasserfall, als sie plötzlich eine Stimme aus der Ferne hörten. »*Siafu! Siafu!*«

»Hast du das gehört?«, fragte Amber erschrocken und schaute Connor verängstigt an.

Connor nickte. Gunners Worte schossen ihm durch den Kopf: *Egal, ob man ein Löwe ist oder eine Gazelle: Sobald die Sonne aufgeht, musst du laufen!*

Und sie begannen zu laufen.

Sie kletterten, stolperten, hetzten über Steine und Felsbrocken, plantschten durch tiefe Stellen, flohen verzweifelt flussabwärts. Zwar war es möglich, dass der Schrei nicht von einem Rebellen gekommen war, aber Connor wollte kein Risiko mehr eingehen.

»Schneller! Schneller!«, trieb er sie an. Er wusste, dass sie einen größeren Abstand zwischen sich und die Verfolger bringen mussten, wenn sie überhaupt eine Chance haben wollten.

Aber das Wasser verlangsamte ihre Flucht. Und es machte sie müde. Henri stolperte und fiel ins Wasser. Connor zog ihn wieder auf die Füße und stieß ihn vor sich her. Noch hielt Amber durch, aber auch sie zeigte Anzeichen von Erschöpfung. Immer lichter wurde der Dschungel auf beiden Ufern, und als sich auch der Fluss verbreiterte und seichter wurde, stiegen sie die Böschung hinauf und hatten nun endlich wieder festen Boden unter den Füßen. Obwohl sich hier dornige Zweige an ihren Kleidern verfingen, kamen sie schneller voran. Aber Connor wusste auch, dass sie hier deutlich sichtbare Spuren zurückließen.

Wieder hörte er einen Schrei, dieses Mal lauter. Die Verfolger kamen näher.

Henri keuchte heftig und hatte Schwierigkeiten, Schritt zu halten. Bis sie endlich aus dem Dschungel heraus waren, war sein Keuchen so schlimm geworden, dass Connor glaubte, er würde jeden Augenblick zusammenbrechen. Henri fummelte in seiner Tasche und nahm eine Dosis mit dem Inhalator, dann noch eine.

»Das kann er nicht mehr lange durchhalten«, keuchte Amber und lehnte ihren Bruder gegen einen Baum, damit er wieder zu Atem kommen konnte.

Connor blickte über die Savanne, die nun offen vor ihnen lag. Inzwischen war ihm klar geworden, dass sie keine Chance hatten, den Verfolgern zu entkommen. Schon gar nicht mit Henris Asthma. Vor ihnen lagen Meilen um Meilen hügeliger Landschaft, bewachsen mit hohem gelben Gras, dazwischen immer wieder Akazienhaine, Dornengestrüpp und einzelne Baobabbäume, die wie einsame Wächter aus der roten Erde aufragten. In diesem Gelände waren sie leichte Beute für Raubtiere – und erst recht für eine Bande gut bewaffneter Milizionäre.

»Wäre es nicht besser, wenn wir uns ergeben?«, fragte Amber. »Ich meine, warum sollten sie uns etwas tun? Wir sind nur drei Kinder. Keine Bedrohung, für niemanden.«

Connor schüttelte den Kopf. »Wir sind Zeugen des Anschlags auf den Präsidenten. Damit sind wir eine Bedrohung für sie.« Aber schon ein Blick auf die einzige Waffe, die sie hatten – das Feldmesser seines Vaters –, machte ihm klar, dass ein Kampf aussichtslos war.

Sie konnten nicht mehr fliehen. Aber sie konnten sich verstecken.

»Der Baobab«, sagte Connor hastig und deutete auf einen der riesigen Bäume, die die Savanne beherrschen.

»Was ist damit?«

»Die Leute schauen selten nach oben«, erklärte Connor.

Amber begriff sofort und zog Henri auf die Füße. Sie rannten zum nächsten Affenbrotbaum, einem zehn Meter hohen, mächtigen, knorrigen Exemplar. Amber bot an, als Erste hinaufzuklettern. Die Rinde war knotig und bot guten Halt, und mit ihren Bergsteigerkenntnissen war sie in der Lage, den schnellsten Aufstieg zu finden. Und tatsächlich kletterte sie mit der Leichtigkeit eines Affen hinauf. Von einem der untersten Äste schaute sie hinab.

»Du bist dran, Henri.« Sie winkte ihn ermutigend zu sich hinauf.

Henri warf nur einen Blick auf den Stamm und keuchte: »Kann ... nicht ... zu müde ...«

»Natürlich kannst du. Wir helfen dir«, drängte Connor und verschränkte die Hände, damit Henri leichter hinaufsteigen konnte. »Beeil dich, sie können jeden Augenblick auftauchen.«

Henri nahm eine letzte Dosis mit dem Inhalator, griff in eine Mulde in der Rinde und zog sich mit enormer Anstrengung in die Höhe. Amber gab ihm Anweisungen, Connor feuerte ihn von unten an. Erschöpft und keuchend schob sich Henri langsam hinauf. Connor hätte ihn am liebsten angetrieben, wusste aber, dass es keinen Zweck gehabt hätte; gleichzeitig war ihm klar, dass die Rebellen jeden Augenblick heranstürmen konnten. Aber am Waldrand war noch niemand zu sehen ... noch nicht. Aber was er dann sah, brachte ihn dazu, umzukehren und zum Dschungel zurückzusprinten.

»Wohin gehst du?«, rief ihm Amber nach, als sie ihren Bruder den letzten Meter hinaufzog.

Aber Connor hatte keine Zeit für Erklärungen. Am Dschungelrand angekommen, schnitt er einen tief hängenden Zweig von einem Baum und machte sich wieder auf den Rückweg zu dem Affenbrotbaum, wobei er hastig die Spuren, die sie im Sand hinterlassen hatten, mit dem Ast verwischte. Als er den Baobab erreicht hatte, warf er den Ast so weit wie möglich weg und kletterte hastig hinauf. Er krallte sich in die Rinde und hatte fast den untersten, mächtigsten Ast erreicht, als er den Halt verlor und abrutschte.

»Ich hab dich!«, sagte Amber, die im selben Moment sein Handgelenk packte.

Connor biss die Zähne zusammen, spannte die Muskeln aufs Äußerste an, während sie von oben zog, und schob sich auf den Ast.

Im selben Augenblick stürmten die Verfolger aus dem Dschungel.

KAPITEL 42

Connor spähte aus dem Versteck. Erst verblüfft, dann empört erkannte er die schmächtige, gelenkige Gestalt, die die Rebellen durch die Savanne führte: Buju. Der Tracker war ihm so freundlich und sympathisch vorgekommen! Aber jetzt war klar, dass er sich nur verstellt hatte, um seine hinterhältigen Ziele besser erreichen zu können. Und damit war auch klar, warum der Tracker den Konvoi mitten im Flussbett hatte anhalten lassen. Und warum er so plötzlich verschwunden war, als der Angriff begann. Buju hatte den Präsidenten, die Minister, die Garde und die Familie Barbier auf dem Gewissen.

Buju war der Verräter!

Aber auch ein fantastischer Tracker. Er entdeckte natürlich sofort den Strauch, von dem Connor einen Zweig abgeschnitten hatte, kniete nieder und untersuchte den frisch gewischten Boden, der nun kaum wahrnehmbar anders gefärbt war als die Erde daneben. Connor wurde immer mulmiger zumute. Sie hatten keine Chance, einem so erfahrenen Spurensucher zu entkommen. Er konnte sich nur wundern, dass sie nicht schon früher entdeckt worden waren.

Fünf Soldaten – drei Männer und zwei Jugendliche, alle bewaffnet mit Sturmgewehren – standen neben Buju, als er den Boden untersuchte. Connor erkannte einen der Jungen an dem schwarzen Bandana. Er war einer von denen gewesen, die rücksichtslos und wie in irrem Rausch auf den Landrover geballert hatten, als Connor vor dem Graben die 180-Grad-Wende vollführte. Der andere Junge trug eine drei Nummern zu große Tarnjacke und ein rotes Barett und fuchtelte mit einer nagelneuen AK-47 herum. Und so, wie er mit der Waffe umging, schien er auch genau zu wissen, wie man sie benutzte.

NoMercy scharrte mit dem Fuß über den Boden und schwenkte die Waffe herum, als würden die Flüchtlinge jeden Moment aus dem Gras auftauchen. Buju brauchte ja wirklich entsetzlich lange.
»Wohin jetzt?«, bellte Blaze ungeduldig.
Buju richtete sich wieder auf und ging langsam auf einen Baobab zu, ohne den Boden aus den Augen zu lassen.

Auf dem Baum hielt Connor den Atem an. Henri und Amber lagen dicht neben ihm, er spürte, dass sie am ganzen Körper zitterten. Henris Atem ging mühsam und pfeifend und kam Connor viel zu laut vor. Als die Rebellen näher kamen, schoben sich die Flüchtlinge tiefer in das Geäst zurück, ein letzter, vergeblicher Versuch, sich zu verstecken.

NoMercy stöhnte entnervt auf, als Buju ein paar Meter vor einem großen Affenbrotbaum schon wieder stehen blieb und niederkniete.
»Was ist denn jetzt schon wieder?«, fauchte Blaze ungehalten.
»Schwer zu sagen«, antwortete Buju. »Sie haben ihre Spuren verwischt.«

Blaze fluchte unbändig und kickte mit seinem schweren Kampfstiefel wütend in den Dreck.

»Ausschwärmen!«, bellte er seine Leute an. »Sie können nicht weit gekommen sein!«

»Nein, stopp!«, rief Buju. »Ihr zerstört sonst alle Spuren, die vielleicht noch zu sehen sind!«

Er richtete sich hoch auf und ließ den Blick über die Savanne schweifen – über das hohe Gras, den Baobabbaum, das dichte Dornengestrüpp in der Nähe, dann noch einmal kurz zum Baobab ...

Auf dem Baum spürte Connor, wie sich Ambers schweißnasse Hand in seine schob. Er selbst fühlte sich wie eine Maus, die von der Katze in die Ecke getrieben worden war.

Es war vorbei. Sie konnten nichts mehr tun, nicht fliehen, nicht kämpfen. Sie konnten sich nicht einmal mehr verstecken.

»Was denn nun, Buju?«, brüllte Blaze. NoMercy wich einen Schritt zurück. Blaze war kurz davor auszurasten.

Buju wandte sofort den Blick von dem Baum ab und schaute zu einem Zweig hinüber, der nicht hierhergehörte und offenbar weggeworfen worden war. Er lag ein paar Meter vom Baumstamm entfernt.

»Hast du eine Spur gefunden?«, wollte der Rebell wissen. Die Sonne blitzte auf seiner verspiegelten Brille, als er rasch in alle Richtungen blickte. »Wo? Wo sind sie?«

»Dort entlang«, sagte Buju und marschierte so zuversichtlich los, als folgte er einer Spur, die nun wirklich *niemand* übersehen konnte.

KAPITEL 43

Connor spähte durch das Geäst, als Buju den Rebellentrupp von dem Baobabbaum *fort* und in ein Akaziendickicht führte. Die unerwartete Wende verblüffte ihn völlig, bis er die große Machete aufblitzen sah, deren Spitze der große Anführer dem Tracker in den Rücken stieß.

»Buju hat uns direkt angeschaut!«, flüsterte Amber fassungslos. »Er *weiß*, dass wir uns hier oben verstecken!«

Connor nickte ernst. »Und deshalb führt er sie in eine andere Richtung.«

»Dann ist er auf unserer Seite?«, fragte Henri, der jetzt nicht mehr so verzweifelt schnaufte.

»Scheint so. Und soweit ich sehen konnte, wird er gezwungen, unsere Spur zu verfolgen.«

Vorsichtig richtete sich Connor auf und schaute in die Richtung, in der die Männer verschwunden waren. Sie gingen gerade die nächste Bodenwelle hinauf; mitten im hohen Gras konnte er das rote Barett eines der Kindersoldaten ausmachen. Sie entfernten sich immer noch von ihrem Versteck. Aber Connor bezweifelte, dass Buju die Rebellen noch lange täuschen konnte; bald würden sie erraten, dass er sie auf eine falsche Spur geführt hatte. Und er bezweifelte auch, dass sich der große Rebell mit der Sonnenbrille an der

Nase herumführen lassen würde, ohne sich grausam zu rächen.

»Wir müssen weg, solange wir noch können.« In der Ferne konnte er die Anhöhe sehen, auf der die Lodge lag. Der Hügel lag im strahlenden Licht der Morgensonne, wie ein verlockendes Paradies, das ihnen Schutz und Sicherheit verhieß. Aber zwischen ihnen und der Lodge erstreckte sich die offene Savanne mit ihren grasenden Herden von Zebras, Kudus und Antilopen, in deren Nähe unweigerlich auch Löwen, Leoparden und Geparden im Unterholz oder im Gras lauerten.

»Der Einsatz wird leichter als ein Parkspaziergang«, hatte Charley gesagt. Ganz genau, dachte Connor sarkastisch, während er die Richtung zur Lodge mit dem Kompass bestimmte.

Er schwang sich vom Ast und kletterte den Stamm hinunter. Henri und Amber folgten. Vom Boden aus war zwar ihr Ziel nicht mehr zu sehen, aber Connor folgte dem Kompass und schlug eine südliche Richtung ein.

»Was meinst du, wie lange wir brauchen?«, fragte Amber mit einem besorgten Seitenblick auf ihren Bruder.

»Kommt drauf an, wie schnell wir vorwärtskommen«, antwortete Connor ausweichend. Sie stiegen einen Hang hinauf, mussten aber auch hier ständig dichtem Gestrüpp und überwucherten Erdhügeln ausweichen. »Vier, fünf Stunden vielleicht.«

Über ihnen jagten gelbe Webervögel nach den winzigen Insekten, die sie durch ihre Schritte aufscheuchten. Der Busch brummte und summte vor Leben; die Sonne, die bereits vom hellblauen Himmel brannte, heizte schon jetzt die Erde so auf, dass flimmernde Hitzewellen aufstiegen. Connor wischte sich den Schweiß von der Stirn, während sie weiter hangaufwärts gingen.

»Haben wir noch Wasser?«, fragte Henri mit heiserer Stimme.

»Ja.« Connor schraubte die Flasche auf, die er am Becken gefüllt hatte, und steckte den LifeStraw hinein. »Aber nur ein paar Schluck«, mahnte er. »Wer weiß, wann wir wieder auf Wasser stoßen.«

Henri verzog das Gesicht, als er das warme, chemisch schmeckende Wasser trank. »Was würde ich für eine eiskalte Coke geben«, seufzte er.

Amber sagte leise: »Gut, dass Buju noch lebt.«

Connor nickte nur. Ständig ließ er den Blick über das Gras und die Büsche schweifen und hielt nach Raubtieren Ausschau. Nach allem, was Gunner ihnen über die Tierwelt Afrikas erzählt hatte, war ihm klar, dass sie hier ständig von großer Gefahr umgeben waren.

»Das bedeutet vielleicht, dass auch unsere Eltern okay sind«, fuhr Amber fort. Es sollte eine Feststellung sein, klang aber eher wie eine Frage.

»Ja, wahrscheinlich.« Connor nahm die Flasche wieder an sich. Es konnte durchaus sein, dass die Rebellen Laurent und Cerise am Leben ließen, solange die beiden für sie nützlich waren. Möglicherweise würden sie auch versuchen, der französischen Regierung ein paar Millionen Dollar Lösegeld für das Botschafterehepaar abzupressen. Es war eine schwache Hoffnung, aber immerhin plausibel.

Gerade als sie den Scheitel des Hügels erreicht hatten, hallte ein Schuss durch das Tal.

»Runter!«, befahl Connor und stieß Henri und Amber zu Boden.

Weitere Schüsse waren zu hören, aber aus der Ferne. Connor nahm rasch das Fernglas aus dem Rucksack und schaute in die Richtung, aus der die Schüsse gekommen waren. Aber im Grunde brauchte er kein Fernglas – er konnte sich auch so denken, was die Schüsse bedeuteten.

KAPITEL 44

Buju floh durch den Busch, tief geduckt, während ringsum Kugeln das Dickicht zerfetzten. Sie hatten gedroht, ihn umzubringen, wenn er ihnen nicht half, die Spur der Kinder zu verfolgen. Und er hatte sie aufgespürt, hatte es aber nicht über sich gebracht, sie zu verraten. Nicht wenn er sich das grausame Schicksal vorstellte, das sie erwartete.

Natürlich hatte er sofort gewusst, dass sie sich im Baobabbaum versteckten. Für einen Tracker war es das offensichtlichste Versteck. Und im Busch waren die roten Haare der beiden Geschwister so etwas wie ein Leuchtfeuer. Aber als er sie geduckt und völlig verängstigt dort oben auf dem Ast liegen sah, hatte er nicht ihre Gesichter gesehen, sondern die Gesichter seiner eigenen Kinder. In diesem Augenblick war ihm klar geworden, dass er nicht schuld sein wollte, wenn sie gefangen genommen wurden – welche Folgen auch immer das für ihn selbst haben mochte. Kein Vater auf der Welt würde zulassen, dass seine Kinder dieser grausamen Mörderbande in die Hände fielen.

Und so hatte er Blaze und seine Leute von ihrer Beute weggeführt und eine Weile so getan, als folgte er einer frischen Spur. Aber es dauerte nicht lange, bis Blaze misstrauisch wurde. In diesem Moment beging Buju einen schweren Fehler: Er fabrizierte eine Spur, um die Rebellen zu überzeugen, dass sie immer noch auf dem richtigen Weg waren. Er befahl ein paar der Soldaten, ein Stück vorauszulaufen und Ausschau zu halten. Inzwischen brach er einen Zweig ab, als er sich unbeobachtet fühlte, zeigte ihnen einen Augenblick später seine Entdeckung und wies in die Richtung, in die die Kinder angeblich geflohen waren.

Aber der Junge, den sie NoMercy nannten, hatte ihn beobachtet und beschuldigte ihn, ein Lügner und Betrüger zu sein.

In diesem Augenblick beschloss er zu fliehen. Und jetzt lief er um sein Leben.

»Lasst mir diese Schlange bloß nicht entkommen!«, überbrüllte Blaze sogar das Knattern der Gewehrsalven.

Wie ein aufgeschrecktes Kaninchen huschte Buju im Zickzacklauf durch die Büsche. Nur wenn er es bis zum Dschungel schaffte, hatte er eine Chance, sie abzuhängen. Aber Blaze hatte ihm geistesgegenwärtig noch einen Hieb mit der Machete versetzt und die Wunde blutete nun sehr stark. Er spürte, wie es herabtropfte. Wahrscheinlich zog er eine blutrote Spur durch das Gebüsch.

Die Soldaten verfolgten ihn und feuerten ganze Magazine auf ihn ab.

Eine Kugel traf ihn in die Schulter und warf ihn zu Boden. Buju rappelte sich hoch, kam taumelnd auf die Beine, dann schlug eine Kugel in seine Hüfte ein. Trotzdem schleppte er sich weiter, die Bäume waren fast zum Greifen nahe... Ein steinharter Schlag in den Rücken, als eine Kugel in seinen rechten Lungenflügel einschlug. Er stürzte, kroch weiter, der Dschungel war nur noch ein paar Meter entfernt...

Plötzlich wurde alles still. Das Knattern der Schüsse verklang, stattdessen kamen die vertrauten Geräusche der Savanne zurück. Er hörte das Zirpen der Zikaden im Gras, das Trillern der Webervögel in den Bäumen, das Wiehern der Zebras und irgendwo in der Ferne das mächtige Gebrüll eines Löwen. Und Buju sah, wie sein Blut in der roten Erde versickerte. Seine Hand schloss sich noch ein letztes Mal um die Erde, die ihm Wärme und Trost spendete.

Doch der Tracker durfte nicht friedlich sterben. Jäh wurde er noch einmal ins grausame Leben zurückgerissen, als Blaze den Stiefel auf seinen Rücken setzte, ihn grob an den krausen Haaren packte und ihm den Kopf zurückkriss.

Blaze drückte die Klinge der Machete an Bujus Kehle und bellte: »Wohin sind die Kinder *wirklich* geflohen?«

Buju stöhnte vor Schmerzen und Verzweiflung. »Sind jetzt... meilenweit... weg...«

»Du lügst! Ich weiß, wo wir noch auf der richtigen Spur waren.«

»Du findest sie nicht... nicht ohne mich...«, keuchte Buju.

»Das werden wir sehen«, sagte Blaze und zog die Klinge scharf durch Bujus Kehle.

Blut spritzte und sprudelte auf die Erde; der Tracker zuckte noch ein paar Mal, dann regte er sich nicht mehr. Blaze schüttelte das Blut von der Machete und wischte die Klinge am Hemd des Toten sauber. Er richtete sich auf und ließ den Blick aufmerksam über die Savanne gleiten.

»Zurück zum Baobab«, befahl er seiner zerlumpten Bande. »Dort haben wir ihre Spur verloren.«

Als sie sich auf den Rückmarsch machten, glaubte NoMercy, ein schwaches Glitzern auf einem Hügel zu sehen. Da – noch einmal. Jetzt war er überzeugt, dass er sich nicht getäuscht hatte.

KAPITEL 45

Connor wurde übel, als er mitansehen musste, wie sie Buju ermordeten. Er ließ das Fernglas sinken. Zuletzt hatte er gesehen, wie der Junge mit dem roten Barett in ihre Richtung deutete. Wie hatte er sie so schnell entdecken können? Buju hatte nicht wissen können, wohin sie vom Baobabbaum aus geflohen waren, daher konnte er sie nicht verraten haben.

Als Connor jedoch das Fernglas in den Rucksack steckte, wurde ihm klar, was sie verraten hatte: Er hatte nach Westen geschaut, das Sonnenlicht war bestimmt vom Objektiv reflektiert worden. Er verfluchte seine eigene Dummheit.

»Was ist los?«, fragte Amber, die immer noch erschöpft neben ihrem Bruder lag.

»Buju ... sie haben ihn gerade ermordet«, sagte er tonlos.

»Mein Gott! Nein!« Das Blut wich schlagartig aus ihrem Gesicht. Mit Bujus Tod starb auch ihr letztes Fünkchen Hoffnung, dass die Rebellen ihre Eltern verschont haben könnten.

Connor zog die beiden auf die Füße. »Sie sind auf dem Weg hierher. Wir müssen schnell weg!«

Geduckt rannten sie weiter. So gut es ging, nutzten sie die Büsche als Deckung. Connor konnte nur hoffen, dass die Rebellen ohne Buju als Führer langsamer vorankamen. Wenn es Connor und den Geschwistern gelang, sich nicht sehen zu lassen, dann hatten sie vielleicht eine minimale Chance, den Verfolgern zu entkommen.

Als sie den Hügelkamm erreicht hatten, breitete sich vor ihnen wieder die weite Savanne aus. Doch es war keine gleichförmige Fläche, sondern eine zergliederte Landschaft aus großen Aufhäufungen von Granitfelsen, breiten, mit dichtem Unterholz und Gestrüpp bewachsenen Abschnitten und Gruppen von Bäumen mit flachen Kronen. Weiter hinten wurde das Gelände flacher und ging in eine grasbewachsene Ebene über, durch die sich der Ruvubu wie eine glänzende Python wand, der damit das Tal in zwei Hälften teilte. Bis jetzt hatte sich Connor noch keine Gedanken darüber gemacht, wie sie diesen breiten Wasserlauf durchqueren sollten – wenn sie überhaupt so weit kamen.

Connor riskierte einen schnellen Blick zurück. Das rote Barett raste durch das hohe Gras heran.

»Weiter, weiter«, drängte Connor und trieb Amber und Henri vor sich her den Abhang hinunter.

Sie rannten so schnell, wie Henris Asthma es zuließ, folgten einem Wildwechsel durch die Savanne und in ein dichtes Dickicht hinein, stürmten auf der anderen Seite wieder hinaus... und Amber blieb so abrupt stehen, dass Henri und Connor gegen sie prallten.

Alle drei erstarrten förmlich zu Stein.

Nur ein paar Meter entfernt wurde ein Zebra von einem Rudel Tüpfelhyänen zerrissen. Ihre kräftigen Schnauzen bissen und zerrten an dem Fleisch, ihr Pelz war blutgetränkt und sie stritten sich heftig um die Beute. Die Laute, die sie von sich gaben, erinnerten an ein unheimliches Kichern und Lachen wie in einem Irrenhaus.

Die Hyänen mit niedrigem Rang im Rudel, die immer wieder von den dominanten Weibchen von der Beute weggejagt wurden, wandten sich sofort dem appetitlichen neuen Festmahl zu, das so unerwartet aufgetaucht war. Sie starrten die frische menschliche Beute mit hungrigen Augen an und fletschten die Zähne, während ihre gierigen Schnauzen noch stärker sabberten. Eine Hyäne nach der anderen wurde still, als das Rudel auf die drei Menschen aufmerksam wurde.

Connor, zum ersten Mal mit einem Furcht einflößenden Pack von Raubtieren konfrontiert, musste seine ganze Selbstbeherrschung aufwenden, um nicht umzudrehen und zu fliehen. Aber er hatte Gunners Rat nicht vergessen: Eine Flucht würde nur den Jagdinstinkt der Tiere anstacheln.

»Langsam zurückziehen«, flüsterte er den beiden anderen zu und versuchte, so ruhig wie möglich zu klingen. »*Laaangsam.*«

Amber brachte ein leichtes Nicken zustande. Sie wichen rückwärts zurück, einen Schritt nach dem andern, bis sie wieder im Schutz des Dickichts waren. Aber die Hyänen rückten vor, ebenfalls langsam, aber offensichtlich entschlossen, ihre neue Beute nicht aus den Augen zu verlieren. Henri blickte kurz über die Schulter zurück, um zu sehen, wohin er trat, und sofort schlich eine Hyäne mit halb abgerissenem Ohr näher heran.

»Lasst sie keine Sekunde aus den Augen«, warnte Connor. »Sobald ihr das macht, greifen sie an.«

Sie waren fast im Dickicht verschwunden, als die Anführerin des Clans ein unheimliches *Wuuuf!* ausstieß und plötzlich das gesamte Rudel losstürmte. Connor und die Geschwister wurden von reinem Überlebensinstinkt gepackt; der Ratschlag des Rangers war vergessen. Sie drehten sich um und rannten um ihr Leben, rasten durch die Büsche, ohne auch nur zu merken, wie die Dornen ihre Kleider zerrissen und tiefe Kratzer durch ihre Haut zogen. Das irre Kichern und

Knurren folgte ihnen von mehreren Seiten, und zwischen den Büschen und Bäumen sah Connor immer wieder sandbraunes Fell, schwarze Schnauzen und muskulöse Vorderbeine. Die Hyänen kamen rasch näher.

Die drei rasten aus dem Dickicht ins hohe Gras hinein. Die Hyänen rückten unerbittlich von drei Seiten näher heran, griffen aber noch nicht an. Einen Augenblick lang wunderte sich Connor darüber, bis ihm klar wurde, dass das Rudel sie einfach ermüden wollte, um sie dann leichter reißen zu können.

»Die Bäume!«, schrie Amber und deutete auf eine Gruppe von Akazien, die etwas weiter oben am Hang stand.

Connor hatte die Bäume ebenfalls bemerkt. Er wusste, dass Hyänen nicht klettern konnten, und trieb seine Schützlinge zu der rettenden Baumgruppe. Aber dann blockierte plötzlich eine riesige, knurrende und zähnefletschende Hyäne ihren Weg. Connor schwenkte ab, und sie rannten über einen Abhang, umrundeten einen großen Steinhaufen und suchten nach einem anderen Weg zu den Bäumen. Henris Atem ging pfeifend, sein Gesicht war kreideweiß vor Anstrengung.

»Dort hinauf!«, schrie Connor, als er einen schmalen Spalt zwischen den riesigen Felsblöcken entdeckte, der hügelaufwärts führte.

Er nutzte eine Lücke im Rudel aus und führte Amber und Henri schnell zum Eingang der Kluft. Doch noch bevor sie diesen erreicht hatten, stürzte sich die Hyäne mit dem abgerissenen Ohr auf Henri. In reiner Panik floh Henri in die entgegengesetzte Richtung und verschwand im hohen Gras. Das Rudel bellte und heulte und fast alle Tiere jagten nun der jüngsten und schwächsten Beute nach.

»Wir müssen ihn retten!«, schrie Amber, außer sich vor Angst.

Aber auch für sie und Connor war die Hetzjagd noch nicht vorbei. Zwei Hyänen verfolgten sie in die Felsenkluft. Und eine dritte erschien oben am Ende des Spalts. Sie saßen in der Falle. Hektisch suchte Connor nach einem Ausweg.

»Dort rein!«, rief er und deutete auf einen schmalen Spalt zwischen zwei riesigen Felsbrocken.

»Zu eng!«, schrie Amber.

Aber sie hatten keine andere Wahl. Die Hyänen griffen nun von beiden Enden der Felsenkluft an. Connor stieß Amber in den schmalen Spalt. Obwohl sie schlank und beweglich war, musste sie sich mühsam hineinzwängen. Connor warf den Rucksack hinterher, zog Bauch und Brust ein und kroch ihr nach, blieb aber mittendrin stecken. Es war, als senkten sich die Felsen auf seine Brust herab, immer schwerer schienen sie auf ihn zu drücken, er konnte kaum noch atmen. Von draußen hörte er das hysterische Lachen der Hyänen, die sich jeden Augenblick auf seine zappelnden Beine stürzen würden. Amber hatte sich inzwischen in der engen Höhle umgedreht und versuchte verzweifelt, ihn an den Armen hereinzuziehen. Connor verkrümmte sich zu einem letzten, verzweifelten Versuch und rutschte durch die Öffnung, gerade als die scharfen Zähne der Hyänen nach seinen Beinen schnappten.

KAPITEL 46

Connor und Amber lagen eng aneinandergepresst in der engen Höhle. Beide zitterten heftig. Am Eingang kratzten, fauchten und knurrten drei Hyänen, wütend und frustriert, weil ihnen die schon sicher geglaubte Beute entkommen war.

»Was jetzt?«, schrie Amber gellend, während sie sich gegen die Vorderpfoten der Hyänen wehrte, die ständig nach ihr schlugen.

»Keine Angst, sie kommen hier nicht rein«, sagte Connor, erleichtert, dass die Schultern der Hyänen zu kräftig gebaut waren, um durch den schmalen Eingang zu passen.

»Und wir nicht raus! Wir müssen aber, wir müssen Henri retten!«

Connor wurde von Schuldgefühlen überwältigt. Er wagte nicht sich vorzustellen, welches Schicksal der arme Junge erlitten hatte. Aber wie hätte er, Connor, zwei Kinder gleichzeitig schützen sollen? Ihre Lage war hoffnungslos gewesen, gegen ein Rudel gieriger Hyänen hatten sie nicht die geringste Chance. Amber und er hatten nur mit knapper Not überlebt – und die Gefahr war keineswegs vorbei.

»Wir werden ihn finden«, sagte er beruhigend. Aber selbst in seinen Ohren klang es wie ein leeres Versprechen.

»Aber nicht, bevor ihn diese Bestien...« Sie schluchzte auf. Schock, Todesangst, Trauer überwältigten sie. »Warum mussten wir ausgerechnet nach Burundi kommen? *Warum?* Das ist die reinste Hölle! Meine Eltern ermordet... mein Bruder bei lebendigem Leib aufgefressen... Ich... ich...«

Connor zog sie noch enger an sich. Es dauerte lange, bis sie sich ausgeweint hatte. Der Horror der letzten vierundzwanzig Stunden war so entsetzlich, dass wohl jeder zusammengebrochen wäre. Tatsächlich war er erstaunt, dass sie so lange durchgehalten hatte. Trotz des intensiven Trainings für das Überleben in feindlicher Umgebung war auch er selbst nahe daran, die Nerven zu verlieren. Er hatte geglaubt, seine beiden früheren Missionen hätten ihn gut auf jede Notlage vorbereitet. Aber allmählich dämmerte ihm, dass ihn nichts, rein gar nichts, auf das hätte vorbereiten können, was er hier in Afrika durchmachen musste. Brutale, menschenverachtende Überfälle, mörderische Rebellentrupps, Giftschlangen, menschenfressende Hyänen – Operation Lionheart war bezüglich des Gefahrenlevels in fataler Weise falsch eingeschätzt worden. Und diese Fehleinschätzung hatte dazu geführt, dass ihnen nun jede Unterstützung fehlte, die für seine eigene und die Sicherheit seiner Klienten erforderlich gewesen wäre. Die Operation hatte sich zu einer Katastrophe entwickelt. Sein einziger Trost war, dass er zweimal hintereinander keinen Tagesbericht erstattet hatte. Inzwischen würden in der Buddyguard-Zentrale sämtliche Alarmsirenen schrillen; Charley würde Tag und Nacht versuchen, den Grund für den Abbruch der Kommunikation herauszufinden, und zudem eine Such- und Rettungsoperation einleiten.

Sie mussten nur am Leben bleiben, bis das Rettungsteam kam.

Ambers Schluchzen war abgeklungen. Connor wurde bewusst, dass auch die Hyänen schon seit einer ganzen Weile verstummt waren.

»Was glaubst du – haben sie aufgegeben?«, flüsterte Amber dicht an seiner Brust.

Er schob sich ein wenig näher an den Eingang und spähte vorsichtig hinaus. Die Sonne brannte erbarmungslos auf den leeren Spalt und die nackten Felsen nieder. Nur ein Gewirr von Pfotenabdrücken im Sand war der Beweis, dass die Hyänen kein böser Traum gewesen waren.

»Vielleicht.« Er schob sich noch weiter hinaus, um besser sehen zu können.

Und befand sich plötzlich Nase an Nase mit einer fauchenden Hyäne.

Connor zuckte in die Höhle zurück; die Hyäne stieß ihr unheimliches *Wuuf!* aus und schnappte noch wütender als zuvor nach ihm.

»Das beantwortet wohl die Frage«, sagte Connor, geschockt über die kalte Gerissenheit der Tiere. Er hatte auch die beiden anderen Tiere gesehen, die auf einem Felsblock lagen und geduldig darauf warteten, dass sich ihre Beute aus der Höhle wagte.

Mit wachsender Verzweiflung suchte Connor nach einem anderen Ausgang, musste aber feststellen, dass sie wirklich in einer ausweglosen Falle steckten. Die Höhle endete direkt hinter ihren Füßen; Decke und Wände bestanden aus massiven Felsbrocken. Es gab zwar weitere Durchgänge, aber sie waren so schmal, dass höchstens ein halb verhungertes Kaninchen hindurchpassen würde. In seiner Verzweiflung hatte Connor tatsächlich gehofft, einen anderen Ausgang zu finden. Jetzt wurde ihm klar, dass die Höhle zu ihrem Grab werden würde.

Die Hyäne scharrte immer heftiger auf dem Boden am

Eingang, der von Minute zu Minute tiefer wurde. Bald würde das Loch so groß sein, dass sich das Biest trotz seiner breiten Schultern hindurchzwängen und sie mit seiner gierigen Schnauze zerreißen konnte.

Nun fing auch Amber an, mit einem Stein hektisch und wie von Sinnen hinter sich zu scharren. Erde und Sand regneten auf sie herab, während sie einen verzweifelten Überlebenskampf begann, den sie auf jeden Fall verlieren musste. Connor zog das Messer. Er musste die Hyäne töten, bevor sie in die Höhle eindringen konnte. Aber es schien kaum möglich, einen tödlichen Stich in den breiten, knochigen Schädel zu treiben, auch nicht mit einem Überlebensmesser. Die spitzen, scharfen Zähne waren Waffen, gegen die er kaum ankommen konnte. Es würde ein heftiger, blutiger Kampf werden, der auf jeden Fall einen Kämpfer das Leben kosten würde. Connor wappnete sich für den Angriff.

Ein Schuss knallte.

Die Hyäne zuckte zusammen, dann hörte sie auf zu scharren. Weitere Schüsse knallten. Das Tier zog den Kopf aus dem Eingang und ergriff die Flucht. Connor und Amber schauten sich verblüfft an, unendlich erleichtert, dass die tödliche Gefahr verschwunden war, andererseits voller Angst vor dem, was nun kommen würde.

Sie hörten das Knirschen schwerer Schritte.

»Hab doch gesehen, wie sie in den Spalt gelaufen sind, Blaze!«, rief eine Jungenstimme.

»Und? Wo sind sie dann?«, knurrte eine tiefere Männerstimme. Connor erkannte sie. Es war der Rebell mit der Sonnenbrille, der da draußen war.

Ein Schatten glitt vor dem Spalteingang vorbei. Connor sah ein Paar nackte Füße und ein Paar schwarze Stiefel, die keine zwei oder drei Meter von ihrem Felsenloch entfernt standen.

»Vielleicht sind sie entkommen.«

Plötzlich spürte Connor, wie sich Amber verspannte. Er blickte sich nach ihr um. Beim Graben hatte sie eine kleine ölig-schwarze Spinne mit bauchigem Hinterleib aufgeschreckt, die nun über Ambers Arm kroch. Connor sah, dass Amber jeden Augenblick ihren Schock überwinden und aufschreien würde, und presste ihr schnell die Hand auf den Mund. Ihre Augen waren weit aufgerissen; reinster Terror hielt sie gepackt, als das achtbeinige Insekt über ihren Arm und zu ihrem Hals hinaufkroch.

»Hast du gesehen, dass sie herausgekommen sind?«, wollte Blaze wissen.

»Nein«, gab der Junge zu.

Die Spinne war auf Ambers Schulter angekommen. Jetzt konnte Connor eine deutliche rote Markierung auf dem Unterleib ausmachen, die an eine Sanduhr erinnerte. Er spürte, wie Ambers lähmende Angst auch ihn packte.

»Durchsuch den Spalt, von oben bis unten. Dreh jeden Stein um, verstanden?«, bellte der Mann.

KAPITEL 47

Die Schwarze Witwe setzte langsam ihren Weg über Ambers Nacken fort. Immer höher kroch sie hinauf. Weder Amber noch Connor wagten sich zu rühren, beide waren förmlich zu Stein erstarrt, während die Spinne mit den Vorderbeinen vorsichtig Ambers Wange abtastete. Ihre winzigen Facettenaugen glitzerten im düsteren Licht der Höhle.

Amber schloss die Augen, als ihr schlimmster Albtraum wahr wurde. Trotz der enormen Hitze in der Höhle spürte Connor den kalten Schweiß, der Ambers Haut überzog, als die Spinne ihren Weg über ihr Gesicht fortsetzte. Ihre Beine ertasteten seine Hand, die immer noch über Ambers Mund lag. Aber er wagte nicht, sie wegzuwischen. Sie konnten nicht fliehen; draußen warteten die Killer. Und hier drin würde ihnen die Spinne mit einem einzigen Biss ein tödliches Nervengift injizieren, das entsetzliche Bauchschmerzen, Erbrechen und Lähmungen verursachte und sogar zum Tod führen konnte.

Draußen durchsuchten die Rebellen den Felsspalt Zentimeter um Zentimeter. Sie drehten buchstäblich jeden Stein um. Immer näher kamen sie dem Höhleneingang. Amber war so bleich wie der Tod, als die Spinne über ihr rechtes Augenlid kroch. In nackter Panik zuckte ihr Augenlid unwillkürlich, als die Spinne darüberkroch. Das Insekt hielt inne und tastete die zarte Haut genauer ab.

Schritte näherten sich der Höhle; Sand und Steine knirschten, der Eingang verdunkelte sich, als sich ein Soldat bückte, um hineinzuspähen. Aber im selben Augenblick knallte wieder ein Schuss, gefolgt von einer ganzen Salve.

»Hier drüben!«, schrie ein Mann aus größerer Entfernung.

Der Schatten verschwand vom Eingang, knirschend entfernten sich die Schritte. Weder Amber noch Connor wagten sich zu bewegen. Die Schwarze Witwe suchte sorgfältig ihren Weg durch Ambers wirres rotes Haar. Connor betete mit bebenden Lippen, dass die Spinne nicht ausgerechnet dort ihr Netz spannen würde. Amber starrte Connor regungslos in die Augen, während sie das leise Knistern hörte, als die Spinne über ihr Ohr kroch.

Nach einer Ewigkeit kroch das Insekt auf den Boden, zum Höhleneingang hinaus und verschwand in einer Ritze zwischen den Felsen.

»Sie ist weg«, flüsterte Connor.

Amber zuckte zusammen, als wachte sie aus einer Trance auf, und kroch in panischer Angst zum Ausgang.

»Nein!«, zischte Connor entsetzt. »Sie sind vielleicht noch draußen!«

Aber Amber achtete nicht auf ihn. Ihr Verstand hatte vollständig ausgesetzt. Sie wand sich durch das Loch. Connor blieb nichts anderes übrig, als ihr zu folgen. Er schob den Rucksack hinaus und kroch hinterher. Die Hyäne hatte durch ihr Scharren dafür gesorgt, dass er nun viel leichter durch die Öffnung kam.

Connor blickte sich rasch um. Kein Rebell war zu sehen. Amber saß auf einem Felsblock, die Knie hochgezogen. Ihr Atem ging stoßweise und sie zitterte am ganzen Körper.

Connor lief schnell zum Eingang der Felskluft und blickte auf die Savanne hinaus. Glücklicherweise waren weder Rebellen noch Hyänen in Sicht. Er kehrte um und kniete vor Amber nieder.

»Geht es wieder?«, fragte er.

Sie gab keine Antwort. Ihre Augen wirkten glasig. Offenbar befand sie sich noch immer im Schockzustand. Aber ganz langsam kehrte ein wenig Farbe in ihr Gesicht zurück. Connor berührte sie leicht am Arm, und sie zuckte so heftig zurück, dass sie fast vom Stein fiel.

»Alles in Ordnung«, sagte er besänftigend. »Jetzt bist du in Sicherheit.«

»Sicherheit?«, fragte sie tonlos. Langsam fokussierte sich ihr Blick; sie starrte ihn fassungslos an. Mit einer matten Handbewegung wies sie auf die Savanne. »Das nennst du Sicherheit?«

Sie stand auf und ging entschlossen zum Ausgang der Kluft. Connor packte sie am Arm und hielt sie zurück.

»Lass mich los!«, befahl sie und starrte ihn wütend an.

»Aber in der Richtung sind die Rebellen verschwunden«, widersprach Connor.

»Und mein Bruder auch!«, gab sie heftig zurück, riss sich von ihm los und rannte aus der Kluft.

KAPITEL 48

Connor warf den Rucksack über die Schulter und rannte ihr nach. Er rechnete damit, jeden Augenblick den Rebellen in die Arme zu laufen – oder vor die gierige Schnauze einer blutrünstigen Hyäne. Ein paar Sekunden lang verlor er Amber im hohen Gras aus den Augen, aber dann entdeckte er sie wieder: Sie kniete am Fuß einer kleinen Akazie. Henris Inhalator lag neben einer kleinen Blutlache, über der eine Wolke schwarzer Fliegen aufgeregt summte. Connors Mut brach in sich zusammen. Sie kamen zu spät.

»Hast... hast du... ihn gefunden?«, fragte er zögernd. Er wagte kaum daran zu denken, was die Hyänen mit Henri gemacht haben mochten.

»Das ist nicht sein Blut«, sagte sie leise. Sie hob den Inhalator auf und deutete auf eine tote Hyäne, die hinter dem Baum lag. Der Bauch des Tieres war von einem großkalibrigen Geschoss buchstäblich zerfetzt worden.

»Henri hat es wahrscheinlich bis zu dem Baum geschafft, er hat sich vor den Hyänen in Sicherheit bringen können, aber...« – sie schaute zu ihm auf, die Augen voller Tränen – »aber nicht vor den Mördern.«

Sie hatten mehrere Schüsse und Befehlsgebrüll gehört. Aber das bedeutete nicht unbedingt, dass die Rebellen Henri erschossen hatten. Hier am Baum sah es eher so aus, als hätten sie Henri vor der Hyäne gerettet. Das war sicherlich ein gutes Zeichen. Aber was war danach mit Henri geschehen? Das war die Frage.

War er verwundet? Konnte er fliehen? Oder hatten ihn die Rebellen gefangen genommen?

Aus einem der Büsche hörten sie plötzlich einen schrillen Schrei.

»Henri?«, schrie Amber in verzweifelter Hoffnung.

Aber im Gebüsch entdeckten sie nur eine verwundete Hyäne. Sie hob den Kopf und knurrte wütend; es war das Tier mit dem halb abgerissenen Ohr. Kugeln hatten seine Hinterbeine in eine ekelhafte Masse aus Knochen, Fell und Blut verwandelt, aber das Tier gab nicht auf. Es hieb mit den Vorderpfoten nach ihnen, fletschte die Zähne und schnappte nach ihren Beinen. Die Hyäne verblutete, aber ihre Gier war unersättlich und stärker als alle Qualen.

Connor und Amber wichen vorsichtig zurück.

»Wir müssen Henri suchen!«, sagte Amber entschlossen.

»Es wäre besser, wir würden zur Lodge gehen und Verstärkung holen.«

»Nein!«, sagte sie unnachgiebig. »Ich werde meinen Bruder nicht allein in dieser Hölle zurücklassen. Ich muss ihn suchen oder wenigstens herausfinden, was sie mit ihm... was aus ihm geworden ist.«

Damit geriet Connor in eine klassische Zwangslage, eine »No-win-Situation«, wie einer seiner Trainer es einmal genannt hatte. Er konnte Henri nicht einfach seinem Schicksal überlassen. Aber er durfte auch Amber nicht in noch größere Gefahr bringen. Sie war die einzige Klientin, die er noch beschützen konnte. Damit wurde ihre Sicherheit zu seiner wichtigsten Aufgabe. Oder nicht? Waren nicht beide gleich wichtig? Aber durfte er ein Leben riskieren, um das andere zu retten? Es war ein Spiel, bei dem er am Ende beide Schützlinge verlieren konnte – und sein eigenes Leben.

Plötzlich raschelte es im Gebüsch hinter ihnen. Connor wirbelte herum – ein Rebell trat aus dem Dickicht. Offenbar war er völlig überrascht, als er sie plötzlich vor sich sah. Er riss die AK-47 hoch und zielte, aber bevor er abdrücken konnte, hatte Connor schon Amber beiseitegestoßen, sodass sie hinter den Baum stürzte. Connor sprang drei Schritte vor und griff den Mann frontal mit einem Flying-Side-Kick an. Der Mann hatte mit einem derart schnellen und brutalen Angriff nicht gerechnet; Connors Fuß krachte ihm in den Brustkorb; eine Rippe knackte hörbar und brach. Der Side-Kick war eine von Connors Spezialtechniken, die er in zahllosen Trainingsstunden und Kämpfen immer weiter verbessert und verfeinert hatte. Der Mann taumelte zurück und fiel rückwärts mitten in einen Wait-a-while-Busch, dessen Dornen sich sofort in ihm verfingen. Als er sich losreißen wollte, um seine AK-47 wieder fester zu packen und hochzureißen, verfing er sich noch mehr. Die Dornenzweige wickelten sich wie Stacheldraht um ihn. Der Mann war hilflos gefangen, blutete aus unzähligen Schnittwunden und atmete keuchend. Er schrie um Hilfe.

Als sich Connor umdrehen wollte, um mit Amber zu fliehen, wurde ihm eine Waffe brutal in den Rücken gerammt.

»Keine Bewe...«

Den Rest des Befehls wollte Connor gar nicht erst abwarten. Er wirbelte herum, rammte den Gewehrlauf mit dem Ellbogen beiseite und stieß den Angreifer mit einem Handballenstoß direkt in die Brust. Dieser äußerst effektive »One-Inch-Push« krachte direkt in den Solarplexus, verschlug dem Angreifer den Atem und ließ ihn mehrere Meter zurücktaumeln. Instinktiv krümmte sich der Finger des Rebellen am

Abzug; die AK-47 ratterte los, Kugeln flogen in alle Richtungen, während der Rebell schwer zu Boden stürzte. Connor ließ sich auf ein Knie fallen, Amber ging hinter dem Baumstamm in Deckung, von dem Rindensplitter sprühten, als die Kugeln einschlugen.

Jetzt erst bekam Connor den Angreifer aus der Nähe zu sehen. Es war der Junge mit dem toten Blick und dem schwarzen Bandana, auf dem das Wort DREDD prangte. Sein rechtes Ohr fehlte, als sei es von einer Machete abgehackt worden. Der Junge war ein wenig kleiner als Connor, kannte aber wahrscheinlich nichts anderes als ständigen Dschungelkrieg und war entsprechend gehärtet. Schon kam er wieder auf die Füße. Das durfte Connor nicht zulassen. Er kickte ihm das Sturmgewehr aus den Händen.

Dredd hatte nie etwas anderes als brutale Schlägereien kennengelernt und griff deshalb mit einem Kopfstoß an, nicht sehr elegant, aber effektiv, denn Connor wurde buchstäblich die Luft aus der Lunge geschlagen. Beide stürzten, aber Dredd kam schneller hoch, warf sich auf Connor, presste ihm mit den Knien die Arme auf den Boden und begann auf ihn einzuprügeln. Connor musste ein paar hammerartige Schläge an den Kopf einstecken. Irgendwo und wie aus der Ferne hörte er Amber seinen Namen schreien, gleichzeitig heulte die verwundete Hyäne auf. Connor warf sich hoch, drückte den Rücken durch, versuchte Dredd abzuwerfen, aber der reagierte mit einem besonders bösartigen Schlag, bei dem Connors Augenbraue aufplatzte. Blut strömte ihm in das Auge und alles verschwamm. Wenn er nicht sofort etwas unternahm, würde ihn der Rebell totprügeln.

Er versuchte, an sein Messer zu kommen, aber der Griff steckte unter ihm fest und Dredd kniete immer noch auf seinen Armen.

Komm schon, Teufelskerl. Die Runde ist noch nicht vorbei.
Lings spöttische Zurufe schossen ihm plötzlich durch den Kopf. Die Kämpfe gegen Ling hatten Connor nicht nur abgehärtet, sondern ihm auch den einen oder anderen Trick beigebracht. Eine von Lings Lieblingstechniken war, bestimmte Nervenpunkte anzugreifen – *Kyūsho Jitsu* –, wodurch es ihr gelang, dem Gegner extreme Schmerzen zuzufügen und seine Kampffähigkeit entscheidend zu schwächen.

Dredd unterbrach seine gnadenlosen Hiebe, aber nur, um einen großen Stein zu nehmen. Durch den roten Blutfilter sah Connor, dass er den Stein hoch über den Kopf hob. Entsetzt merkte er, dass schon der nächste Schlag sein Ende bedeuten konnte, und kniff so stark er nur konnte den *Yako-Punkt* am Innenschenkel des Jungen. Hier verliefen die Nervenstränge dicht unter der Haut.

Dredd stieß einen spitzen Schmerzensschrei aus und warf sich von ihm herab. Dann begann er zu schreien. Benommen und mit Blut in einem Auge kroch Connor weiter von ihm weg und kam wieder auf die Knie. Er war völlig verblüfft, wie wirkungsvoll der Kniff war. Doch dann sah er, dass der Junge in die Reichweite der verwundeten Hyäne geraten war. Dredd schrie gellend auf, als das Tier die mächtigen Zähne in seinen Oberarm schlug und sich daran machte, den Arm zu zerfleischen. Rasend vor Schmerzen schlug Dredd mit dem Stein auf den Kopf der Hyäne ein. Aber deren Schädel war zu hart und die Schläge zeigten wenig Wirkung.

Connor stand taumelnd auf und nutzte die Gelegenheit, um zu fliehen.

»Aidez-moi!«, schrie der Junge, dessen Schläge auf den Schädel der Hyäne immer schwächer wurden, während das Tier schon ein Stück Fleisch aus dem Arm herausriss. *»Hilfe! Bitte!«*

Connor zögerte. Amber zu schützen, hatte absolute Priorität, aber er konnte auch nicht zusehen, wie ein Mensch von dem Biest zerrissen wurde. Dieser Tod war zu grausam, selbst für einen, der gerade erst versucht hatte, ihn umzubringen. Die AK-47 lag in der Nähe, Connor hob sie auf. Sie war sogar noch schwerer, als er erwartet hatte. Er zielte und drückte auf den Abzug. Die Kalaschnikow brüllte auf, der Rückstoß hämmerte gegen Connors Schulter und hätte ihn beinahe umgestoßen. Kugeln durchsiebten den Boden, als er versuchte, die mächtige Waffe unter Kontrolle zu bekommen. Die Hyäne, deren Zähne immer noch den halb zerfleischten Arm gepackt hielten, stieß ein erbärmliches Wimmern aus und wurde schlaff. Dredd sank stöhnend vor Schmerzen auf den Boden zurück. Aber er lebte.

»Schnell weg von hier«, sagte Connor und rannte zu Amber hinüber. Er hörte die anderen Rebellen, die durch die Schüsse alarmiert worden waren, durch das Gebüsch heranstürmen.

»Aber was ist mit Henri?«, rief sie verzweifelt, als er sie durch das hohe Gras hinter sich herzog.

»Wir finden ihn nicht, wenn wir tot sind.«

KAPITEL 49

Connor achtete nicht auf die Richtung, in der sie flohen; sein einziges Ziel war, der Mörderbande zu entkommen. Er hielt Ambers Hand fest, bahnte sich den Weg durch Dornen und Gestrüpp, das so hoch aufragte, dass er sich nirgendwo einen Überblick verschaffen konnte. Die AK-47 hing schwer an seiner Schulter und schlug beim Lauf schmerzhaft gegen seine Hüfte, aber er verwarf den Gedanken, sie fallen zu lassen. Bestimmt würden sie sich bald wieder verteidigen müssen, und dann würde er das Gewehr dringend brauchen.

Die Rebellen schrien sich gegenseitig Befehle zu. Connor hörte, dass sie die Verfolgung aufgenommen hatten – und dass sie näher kamen. Er hielt kurz an, nahm die Waffe in den Anschlag und feuerte als Warnung ein paar Schüsse in die Bäume.

Amber hatte sich die Hände über die Ohren geschlagen; die Schüsse waren unerträglich laut. »Damit verrätst du doch nur unsere Position!«

Connor nickte. »Aber jetzt wissen sie, dass wir eine Waffe haben. Sie werden vorsichtiger sein müssen. Und hoffentlich werden sie dadurch langsamer.«

Sie stießen auf einen weiteren Wildwechsel, aber Connor bog nicht darauf ein, sondern checkte rasch die Richtung mit dem Kompass und bog dann im rechten Winkel durch den Busch ab. Die Sonne brannte erbarmungslos vom Himmel; seine Kehle war völlig ausgetrocknet und durch den Staub fühlte sie sich pelzig an. Amber keuchte heftig, aber er wagte nicht anzuhalten, auch wenn sie beide dringend ein paar Schlucke Wasser benötigten. Sie stiegen einen steilen, felsigen Hang hinauf. Amber stolperte und Connor musste ihr wieder auf die Beine helfen. Beide waren am Rand der Erschöpfung. Die paar Beeren zum Frühstück hatten ihren Hunger nicht befriedigt und ihnen nicht genug Energie geliefert, um diese Jagd noch lange durchhalten zu können. Adrenalin und Angst waren ihr Antrieb.

Sie rannten durch eine größere Baumgruppe und störten eine Herde Dikdiks, die von den Büschen fraßen. Die winzigen Zwergantilopen huschten in heller Panik davon und stießen dabei ein schrilles *Zick-zick!* aus. Connor wurde klar, dass die Rebellen sie schon bald einholen würden. Kurz darauf wurde ihre Lage noch schlimmer: Der Hügelkamm ging in ein breites, grasbewachsenes Plateau über, das ihnen keinerlei Deckung bot. Aber es blieb ihnen keine andere Wahl. Sie rannten über das offene Gelände. Je weiter sie liefen, desto deutlicher hörten sie das Geräusch von rauschendem Wasser. Es wuchs mit jedem Schritt zu einem mächtigen Brausen an. Und plötzlich standen sie an der Kante einer kahlen Felswand. Nicht weit entfernt rauschte ein riesiger weißer Vorhang aus Wasser mindestens dreißig Meter in die Tiefe – einer der Nebenflüsse, die den Ruvubu speisten. Über dem Wasserfall hing ein feiner Gischtnebel, der das Sonnenlicht in wunderbare Regenbogen verwandelte.

Connor fluchte über ihr Pech. Der Felsüberhang mit dem Wasserfall mochte malerisch sein, aber für sie war er eine

Sackgasse. Sie mussten zurück und einen anderen Weg über die Ebene nehmen.

Amber kniete an der Kante nieder und spähte hinunter. »Wir können runterklettern«, schlug sie vor. Connor warf einen Blick in die Tiefe, sah die feucht glitzernde, von schleimigen, schlüpfrigen Algen überwucherte Felswand und spürte, wie sich ihm schier der Magen umdrehte.

»Würde ich an eurer Stelle nicht versuchen«, sagte eine raue Stimme. »Die Wand wird Dead Woman's Fall genannt.«

Die beiden wirbelten herum. Blaze stand fünf Meter entfernt lässig da, die AK-47 auf sie gerichtet. Sein rasierter Schädel glänzte vor Schweiß, die Jagd hatte auch ihn viel Kraft gekostet. Einen Moment später tauchte auch der Kindersoldat mit dem roten Barett auf, der heftig keuchte, aber sofort die Waffe hob. Auch Connor hatte sofort das Sturmgewehr auf Blaze gerichtet.

»Der Batwa-Stamm stieß früher Frauen hinunter, die für Hexen gehalten wurden«, erklärte der Rebell, ohne auf Connors Waffe zu achten. »Wenn eine Frau den Sturz überlebte, galt das als Beweis, dass sie eine Hexe war, und sie wurde getötet.« Er tätschelte leicht den Griff der Machete, die an seinem Gürtel hing, während er näher kam. »Aber die meisten überlebten den Sturz nicht, und selbst wenn, machten ihnen die Krokodile den Garaus.«

Blaze grinste, als er ihre entsetzten Gesichter sah. Sie wichen weiter zurück, bis sie direkt an der gefährlichen Felskante standen. Connor hob die Waffe höher. »Bleib stehen!«

Blaze hob spöttisch die Hände, als wollte er sich ergeben. »Mach ich, Chef.«

»Was hast du mit Henri gemacht?«, wollte Amber wissen.

Blaze ließ den Blick über sie gleiten, von Kopf bis Fuß. »Ach, der kleine Rothaarige? Sorry, aber ich fürchte, eine

Hyäne hat ihn zwischen die Zähne bekommen. Er schrie wie ein abgestochenes Schwein, aber ich hab ihn von seinen Qualen erlöst.« Der Rebell tätschelte wieder seine Machete, auf deren Klinge frisches Blut glänzte.

»NEIN!«, schrie Amber. Ihre Knie gaben nach.

»Es tut mir ja sooo leid«, sagte Blaze mit falschem Mitleid und schob sich noch ein bisschen näher. »Ich verstehe, dass dich das traurig...«

»Stehen bleiben!«, brüllte Connor. »Noch ein Schritt und du bist tot!«

Blaze legte den Kopf schief und betrachtete Connor spöttisch. »Im Unterschied zu NoMercy hier« – er wies auf den Jungen – »bist du kein kaltblütiger Killer.«

»Willst du es drauf ankommen lassen?«, fragte Connor. Sein Finger lag auf dem Abzug, aber tief im Innern wusste er, dass er wohl kaum fähig wäre, einen Menschen kaltblütig zu erschießen.

Blaze zuckte gleichgültig die Schultern. »Wenn du einen Killerinstinkt hättest, hättest du Dredd sterben lassen. Ich hätte das gemacht.«

Der Rebell machte einen weiteren Schritt auf sie zu.

Connor zog den Abzug durch.

Klick. Kurz und trocken. Er drückte noch einmal auf den Abzug. Nichts. Die AK-47 hatte Ladehemmung.

Blaze lachte laut auf, zog die Machete und zeigte damit auf Connors Gesicht. »Kein Ausweg mehr, Chef!«

Connor schleuderte das nutzlose Gewehr auf den Rebellen. Dann ergriff er Ambers Hand und riss sie mit sich.

Sie sprangen in die Tiefe.

KAPITEL 50

»Wahrscheinlich hat Connor so viel Spaß, dass er gar keine Zeit hat zu antworten«, sagte Jason, der lässig die Füße auf einen der Tische im Einsatzraum des Alpha-Teams gelegt hatte. Charley versuchte gerade zum dritten Mal an diesem Morgen, Connors Smartphone anzurufen. »Würde ich genauso machen, wenn ich an seiner Stelle wäre – mit der kleinen Französin am Pool chillen.«

Charley warf ihm einen giftigen Blick zu und Ling warf ihm ihren Kugelschreiber an den Kopf.

»Hey – ich mach doch nur Spaß!«, rief Jason und duckte sich gerade noch rechtzeitig. »Ich würde dich doch nicht betrügen, Ling!«

Das brachte ihm nun auch einen wütenden Blick von Ling ein. Sie wandte sich an Charley. »Du weißt doch, dass die Telefonnetze im Park so gut wie gar nicht funktionieren. Wahrscheinlich kriegt er überhaupt kein Netz.«

»Ich weiß, aber es passt nicht zu Connor, einen Abend- und einen Morgenbericht zu verpassen. Ich kann ihn weder auf dem Handy noch über das Lodge-Festnetz erreichen. Und nicht mal mit der GPS-App kann ich sein Handy lokalisieren«, erklärte Charley und deutete auf die digitale Karte von Burundi auf ihrem Monitor. »Jetzt sind es schon zwölf

Stunden ohne offiziellen Kontakt. Höchste Zeit, Alarm auszulösen.«

»Ist das nicht ein bisschen voreilig?«, fragte Richie, der eine Schale Cornflakes vom Frühstück mitgebracht hatte und sie geräuschvoll aß. »Die meiste Zeit wird er wohl geschlafen haben. Und er ist ja nun wirklich nicht in einem Kriegsgebiet unterwegs, oder? Er ist nur auf einer Touristensafari, um Himmels willen!«

Jason nickte zustimmend. »Wenn er wirklich in Schwierigkeiten wäre, würde er doch bestimmt die SOS-App verwenden.«

»Wenn er wirklich in Schwierigkeiten wäre, würde er die SOS-App wahrscheinlich gar nicht verwenden können!«, gab Charley zurück.

»Versuche noch mal, die Lodge zu erreichen«, schlug Ling vor. »Wenn das nicht klappt, gehen wir zum Colonel.«

Charley nickte und wählte die Nummer erneut. Wieder keine Verbindung. Sie versuchte es noch einmal. Jetzt kam wenigstens das Freizeichen, aber es klang sehr weit weg. Sie presste den Hörer fester ans Ohr. Nach acht Klingeltönen meldete sich eine Stimme.

»*Bonjour, Ruvubu-Safari-Lodge. C'est Yasmina qui parle. Comment puis-je vous aider?*«

Die Verbindung war sehr schlecht, aber die Stimme klang trotzdem noch klar genug, um sie zu verstehen.

»*Parlez-vous anglais?*«, fragte Charley und schaltete die Lautsprechfunktion ein, damit die anderen zuhören konnten.

Nach kurzem Zögern kam die Antwort: »Natürlich. Wie kann ich Ihnen helfen?«

»Ich möchte gerne einen Ihrer Gäste sprechen. Connor Reeves. Er ist mit der Familie Barbier zusammen.«

Eine längere Pause folgte. »Tut mir leid. Sie sind gerade auf einer Safari im Busch. Möchten Sie eine Nachricht hinterlassen?«

»Ja. Bitte richten Sie ihm aus, dass seine Schwester Charley angerufen hat. Er soll mich so bald wie möglich zurückrufen.«

»Das mache ich. Einen schönen Tag noch.« Das Gespräch wurde beendet.

»Siehst du!«, rief Jason, lehnte sich weit zurück und verschränkte die Hände hinter dem Kopf. »Ich hab dir ja gesagt, kein Grund, sich Sorgen zu machen.«

KAPITEL 51

In der Lodge legte die Empfangsdame mit zitternder Hand den Hörer auf.

»Gut gemacht, Yasmina«, lobte General Pascal und streichelte ihr mit dem Lauf der Glock 17 die Wange. Sie zuckte zusammen und zitterte noch heftiger, als er die Waffe an ihrem schlanken Hals hinuntergleiten ließ. »Und jetzt hol mir einen Drink«, befahl er und wies mit der Pistole zur Lounge hinüber. »Whisky. Vom Feinsten.«

Die Rezeptionistin eilte zur Bar hinüber; der General schlenderte hinterher.

»Ich bitte um Entschuldigung, dass ich Sie warten ließ«, sagte er gelassen. »Aber wir müssen nach außen hin so tun, als sei alles in Ordnung. Zumindest vorerst.«

Mr Grey, der das Leopardenfell und die Speere an der Wand betrachtet hatte, drehte sich um. »Soweit ich sehe, sind Sie dem Plan voraus. Ich muss gestehen, es hat mich doch sehr überrascht, wie schnell Sie den Coup durchgeführt haben.«

»Man muss eine Gelegenheit beim Schopf ergreifen, wenn sie sich bietet!«, erklärte General Pascal lachend. »Aber es ist noch viel zu tun. Wir haben dem Huhn den Kopf abgeschnitten, aber der Körper läuft noch herum.«

»Ist das der Grund, warum Sie die schwere Artillerie schon so bald haben wollen?«

Der General nickte. Völlig verängstigt stieg die Rezeptionistin über einen Toten – den Barkeeper, dessen Blutlache auf dem Parkettboden immer noch größer wurde – und servierte dem General den Whisky.

»Einen Drink, Mr Grey?«, fragte Pascal.

»Soda. Ohne Eis.«

General Pascal runzelte die Stirn. »Ich hätte doch gedacht, ein Mann mit diesem Geschäft würde etwas Stärkeres bevorzugen?«

»Und ich hätte gedacht, ein Mann mit so viel Kraft würde keine starken Getränke brauchen?«, gab Mr Grey kühl zurück.

Sie starrten sich einen Moment lang an. Die Rezeptionistin wich nervös ein paar Schritte zurück; sie spürte die knisternde Spannung zwischen den beiden Männern. Es war, als ob zwei Löwen einander feindselig umschlichen. Dann setzte der General ein breites, freundliches Grinsen auf. Die scharfe Antwort hatte ihm gefallen. Lässig winkte er die Empfangsdame weg.

»Leider müssen wir noch gegen die Armee kämpfen, bevor wir die volle Kontrolle über das Land übernehmen können«, erklärte er. »Aber ich bin mir absolut sicher, dass wir siegen. Sogar ein Heer von Schafen …« – ein schneller Blick zu dem Kindersoldaten hinüber, der an der offenen Verandatür Wache stand – »kann ein Heer von Löwen besiegen, wenn die Schafe von einem Löwen und die Löwen von einem Schaf angeführt werden. Und ich versichere Ihnen, im Vergleich zu mir ist der Führer der burundischen Armee nur ein blökendes Schaf.«

Die Rezeptionistin servierte Mr Grey das Sodawasser. Er

trank einen kleinen Schluck. »Equilibrium kann Ihnen die erforderlichen Waffen auch kurzfristig liefern«, sagte er. »Aber man verlangt eine Anzahlung.«

»Kein Problem«, erklärte der General großspurig und kippte den Whisky hinunter. »Begleiten Sie mich zur Mine, dort können Sie sich ein paar Diamanten aussuchen. Aber zuerst möchte ich Sie noch mit dem Mann bekannt machen, der mitgeholfen hat, Präsident Bagazas plötzliches Ableben zu arrangieren.«

KAPITEL 52

Sie stürzten im freien Fall vor der Felswand hinunter. Alles ging so schnell, dass sie nicht dazu kamen, über die Fallhöhe nachzudenken – oder über das, was sie unten erwartete. Sekunden später platschten sie in den Pool am Fuß des Dead Woman's Fall. Sie schlugen mit über achtzig Stundenkilometern auf der Wasseroberfläche auf. Amber und Connor wurden auseinandergerissen; das strudelnde Wasser riss sie mit sich.

Die Wirbelströmung direkt unter dem Wasserfall war so stark, dass sie Connor unter die Oberfläche drückte, wo er gedreht, herumgewirbelt und so hart gegen die Felsbrocken geschmettert wurde, dass er fast das Bewusstsein verlor. Er strampelte wild mit den Füßen, kämpfte sich verzweifelt an die Oberfläche, um wieder atmen zu können, aber die Gischt sprudelte zu weit hoch und der Lärm des Wasserfalls war ohrenbetäubend. Er hatte jede Orientierung verloren. Schon sank seine Hoffnung, jemals wieder dem wild kochenden Strudel zu entkommen, der ihn mit seinen Klauen aus Wasser in die Tiefe ziehen wollte. Blaze hatte nicht übertrieben, als er erklärt hatte, nur wenige Menschen hätten das Urteil des Batwa-Stammes überlebt.

Connors Lungen schrien nach Sauerstoff. Er spürte, wie

sein Körper unwillkürlich Luft einsaugen wollte, Luft, die es nicht gab. Noch einmal schaffte er es, dem schier unerträglichen Drang zu widerstehen, den Mund aufzureißen. Seine wild strampelnden Füße kamen kurz auf dem Grund des Flussbetts auf. Er raffte den ganzen Rest seiner Kraft zusammen und stieß sich ab. Einen Augenblick später brach er durch die Wasseroberfläche und schnappte gierig nach Luft – und sofort schlug das Wasser wieder über ihm zusammen.

Die Strömung zerrte an ihm und kochte förmlich, aber jetzt sah er Sonnenlicht durch das Wasser schimmern. Die Strahlen leiteten ihn zur Oberfläche. Hustend und spuckend tauchte er auf und ließ sich von der Strömung mitreißen, während er versuchte, wieder zu Atem zu kommen und seine Panik unter Kontrolle zu bekommen. Mit der Wucht einer starken Feuerwehrspritze schossen die Stromschnellen von allen Seiten auf ihn zu, Sekunden später drückte ihn ein weiterer Wildwasserstrudel unter die Oberfläche. Dann wurde er wieder ausgespuckt, prallte von einem Felsblock ab und wurde erbarmungslos in die nächste Serie von Stromschnellen gerissen.

Jede Welle, jeder Aufprall schwächte ihn weiter. Connor war nahe daran zu ertrinken, als die Strömung plötzlich nachließ und sich das Donnern des Wasserfalls abschwächte. Erschöpft und fast leblos trieb er in der Strömung, aber er konnte wieder frei atmen. Er fühlte sich wie zerschlagen, müde bis in die Knochen und wund am ganzen Körper, aber er lebte.

Dann bin ich wohl ein Hexer, dachte er und grinste schwach, dass er den Todessturz überlebt hatte. Doch dann schoss ihm ein anderer Gedanke durch den Kopf und sein Grinsen verschwand abrupt.

Amber.

In plötzlicher, neuer Panik drehte er sich wild um sich selbst und suchte in allen Richtungen. Inzwischen war er aus den Stromschnellen heraus und trieb auf dem breiter gewordenen Fluss, der auf beiden Seiten von steilen, teilweise überhängenden Böschungen aus roter Erde begrenzt wurde, auf denen dichte grüne Büsche und hohe Bäume wuchsen. Aber nirgendwo war etwas von Amber zu sehen. Connor wurde von Verzweiflung überwältigt. Er hätte Henri beschützen sollen und hatte versagt. Und nun auch noch Amber. Klar, der plötzliche Entschluss, von der Klippe zu springen, war hochriskant gewesen. Aber wenigstens hatten sie mit dem Sprung eine winzige Überlebenschance gehabt – während sie der sichere Tod erwartet hätte, wenn sie sich den Rebellen ergeben hätten.

Doch Amber hatte den bitteren Preis für diese Entscheidung zahlen müssen – ihr Leben.

Entmutigt und müde schwamm Connor in Richtung Ufer, als er plötzlich aus dem Augenwinkel einen roten Haarschopf im Wasser sah ... und dann einen leblosen Körper, der weiter stromabwärts trieb.

»Amber!«, schrie er und kraulte hektisch in ihre Richtung.

Keine Antwort, kein Lebenszeichen. Er kraulte weiter, obwohl er jetzt die Erschöpfung in jedem Muskel spürte. Mehrere Meter vor Connor trieb ein langer Baumstamm im Wasser, und er überlegte schon, ob er ihn als Schwimmhilfe benutzen sollte, als der Stamm plötzlich mit einem langen, schuppigen Schwanz schlug und sich schneller auf Amber zubewegte. Eine ungeheure, urtümliche Angst packte Connor. Ein Krokodil!

»Amber!«, brüllte er so laut, wie er nur konnte. Ein weiteres Krokodil am Ufer hob den Kopf und glitt von der Böschung ins trübe Wasser.

Und tatsächlich hob Amber schwach den Kopf und lächelte, als sie Connor auf sich zukraulen sah.

»Krokodil!«, schrie er warnend.

Ihr Lächeln verschwand schlagartig. Gleichzeitig erblickte sie die unheimliche Schnauze und die schlitzförmigen Augen, die auf sie zukamen. Die Todesangst verlieh ihr ungeahnte Kräfte. Wild ins Wasser schlagend, kraulte sie auf das Ufer zu. Aber das Krokodil war schneller und holte auf.

Auch Connor schwamm mit äußerster Kraft. Wieder einmal machte sich das tägliche Training mit Charley im Pool bezahlt, mit dem sie kurz vor seinem ersten Einsatz angefangen hatten. Wie ein Fisch schnitt er durch das Wasser. Mit jedem Schwimmstoß mobilisierte er die letzten Energiereserven.

Amber war nur noch wenige Meter von der Uferböschung entfernt, als das Krokodil mit einem plötzlichen Schwanzschlag förmlich durch das Wasser schnellte. Connor pflügte noch schneller durch das Wasser, zum Äußersten entschlossen, sie zu schützen, so schlecht seine Chancen auch stehen mochten.

Das Krokodil, von seinem Jagdinstinkt gepackt, war vollkommen auf seine Beute fokussiert und bemerkte Connor nicht, der mit dem Strom schwamm und sich schnell näherte. Als das Raubtier die gewaltigen Kiefer aufriss, um die langen Reihen scharfer Zähne in Ambers Bein zu schlagen, schnellte Connor vor und wand die Arme um die Schnauze. Er konnte nur hoffen, dass Gunner mit seiner Behauptung recht behalten würde, dass die den Kiefer öffnenden Muskeln recht schwach seien. Connor umklammerte die Schnauze mit aller Macht und presste zugleich die Beine um den schuppigen Körper.

Für die riesige Echse war es eine völlig neue Erfahrung,

selbst angegriffen zu werden. Das Krokodil erstarrte förmlich, und durch seine Lage auf dem mächtigen Rücken fand sich Connor Auge in Auge mit dem urzeitlichen Biest. Es betrachtete ihn mit dem kaltblütigen, raubtierhaften Instinkt eines Fleischfressers. Dann riss es den Kopf zur Seite. Connor spürte die unvorstellbare, brutale, ungebändigte Kraft der gereizten Echse, die nun mit aller Gewalt versuchte, ihn abzuschütteln. Aber Connor ließ nicht locker – er musste Amber genug Zeit geben, sich auf die Böschung zu retten.

Außerdem konnte er das Tier auch gar nicht loslassen, denn dann würde sofort er selbst zur Beute werden.

Wütend tauchte das Krokodil unter. Connor konnte gerade noch nach Luft schnappen, bevor er unter Wasser gezogen wurde. Das Krokodil wand sich unter ihm, wälzte sich auf den Rücken, schlug mit dem Schwanz wild um sich. Connor verlor jeden Sinn für oben und unten. Seine Arme ermatteten, aber die Todesangst verlieh ihm neue Kraft, sodass er seinen Griff nicht lockerte. Doch es nützte nichts. Mit jeder Sekunde wurde er schwächer, seine Lungen schrien förmlich nach Luft. Schließlich konnte er nicht mehr – er ließ los, kickte sich von der todbringenden Schnauze weg und schoss durch die Wasseroberfläche. Gierig schnappte er nach Luft.

Das Krokodil war verschwunden.

»Wo ist es?«, schrie er, drehte sich wild um sich selbst und schaute, außer sich vor Angst, überallhin.

Amber hatte sich inzwischen auf die Böschung gerettet und schaute über den Fluss. Ein Stück weit entfernt kräuselte sich das Wasser durch etwas, das mit hoher Geschwindigkeit auf Connor zukam. »Da!«, schrie sie.

Der Fluss war hier seicht genug, dass Connor den schlickigen Boden erreichte und sich halb schwimmend, halb watend zum Ufer kämpfte. Er war nur noch bis zur Hüfte im Wasser, als das Krokodil plötzlich durch die Oberfläche schoss, die gierige, todbringende Schnauze weit aufgerissen. Sie schnappte hart auf Connors Rücken zu.

»NEIN! Connor!«, schrie Amber verzweifelt, als er von dem urzeitlichen Monster in den Fluss zurückgerissen wurde und in den Fluten verschwand.

KAPITEL 53

Wieder wurde Connor vom Wasser verschluckt. Immer tiefer zog ihn das Krokodil hinunter. Das Sonnenlicht wurde zu einem düsteren Zwielicht, die Geräusche zu einem dumpfen Rauschen. Das Krokodil hielt seine Beute fest gepackt und hatte offenbar vor, ihn zuerst zu ertränken, bevor es ihn verschlang. Aber es hatte die Zähne nicht in Connors Rücken versenkt, sondern nur seinen Rucksack erwischt.

Connor versuchte, sich zu befreien, aber die Schultergurte waren zu eng um seine Schultern gezogen. Hilflos wie ein Fisch im Netz hing er an der Schnauze des Krokodils. Das Krokodil ließ sich auf dem Flussbett nieder und wartete ab.

Mit jeder Sekunde wuchs wieder der Zwang, den Mund aufzureißen und nach Sauerstoff zu schnappen. Wellenartig stieg der Zwang an, bis er Connor fast überwältigte. Connor wusste, dass ihm höchstens noch eine halbe Minute blieb, bis seine Willenskraft brach und die natürlichen Körperreflexe die Kontrolle übernahmen.

Aber wenigstens war das Opfer nicht umsonst gewesen. Er hatte seine Klientin mit seinem Leben geschützt. Kein Bodyguard konnte mehr tun. Jetzt blieb ihm nur die Hoffnung, dass Amber es bis zur sicheren Lodge schaffte, bevor die Rebellen sie einholen konnten.

Aber noch gab er nicht auf, auch wenn seine Bewegungen immer matter wurden. Nach all dem Entsetzlichen, das er seit dem Anschlag auf den Präsidenten durchgestanden hatte, blieb ihm nun nichts mehr. Immer schwerer wurden seine Beine, seine Arme, Dunkelheit schob sich über seine Augen, Schwindel ergriff ihn ...

Und plötzlich erschien irgendwo im düsteren Wasser Grans Gesicht, streng, aber liebevoll. *Ich will, dass du aufhörst. Bevor dir etwas Schlimmes passiert.*

Sorry, Gran, dachte er wehmütig, zu spät.

Ihr Gesicht verblasste, doch ihre Lippen fragten noch still: *Um welchen Preis?*

Und dann erschien ein helleres Bild. Charleys engelhaftes Gesicht; ihr blondes Haar schimmerte wie das einer Meerjungfrau. *Wir müssen aufhören, Connor. Pass auf dich auf.*

Er wollte nicht, dass sie aufhörte; mit ihr fühlte er sich wohl, friedlich, sicher. Aber er hatte nicht mehr die Kraft, sie zurückzurufen. Alles um ihn herum war nun kalt und dunkel. Das Gesicht seiner Mutter schwebte heran. Nicht das von Sorgenfalten durchzogene, schmerzvolle Gesicht, von dem er sich nach seinem Geburtstag verabschiedet hatte, sondern das jüngere, glücklichere Gesicht, an das er sich aus seiner Kindheit erinnerte. Lange bevor die Diagnose kam, dass sie an MS erkrankt war. Sie lächelte ihm zu. Ein trauriges Lächeln, ein Abschiedslächeln. Connors Herz zersprang fast, als ihr Bild verblasste.

Ein anderes Bild trat an ihre Stelle.

Sein Vater.

Klarer, schärfer als alle anderen. Mit ebenmäßigen, wettergegerbten Gesichtszügen wie eine vielbenutzte Landkarte, die blaugrünen Augen schimmerten warm in der Dunkelheit.

Connor lächelte, überwältigt von Freude über das Wiedersehen.

Aber sein Vater lächelte nicht; er schaute ihn streng an und flüsterte den besten Rat, den er ihm je gegeben hatte: *Gib niemals nach. Gib niemals auf.*

Aber ich will mit dir zusammen sein, dachte Connor.

Wage es bloß nicht aufzugeben, mein Sohn. Das passt nicht zu uns beiden.

Die Körperreflexe zwangen ihn, den Mund zu öffnen und das Wasser in die Lungen strömen zu lassen – doch im selben Moment stieß seine Hand gegen das Messer, Dads Messer, an der Hüfte. Es war, als zuckte ein Stromstoß durch seine Hand hoch. Der ihn weckte, wiederbelebte ... Ein winziger Hoffnungsschimmer, der ihm die Kraft und den Mut gab, sich ein allerletztes Mal gegen den Tod aufzubäumen.

Er zog das Messer mit fast gefühlloser Hand, bog den Arm herum und stieß die Spitze mit letzter Kraft in das offene Auge des Krokodils. Eine rote Blutwolke schoss heraus. Das Tier riss im Schmerz die Schnauze auf; Connors Rucksack kam frei. Halb blind und in unbändigem Schmerz wand sich das Krokodil auf dem Flussbett, schlug wild mit dem Schwanz und verschwand in den trüben Untiefen des Flusses.

Connor kämpfte die betäubende Schwere nieder, die sich auf ihn gelegt hatte, und stieß sich vom Boden ab. Sein Kopf tauchte aus dem Wasser. Er schnappte nach Luft, hustete, spuckte das Wasser aus, das er bereits geschluckt hatte. Sauerstoff drang in seine Lunge, die Benommenheit im Kopf löste sich ein wenig und er kam wieder zu sich. Ein paar wilde, verzweifelte Schwimmstöße brachten ihn ans Ufer.

Halb tot, wie erschlagen, schleppte er sich mühsam durch den Schlamm am Ufer und kroch die Böschung hinauf. Amber, die selbst völlig erschöpft war, kam taumelnd heran und stützte ihn, half ihm, so gut es ging, weiter aufs Ufer hinauf, um ihn aus der Reichweite anderer Krokodile zu bringen. Sie schafften kaum mehr als zwanzig Schritte, dann brachen sie im schützenden Schatten einer Akazie zusammen.

KAPITEL 54

Webervögel mit gelbem Brustgefieder zwitscherten fröhlich über den beiden reglos unter dem Baum liegenden Körpern und flitzten in und aus ihren kompliziert gewobenen Nestern, die wie kleine ausgetrocknete Früchte die Äste des Baumes schmückten. Eine Herde von rehbraunen Impalas zog auf dem Weg zur offenen Grassavanne gelassen vorbei; die Böcke stellten stolz ihr langes leierförmiges Geweih zur Schau. Im kühlen, ruhigen Ufergewässer des Flusses wälzten und suhlten sich Nilpferde, die manchmal ein schnarchendes Geräusch von sich gaben, dann wieder eine Art tiefes, langsames Lachen ausstießen. Heller Sonnenschein überflutete die Savanne mit blassgoldenem Licht; die Szene hätte nicht idyllischer sein können. Doch für die beiden jungen Menschen, die verletzt, zerschlagen, zu Tode erschöpft unter der Akazie lagen, war dieses Paradies so tödlich, wie es schön war. Es bedeutete nichts als Gefahr.

Connor kam allmählich wieder zu sich; er wusste nicht, wie lange sie schon hier gelegen hatten, aber er hatte weder die Kraft noch den Mut oder den Willen, sich von der Stelle zu bewegen. Er fühlte sich wie nach einem Zehn-Runden-Kampf mit einem Schwergewichtsboxer, der ihn in jeder Runde mindestens dreimal auf die Matte geschickt hatte.

Seine Kleider waren lehmverdreckt und teilweise zerrissen. Offene oder teilweise blutverkrustete Wunden bedeckten seinen Körper, und es gab keinen einzigen Teil seines Körpers, keinen Muskel, der nicht schrie vor Schmerzen.

Amber regte sich. »Ich ... ich dachte ... ich hätte dich ... verloren«, stieß sie gequält und mit schwacher Stimme hervor.

Auch Connor brachte nur ein schwaches Lächeln zustande. »So leicht wirst du mich nicht los.«

Amber setzte sich mühsam auf, stöhnte und biss die Zähne zusammen.

»Bei dir ...? Alles okay?«, krächzte Connor.

»Ich glaube, ich hab überhaupt keine Haut mehr. Die Felsen haben alles abgeschabt, als ich vom Wasserfall weggespült wurde«, sagte sie. Sie hob ihr T-Shirt an und untersuchte ihre Wunden. »Und du? Du bist doch bestimmt noch schlimmer dran?«

»Ich lebe. Das reicht doch vorerst.«

Amber ließ ein gequältes Lachen hören. »Du bist verrückt. Total gaga. Stürzt sich einen Wasserfall hinunter. Schlägt ein Drei-Meter-Krokodil in die Flucht. Was steht als Nächstes auf dem Programm?«

»Ich lass mir was einfallen.« Er schloss die Augen und genoss die sanfte Brise, die über die Savanne wehte. Wenigstens hatten sie es irgendwie geschafft, am richtigen Ufer zu landen. Eine Sorge weniger. Er lauschte dem sanften Rascheln des hohen Grases, das sich im Wind bewegte, vollkommen zufrieden und fest entschlossen, sich nie mehr von der Stelle zu bewegen.

Amber hatte inzwischen ihre Selbstuntersuchung beendet – ihre gesamte rechte Seite war von den rauen Felsen wundgescheuert worden, an manchen Stellen waren blutige Kratzer zu sehen, aber nichts schien gebrochen zu sein. Und dann sog sie scharf die Luft ein, als sie die Blutlache sah, die in den sandigen Boden sickerte.

»Connor! Du blutest!«, sagte sie entsetzt.

Connor öffnete die Augen. Erst jetzt wurde ihm bewusst, dass er verletzt war. Die Schmerzen verdrängten alle Gedanken. Amber half ihm, sich aufzusetzen. Behutsam nahm sie ihm den Rucksack ab und hob vorsichtig das T-Shirt auf seinem Rücken an. Sie riss die meergrünen Augen auf.

»Na, wie sieht's aus?«, murmelte Connor. Plötzlich sah er wieder die scharfen Zähne des Krokodils vor sich. Wie viel Schaden mochten sie angerichtet haben?

»Da ... da ist nichts ... kaum ein Kratzer!«, rief sie erstaunt. »Ein paar schwere Blutergüsse. Der Verband ist lose und die Schusswunde ist wieder offen und blutet ein wenig. Aber sonst ... fast nichts!«

Connor atmete erleichtert auf. Das war ein reines Wunder. Das Krokodil hätte ihm mit einem einzigen Biss das Rückgrat brechen und herausreißen können.

»Ich kann's nicht fassen, dass das Biest nicht mehr Schaden angerichtet hat«, sagte Amber und strich vorsichtig über die Kratzer. »Ich hab doch selbst *gesehen*, wie es sich in deinen Rücken verbissen hat!«

Connor grinste, als ihm allmählich dämmerte, was ihn vor den grausamen Zähnen gerettet hatte. »Der Rucksack, er hat einen kugelsicheren Schutzschild«, erklärte er. Dann musste er lachen. »Ich kann's kaum erwarten, Amir zu erzählen, dass es auch krokodilsicher ist!«

»Amir?«, fragte Amber.

»Ja, einer meiner besten Freunde bei Buddyguard.« Connor ließ den Blick über die schöne und doch so feindliche Savanne gleiten. »Kann nur hoffen, dass seine Mission besser läuft als meine.«

»Das dürfte wohl nicht schwer sein«, meinte Amber trocken.
Plötzlich wurde Connor von Schuldgefühlen überwältigt, schmerzhaft wie ein Stich in die Brust. Er blickte zu Boden. »Es ... es tut mir leid«, murmelte er und wich ihrem Blick aus. »Ich hab versprochen, euch zu beschützen, dich und deinen Bruder. Und ich hab versagt.«

Amber starrte ihn sprachlos an. »Versagt? Was faselst du da? Du hast alles getan, um uns zu schützen, alles! Wer hätte vorhersehen können, was hier passieren würde? Du hast mich falsch verstanden – natürlich hoffe ich, dass es deinem Freund besser geht als dir! Es ist nicht deine Schuld, dass dieser Wahnsinnige meinen Bruder ... meinen kleinen Bruder ... und meine Eltern ...« Sie schluchzte auf. »Er ist schuld! Nur er!«

Sie konnte nicht mehr weitersprechen; zitternd vor Wut und Trauer schlug sie die Hände vor das Gesicht. Connor legte ihr den Arm um die Schultern und zog sie an sich. Worte hätten nichts genutzt, und viel Trost konnte er ihr ohnehin nicht spenden. Er wusste aus bitterer Erfahrung, welch emotionale Katastrophe der Verlust von Mutter oder Vater bedeutete. Aber erleben zu müssen, dass innerhalb von einigen Stunden die gesamte Familie ausgelöscht wurde, musste etwas sein, für das es keine Worte mehr gab. Nichts, absolut nichts konnte beschreiben, welche Verzweiflung Amber empfinden musste.

Amber hielt seine Hand fest und drückte sie, als wollte sie das Leben aus ihr herauspressen. Eine Zeit lang saßen sie reglos an den Baumstamm gelehnt. Irgendwann löste sie sich sanft von ihm und schaute auf seine immer noch blutende Wunde.

»Wir müssen uns um deine Wunde kümmern«, sagte sie tonlos.

Sie nahm den Rucksack, musste ihn aber gar nicht erst öffnen, um zu sehen, dass fast die gesamte Ausrüstung verschwunden war. Ein riesiges Loch klaffte in der Seite. Das Fernglas fehlte. Die Wasserflasche, der LifeStraw, die Sonnenmilch, das Maglite. Doch das Schicksal hatte ihnen gnadenvoll das Erste-Hilfe-Set gelassen. Der Beutel war zwar ebenfalls zerrissen, aber Amber fand noch genügend Verbandsmaterial, um die Schusswunde notdürftig versorgen und Connors zahlreiche Schnitte und Kratzer reinigen zu können. Dann versorgte Connor ihre Wunden. Sie stöhnte leise, als er ihr mit den antiseptischen Tüchern die Schürfwunden an der Seite reinigte. Die aufgeplatzte Lippe heilte bereits, aber der tiefe Kratzer auf der Wange brauchte ein frisches Pflaster. Als er es auflegte, trafen sich ihre Blicke. In ihren Augen standen Tränen.

»Ich ... ich hab meinen Bruder geliebt«, gestand sie leise und unterdrückte ein verzweifeltes Aufschluchzen. »Manchmal nervte er mich gewaltig. Aber welcher Bruder tut das nicht? Ich hab ihm nie gesagt, wie sehr ich ihn ... Und jetzt ... jetzt ist es zu spät.«

KAPITEL 55

Sie schleppten sich erschöpft und schweigend durch den Busch, jetzt wieder in südlicher Richtung. Fliegen schwirrten in dichten Schwärmen um ihre Köpfe, die Sonne brannte erbarmungslos vom Himmel, die Hitze war längst unerträglich geworden. Von irgendwoher aus der Ferne hörten sie Schüsse. Erschrocken beschleunigten sie die Schritte. Aber der Hunger nagte an ihren Kräften und bei jedem Schritt wurde der Durst noch unerträglicher. Doch ohne den LifeStraw wagten sie nicht, Wasser aus dem Fluss zu trinken, nicht nur aus Angst vor den Krokodilen, sondern auch, weil sie die Krankheitskeime im Wasser fürchteten.

Connor besaß nur noch seine Rangeman-Uhr – sie war nicht beschädigt worden – und seine Nachtsicht-Sonnenbrille. Bügel und Rahmen waren ein wenig verbogen, aber die Gläser waren intakt geblieben. Und glücklicherweise besaß er auch noch sein Messer. Er hatte die überflüssigen Teile des Rucksacks weggeschnitten, sodass sich jetzt nur noch der kugelsichere Schutzschild an den Gurten befand. Man konnte nicht wissen, wann sie es wieder mit den schießwütigen Rebellen zu tun bekommen würden.

Alles andere hatten sie verloren. Sogar die Hoffnung.

Aber Connor hatte sich immer wieder die Mahnung seines

Vaters ins Bewusstsein gerufen, dass er auf keinen Fall aufgeben dürfe. Und so hatte er seinen geschundenen Körper gezwungen, sich wieder hochzurappeln und sich auf den langen Marsch durch die brennend heiße Savanne zu machen. Während er einen müden Fuß vor den anderen setzte, klang die Mahnung in seinem Kopf wie ein Schrittmacher, ein Mantra: *Gib nie auf, gib nie auf, gib nie auf…*

Sie mussten es zur Lodge schaffen, dann wären ihre Qualen zu Ende. Aber vielleicht nur für mich, dachte Connor und schaute sich besorgt nach Amber um.

Sie schleppte sich hinter ihm her, mit gesenktem Kopf, die Haare wirr und lose und wie ein Schleier über dem Gesicht. Er hörte ihr leises Weinen. Ambers Mut und Lebenskraft waren auf dem absoluten Tiefpunkt angekommen. Sie stand kurz vor dem Zusammenbruch. Connor hatte beharrlich auf sie einreden müssen, um sie zum Weitergehen zu bewegen und ihr einzuschärfen, dass die Rebellen sie auf keinen Fall in die Hände bekommen durften. Ob sie den Geiern zum Fraß vorgeworfen werden wolle, hatte er sie schließlich angeschrien. Aber sie war wie ein Zombie, blicklos, niedergedrückt, zerstört von der Trauer. Mit hängendem Kopf und kraftlosen Beinen taumelte sie hinter ihm her.

Connor war klar, dass er selbst auch nicht besser aussah. Die grausame Flucht durch Dschungel, Busch und Fluss hatte auch ihm einen hohen Tribut abverlangt. In seinem jetzigen Zustand, in den zerlumpten, lehmverkrusteten, blutbefleckten Klamotten, mit unzähligen Wunden, Abschürfungen und Schnitten am Körper, seinem schweren Hinken, das er der schmerzhaften Wunde an der Seite zu verdanken hatte, würden ihn die Freunde vom Alpha-Team wahrscheinlich gar nicht wiedererkennen. Aber der Gedanke an frisches Wasser, Nahrung, Medikamente und Sicherheit trieb ihn weiter voran und sorgte dafür, dass er den Mut nicht verlor.

Als sie eine Lichtung erreichten, checkte er ihre Marschrichtung auf dem Kompass. Er blickte auf, um den nächsten Markierungspunkt anzupeilen – und sah sich einem Büffel gegenüber.

Es war ein Einzelgänger, der wütend von der anderen Seite der Lichtung zu ihnen herüberstarrte. So groß wie ein Kleinwagen, aber gebaut wie ein Panzer, bot er mit seinen weit geschwungenen Hörnern einen furchterregenden Anblick. Fliegen schwirrten in einer dichten schwarzen Wolke um seinen Kopf. Er schnaubte wütend und schüttelte den kolossalen Kopf.

Connor zog Amber an sich und machte einen vorsichtigen Schritt zurück. Sie hatten es hier mit einem der unberechenbarsten und gefährlichsten Tiere Afrikas zu tun; auf keinen Fall durften sie den Büffel provozieren.

Der alte Bulle stampfte mit dem Huf und scharrte in der Erde. Und bevor sie noch weiter zurückweichen konnten, schnaubte er noch einmal laut, senkte den Kopf und stürmte los.

Connor blieb stocksteif stehen und schob Amber hinter sich. Er hatte einfach nicht mehr genug Energie, um zu fliehen. Es standen auch keine Bäume in der Nähe, auf die sie sich hätten retten können. Seine einzige Verteidigung war, dem Bullen keine Furcht zu zeigen und zu hoffen, dass es nur ein Scheinangriff war.

Aber der Büffel meinte es offenbar ernst. Er donnerte über die Lichtung, raste mit weit aufgeblähten Nüstern auf sie zu wie ein führungslos gewordener Truck. Seine Hufe trommelten über den Boden, sein rammbockähnlicher Kopf war genau auf Connor gerichtet. Sie hatten ihm nichts getan, aber er schien trotzdem äußerst gereizt zu sein.

Amber klammerte sich an Connor, zu schwach und zu verängstigt, um fliehen zu können, und zu benommen, um auch nur aufzuschreien.

Connor presste die Augen zu, als der Bulle nur noch fünf Meter entfernt war. Er hörte ihn herandonnern und wappnete sich für den Zusammenprall, der ihm sämtliche Knochen zerschmettern würde. Er vertrieb jeden Gedanken an die Schmerzen, die er erleiden musste, wenn er von dem Bullen in die Luft geschleudert, von einem der gewaltigen Hörner aufgespießt oder zu Tode getrampelt würde.

Seine letzte Tat als Bodyguard war, Amber beiseitezustoßen.

Dann knallte ein Schuss, sofort gefolgt von zwei weiteren Schüssen.

Die Kugeln stoppten den Büffel mitten im Lauf. Connor hörte ein schweres, dumpfes *Wumm!*, als der mächtige Körper zu Boden stürzte. Er riss die Augen auf und fand sich mitten in einer Wolke aus rotem Staub. Der Staub senkte sich schnell; der Kopf des Büffels lag kaum einen Meter vor Connors Füßen. Blut strömte aus mehreren Einschüssen auf dem Nacken, der Schulter und der Flanke. Die Zunge des Tieres hing heraus und die Augen wurden trübe. Der Büffel stieß noch ein letztes Schnauben aus, dann lag er still.

Connor hatte kaum Zeit, sich von seiner Todesangst und seiner Verblüffung zu erholen, als eine Stimme wütend bellte: »Was zum Teufel habt ihr Kids allein hier draußen zu suchen?«

Aus dem Dickicht kam ein Weißer in olivgrünem Buschhemd und knielangen Shorts. Er war kräftig und untersetzt, hatte einen Bürstenhaarschnitt und einen graumelierten Bart. Während er näher kam, lud er seine großkalibrige Repetierbüchse nach, die mit einem Zielfernrohr ausgestattet war. Hinter ihm tauchte ein dünner Afrikaner auf, der ein erdbraunes T-Shirt und eine alte Militärtarnhose trug. Von seiner Schulter hing eine Leinentasche.

Connor half Amber auf die Füße. »Alles in Ordnung?«, fragte er sie.

Amber nickte stumm.

»Ihr könntet tot sein!«, bellte der Mann wütend und bückte sich, um den Büffel zu untersuchen. Als er sich vergewissert hatte, dass das Tier tot war, wandte er sich um und schaute sie zum ersten Mal voll an. »Mein Gott, was ist denn mit euch passiert?«

Der Weiße sprach mit leichtem Akzent. Nach seinem Verhalten und der äußeren Erscheinung glaubte Connor nicht, dass er mit den Rebellen etwas zu tun hatte; er konnte ihm vermutlich vertrauen. »Unser Safarikonvoi...« – seine Kehle war so ausgetrocknet und staubig, dass er einen Hustenanfall bekam – »... wir... wurden überfallen. Gestern... gerieten in einen Hinterhalt von Rebellen...«

Der Weiße hob ruckartig den Kopf. »Was für Rebellen?«, fragte er alarmiert, während er eine Feldflasche vom Gürtel nahm und sie Connor reichte.

Connor nahm nur ein paar Schlucke, ließ aber den größeren Rest für Amber übrig. Das Wasser belebte ihn ein wenig; nach ein paar Augenblicken spürte er, wie wieder ein wenig Kraft zurückkehrte. »Sie waren fast wie Soldaten, aber es waren auch Jungen dabei. Vermutlich gehören sie zur ANL und werden von einem Mann angeführt, der Black Mamba genannt wird.«

Beide Männer zuckten förmlich zurück, als sie den Namen hörten.

»Seither sind wir auf der Flucht«, fuhr Connor fort. »Meine Freundin hier ist die Tochter des französischen Botschafters, die Safari durch den Park war für ihn und seine Familie organisiert worden. Wir glauben, dass ihre Familie zusammen mit Präsident Bagaza von den Rebellen ermordet wurde. Ihr kleiner Bruder ebenfalls. Wir müssen unbedingt die Behörden informieren.«

Der Mann warf Amber einen mitleidigen Blick zu und nickte düster. »Das ist ja grauenhaft.« Er wandte sich an seinen Begleiter und redete schnell auf ihn ein, in einer Sprache, die Connor völlig unbekannt war – vielleicht Kirundi. Der Schwarze nickte und rannte in den Busch.

Der Weiße schaute ihm kurz nach, dann wandte er sich wieder an Connor und Amber. »Ihr habt Glück, dass wir grade in der Gegend waren. Unser Camp ist ganz in der Nähe. Folgt mir – ihr müsst erst einmal etwas essen und trinken. Und eure Wunden müssen versorgt werden. Dann kümmern wir uns um den Rest.«

Connor und Amber wurden vor Erleichterung die Knie weich.

Gerade noch hatten sie dem sicheren Tod ins Auge gesehen, und nun waren sie gerettet.

KAPITEL 56

»Ich heiße Jonas Wolff«, sagte der Weiße, während er sie durch den Busch führte. »Aber meine Freunde nennen mich nur Wolf.«

»Danke, dass Sie uns gerettet haben, Wolf«, sagte Amber.

»Na, ich konnte ja nicht einfach zuschauen, wie ihr von einem Büffel zu Tode getrampelt werdet«, antwortete er gelassen. »Diese Tiere kennen keinerlei Mitleid. Sie töten jedes Jahr mehr Menschen als die anderen Großtiere.«

»Uns hat man gesagt, Nilpferde seien am gefährlichsten.«

Wolf schnaubte verächtlich. »Die Eingeborenen nennen einen Büffelbullen nicht umsonst den Schwarzen Tod. Solche Tiere lassen sich auch nicht so einfach ausschalten. Ihr könnt von Glück sagen, dass ich ein guter Schütze bin.«

Auf dem Weg huschten Wolfs Blicke ständig über die Büsche und Bäume; die Waffe hielt er schussbereit und geladen in der Hand. Connor war von seiner Wachsamkeit beeindruckt. Offensichtlich nahm er die Gefahr sehr ernst, dass die Rebellen jederzeit auftauchen konnten.

Am Fuß eines Hügels führte Wolf sie in einen kleinen Wald; mittendrin befand sich ein kleines provisorisches Camp. In der Mitte eine Feuerstelle, darum herum hatte man drei grüne Zeltplanen zwischen die Bäume gespannt. Auf einer Seite war die Ausrüstung aufgestapelt, teilweise unter einer Plane verborgen, daneben mehrere große Wasserkanister. Vier Männer, darunter auch der Afrikaner, den Wolf ins Lager zurückgeschickt hatte, hockten um das Feuer, das allerdings nur noch glühte, und starrten den Neuankömmlingen neugierig entgegen. Mitten in der Glut stand ein großer Topf, aus dem Dampf aufstieg.

»Esst und trinkt zuerst einmal«, sagte Wolf und wies auf einen Baumstamm, der als Sitzgelegenheit neben dem Feuer lag. »Abel, bitte gib ihnen etwas zu essen.«

Connor und Amber ließen sich langsam auf den Baumstamm sinken. Jede Bewegung schickte Schmerzwellen durch ihre geschundenen Körper, aber sie waren unendlich dankbar, ihren Füßen eine Ruhepause zu gönnen. Der Mann mit der Tarnhose hob den Topfdeckel hoch und rührte den Inhalt kräftig durch. Der Essensduft trieb Connor und Amber das Wasser in den Mund. Abel reichte ihnen zwei Blechteller mit einem dicken braunen Eintopfgericht. Zu hungrig, um mehr als ein kurzes »Danke« murmeln zu können, fielen sie über das Essen her.

»Was ist das?«, fragte Connor, nachdem er den Teller völlig leer gegessen und von Abel einen Nachschlag erhalten hatte. »Schmeckt wunderbar!«

»Oryx«, erklärte Wolf und reichte ihnen zwei randvoll mit Wasser gefüllte Blechbecher.

Connor konnte sich darunter nichts vorstellen, aber nach der gestrigen Schlangenmahlzeit kam ihm alles wie eine Delikatesse vor. Er trank den Becher in einem Zug leer, und obwohl das Wasser stark nach Chlor schmeckte, bat er sofort um mehr. Als er den zweiten Becher leer trank, bemerkte Wolf den Blutfleck unterhalb der Achselhöhle.

»Lass mich das mal anschauen.«

Connor zog das T-Shirt über den Kopf und verzog das Gesicht, als er einen schmerzhaften Stich verspürte.

Wolf entfernte vorsichtig den Verband. »Sieht nicht gut aus. Muss dringend genäht werden.«

Connor brachte ein Grinsen zustande. »Wir sind bisher leider nicht an einem Krankenhaus vorbeigekommen.«

»Kein Problem. Ich flicke dich zusammen.« Wolf ging zu den aufgestapelten Ausrüstungscontainern hinüber und kam mit einem Erste-Hilfe-Kasten zurück. Er nahm ein steril verpacktes Wundnähset heraus, reinigte die Wunde mit einer Kochsalzlösung und legte Skalpell, Nadel und Faden zurecht.

»Haben Sie das schon mal gemacht?«, fragte Connor, dem zunehmend unwohl wurde, als er sah, dass Wolf einen dünnen Nylonfaden in die Nadel fädelte.

Wolf nickte. »Ein paar Mal. Du bist doch hoffentlich nicht wehleidig?«

Connor biss sich auf die Lippe und jaulte leise, als Wolf mit dem Skalpell ein kleines Stück Fleisch wegschnitt. Als er sich vergewissert hatte, dass die Wundränder glatt und sauber waren, schob er die Ränder mit Daumen und Zeigefinger zusammen, um die Wunde zu schließen. Connor spürte einen stechenden Schmerz, als die Nadel eindrang, dann ein scharfes Ziehen, als Wolf den ersten Stich zuzog. Das wiederholte er noch mehrmals, und jeder Stich war noch schmerzhafter.

»Erledigt«, sagte Wolf schließlich und tupfte das Blut mit einem antiseptischen Tuch ab.

Inzwischen stand Connor kalter Schweiß auf der Stirn. Zögernd schaute er auf die Wunde hinab. Sie war sauber vernäht, wie zugeschnürt.

»Er hat das ganz großartig gemacht«, sagte Amber, um Connor aufzumuntern. »Sind Sie Arzt?«, fragte sie Wolf, während der seine Ausrüstung wieder einpackte.

»Nein. Aber ich hatte genug Gelegenheit, es an mir zu üben.« Er hob sein Hemd hoch und zeigte ihr eine riesige Narbe, die sich über Brust und Bauch erstreckte.

»Um Gottes willen! Wie ist das passiert?«, fragte Amber entsetzt.

»Durch einen Löwen ist das passiert«, sagte er trocken, gab aber keine weiteren Erklärungen. Er verband Connors Wunde und gab ihm zwei kleine Packungen mit Tabletten. »Nimm sie.«

»Was für Tabletten sind es?«

»Die weißen sind Schmerztabletten.«

Connor starrte ihn an. »Warum haben Sie mir die nicht *vorher* gegeben?«

Wolf zuckte gleichgültig die Schultern. »Sie hätten nicht schnell genug gewirkt. Die rot-weißen sind Antibiotika. Die nimmst du ein, um eine Infektion zu verhindern. Eine Tablette täglich, eine Woche lang.«

»Danke.« Connor warf sofort eine Antibiotikum-Tablette in den Mund und spülte sie mit Wasser hinunter. Die übrigen Tabletten steckte er ein.

»Ich weiß gar nicht, wie wir Ihnen für Ihre Freundlichkeit und Hilfe danken sollen«, sagte Amber und stellte ihren Teller weg.

»Im Busch heißt man jeden Fremden wie ein Familienmitglied willkommen. Denn man weiß nie, ob man nicht eines Tages auch selbst Hilfe braucht.« Wolf stand auf und brachte den Erste-Hilfe-Kasten zur übrigen Ausrüstung zurück.

»Was machen Sie und Ihre Männer hier im Park?«, fragte Connor, während er sein T-Shirt wieder anzog. Die Mahlzeit und das Wasser hatten ihn wiederbelebt; seine Sinne funktionierten wieder. Es fiel ihm auf, dass keiner der Männer eine Rangeruniform trug.

»Wir sind Umweltschützer«, erklärte Wolf. »Aber jetzt müsst ihr mich entschuldigen – ich muss mich um den Büffel kümmern.«

»Aber wir müssen doch unbedingt die Behörden informieren!«

»Alles schon erledigt«, beruhigte ihn Wolf und nahm seine Jagdbüchse. »Abel hat die Sache über Funk gemeldet. Am besten, ihr beide ruht euch jetzt erst mal aus.«

KAPITEL 57

Durst und Hunger waren besiegt; jetzt verlangten ihre Körper nach Schlaf. Sie waren zum Umfallen müde; man musste sie nicht zum Schlafen überreden. Dankbar legten sie sich unter eine der Zeltbahnen, unter der Abel zwei Isomatten ausgerollt hatte. Kaum hatten sie sich hingelegt, als sie auch schon einschliefen.

Connors Schlaf war tief und fest – so tief, dass er sich gegen das Aufwachen wehrte. Aber irgendwann drang dann doch Ambers Stimme durch seine Benommenheit.

»Lassen Sie mich vorbei!«, rief sie drängend auf Englisch. »Ich muss mal raus.«

»Bleiben hier!«, antwortete ein Mann barsch.

Connor stützte sich auf einen Ellbogen. Amber stand am Rand des Camps. Offenbar hatte sie versucht, an einem von Wolfs Männern vorbeizukommen, einem fit aussehenden Typen mit dichtem Kraushaar und prächtigen Muskelpaketen, die wohl eher auf ein hartes Leben als auf viele Stunden im Fitnessstudio hindeuteten.

»Aber ich muss mal raus!«, wiederholte sie. »Sofort!«

Der Mann starrte sie nur an, unbeweglich wie eine Steinstatue.

»*Les toilettes*«, wiederholte sie auf Französisch.

»Ah!« Endlich dämmerte ihm, was sie meinte. Er grunzte zustimmend und deutete auf einen Baum, der nur ein paar Meter vom Camp entfernt war. Amber rannte hinüber und verschwand im Unterholz. Der Mann ging ihr nach, blieb aber auf halbem Weg stehen.

»*Arrêtez!*«, rief er ihr nach. »*Pas plus loin!*«

Connor setzte sich auf und rieb sich die Augen. Der tiefe Schlaf hatte wahre Wunder bewirkt: Er fühlte sich wieder viel stärker. Zwar schmerzte die Wunde an der Seite immer noch, aber die Tabletten hatten die Schmerzen zum Teil betäubt. Er warf einen Blick auf die Uhr: schon nach fünf Uhr nachmittags. Sie hatten also mehr als vier Stunden geschlafen. Connor nahm noch eine Dosis Schmerzmittel, dann schaute er sich nach Wolf um, entdeckte ihn aber nirgends.

Hätte nicht der Rettungstrupp von der Lodge längst hier sein müssen?, dachte er.

Er trat unter der Zeltplane hervor. Auch er verspürte jetzt ein dringendes Bedürfnis und wandte sich zum Busch. Aber Abel trat ihm in den Weg.

»Wohin du gehen?«, fragte er auf Englisch.

»Aufs Klo«, antwortete Connor, und um die Sache völlig klar zu machen, fügte er hinzu: »*Les toilettes.*«

»Ah.« Abel nickte und trat beiseite. »Nicht weit gehen. Löwen.«

Connor nickte und ging ein paar Meter in den Wald hinein. Während er an einem Baum pinkelte, warf er einen Blick über die Schulter zurück. Abel beobachtete ihn scharf. Ein ungutes Gefühl beschlich Connor. Irgendetwas stimmte hier nicht. Zwar hatte er seine Lektion gelernt und wusste inzwischen nur zu gut, wie gefährlich es im afrikanischen Busch sein konnte; es hätte ihn nicht im Geringsten überrascht, wenn tatsächlich Löwen in der Nähe des Camps wären. Aber allmählich hatte er den Eindruck, dass er und Amber hier eher Gefangene als Gäste waren.

Als er ins Lager zurückkam, saß Amber mit undurchdringlicher Miene am Feuer. Er setzte sich neben sie.

»Alles in Ordnung?«, fragte er.

Sie nickte und lächelte. Aber ihr Lächeln wirkte gezwungen, vielleicht sollte es nur Abel und den Muskelmann täuschen, die das Lager bewachten. Connor blickte sich verstohlen um und fragte sich erneut, wo Wolf und die beiden anderen Afrikaner waren. Vielleicht sind sie dem Rettungstrupp entgegengegangen, dachte er. Das wäre nur logisch. Schließlich hatte sich Wolf außerordentlich gastfreundlich gezeigt.

Aber warum regte sich ein mulmiges Gefühl, sein sechster Sinn für Gefahr?

Abel goss ihnen Tee aus einem stark verbeulten Wasserkessel ein und reichte ihnen zwei Packungen Kekse. Dann schlenderte er zu seinem ebenso muskulösen Gefährten hinüber und begann mit ihm leise zu tuscheln. Dabei blickten die beiden immer wieder zu Connor und Amber herüber. Die Männer machten einen angespannten Eindruck. Aber Connor glaubte, dass er selbst vielleicht zu misstrauisch war und überreagierte – kein Wunder, nach allem, was er erlebt hatte. Außerdem hatte er ihnen von dem Rebellen namens Schwarze Mamba und seinen »Soldaten« erzählt; vielleicht hatten sie jetzt nur einfach Angst um ihr eigenes Leben.

Amber legte den Kopf an seine Schulter. Connor machte es nichts aus, er wunderte sich aber, wie sie unter diesen Umständen so zutraulich sein konnte. Aber dann merkte er, dass sie das mit Absicht tat, denn so konnte sie ihm unauffällig ins Ohr flüstern.

»Ich muss dir was erzählen.«

Er nickte kaum merklich, damit Abel und der andere Mann nicht misstrauisch wurden.

»Als ich zur Toilette ging, hab ich zwischen den Bäumen eine Tarndecke gesehen. Darunter liegen *sechs* große Elefantenzähne.«

Connor begriff sofort, was das bedeutete. Sie waren schon wieder in eine gefährliche Situation hinein gestolpert.

»Wolf ist kein Naturschützer. Er ist ein Wilderer«, flüsterte Amber.

Jetzt ergab plötzlich alles Sinn: das versteckte Camp, die umfangreiche Ausrüstung, die mächtige Jagdwaffe mit dem Zielfernrohr. Sogar der wütende Bulle. Connor erinnerte sich, dass er mehrere Einschüsse in dem toten Tier gesehen hatte. Zum Zeitpunkt des Angriffs hatte er nur drei Schüsse registriert. Aber kurz davor hatten sie mehrere Schüsse aus einiger Entfernung gehört. Das konnte bedeuten, dass der Bulle nur angeschossen gewesen war, als er auf die Lichtung kam. Und als dann Connor und Amber auftauchten, hatte der verwundete und gereizte Bulle angegriffen.

Und alle Schüsse hatte Wolf abgefeuert.

KAPITEL 58

Bevor er irgendeine überstürzte Entscheidung traf, wollte sich Connor erst einmal Gewissheit verschaffen, ob sie sich wirklich in Gefahr befanden. Er ließ Amber am Feuer sitzen und schlenderte zu Abel und dem Muskelprotz hinüber, die am Rand des Camps hockten. Als sie ihn kommen sahen, standen sie auf. Abels Augen wurden schmal; der Muskelmann verschränkte die Arme.

»Wo ist denn Wolf?«, fragte Connor lässig.

»Geht durch Busch«, antwortete Abel.

»Wann kommt er wieder?«

»Später.«

»Und was ist mit den Behörden? Wann werden wir abgeholt?«

»Bald.«

Connor merkte, dass er von Abel nicht mehr als ein- oder zweisilbige Antworten zu erwarten hatte. Er versuchte eine andere Tour.

»Könnte ich bitte euer Funkgerät benutzen?«

Abel schüttelte den Kopf.

»Aber ich muss die Lodge kontaktieren und ...«

»Nicht Funk«, unterbrach ihn Abel.

»Aber Wolf sagte, dass du ...«

»Er Apparat hat mitgenommen.«

Connor seufzte. Völlig klar: Abel mauerte. Von ihm und seinem schweigsamen Kumpan würde er nichts weiter erfahren. Aber eigentlich hatte er alle Antworten bekommen, die er brauchte. Wolf hatte behauptet, Abel hätte die Behörden verständigt. Wie konnte das sein, wenn Wolf das einzige Funkgerät hatte?

Er ging zum Feuer zurück, wo Amber gerade den letzten Keks aß.

»Wir müssen weg«, flüsterte er ihr zu.

»Aber hier bei Wolf und seinen Leuten sind wir doch sicherer als allein dort draußen?«, fragte sie und schaute nervös zur Savanne, die zwischen den Bäumen zu sehen war.

»Kann schon sein. Aber ich glaube, dass wir hier eigentlich Gefangene sind. Und dass sie überhaupt keine Hilfe herbeigerufen haben.«

»Aber Wolf hat doch gesagt...«

»Ich weiß, was er gesagt hat, aber jetzt bin ich sicher, dass er lügt. Und das heißt, dass niemand weiß, wo wir sind, oder dass wir überhaupt noch leben.«

Amber schüttelte ungläubig den Kopf. »Warum sollte er uns anlügen?«

Connor schaute sie direkt an. »Du hast doch selbst gesehen warum! Er ist ein Wilderer! Das Letzte, was so ein Mensch tun würde, ist, die Behörden anzurufen! Glaubst du wirklich, der würde sich selbst verraten, wenn er dann mit zehn Jahren Gefängnis rechnen müsste? Er kann uns gar nicht freilassen, weil er sonst befürchten muss, dass wir verraten, was er hier macht. Deshalb müssen wir hier weg, solange wir noch können.«

»Sollten wir nicht noch mindestens bis zum Morgen warten?«

»Wer weiß, was sie mit uns vorhaben. Ich jedenfalls möchte nicht warten, bis mir jemand mitten in der Nacht die Kehle aufschlitzt. Außerdem wird unsere Chance immer kleiner, lebend aus dem Park herauszukommen. Ich habe noch keinen einzigen Soldaten und keinen Hubschrauber gesehen. Offenbar weiß noch niemand, was sich hier abgespielt hat. Der Präsident ist vielleicht schon tot. Die Rebellen werden vielleicht bald den gesamten Park unter ihrer Kontrolle haben. Sie wollen die Macht im Land übernehmen. Dann bricht bestimmt ein Bürgerkrieg aus.«

Amber nickte zögernd. Connor drückte beruhigend ihre Hand, dann stand er auf, um Abels Aufmerksamkeit auf sich zu lenken.

»Wir schlafen noch ein wenig!«, rief er ihm zu, gähnte und mimte mit der Hand an der Wange das Schlafen. Inzwischen stand die Sonne tief am Horizont und schickte nur noch einzelne goldene Strahlen durch das Blätterdach. In weniger als einer Stunde würde es dunkel werden.

Abel nickte, ließ sie aber nicht aus den Augen, als sie zu ihren Schlafplätzen zurückgingen. Sie legten sich nieder und taten so, als ob sie schliefen. Abel und sein Kumpel ließen sich tatsächlich täuschen und setzten ihr Gespräch fort. Bald darauf beobachtete Connor, dass sie anfingen, ein burundisches Brettspiel namens Igisoro zu spielen, das es auch in der Lodge gab und an dem er sich schon einmal mit Henri versucht hatte. Weil die beiden Männer kein Spielbrett zu Verfügung hatten, hatten sie die kleinen Mulden einfach in die hart gestampfte Erde geschabt.

Connor stieß Amber leicht an. So leise es ging, schlichen sie hinten unter der Plane hinaus und krochen in das Unterholz. Es wäre besser gewesen, wenn sie noch Wasser und Nahrung hätten mitnehmen können, aber Connor hatte nicht gewagt, die Männer misstrauisch zu machen. Kaum waren sie außer Sicht, standen sie auf und huschten so leise wie möglich in Richtung der Savanne.

»Wo wollt ihr beide denn hin?«, knurrte plötzlich eine Stimme.

Connor und Amber blieben wie angewurzelt stehen. Wolf trat zwischen den Bäumen hervor. Er zielte zwar nicht auf sie, hielt aber den Karabiner quer vor der Brust. Hinter ihm tauchten die beiden anderen Männer vom Camp auf, ebenfalls mit Waffen. Selbst ihr Schweigen wirkte bedrohlich.

»Zur Safari-Lodge«, sagte Connor herausfordernd.

Wolf warf einen Blick zum Horizont, wo die Sonne bereits unterging. »Zu gefährlich. Die Dämmerung ist die Hauptjagdzeit für Löwen und Hyänen.«

»Wir gehen trotzdem«, sagte Connor fest, obwohl ihm bei der Erwähnung der Hyänen ein Schauder über den Rücken lief.

»Das wäre aber nicht sehr klug. Wir haben eure Rebellen entdeckt – ich glaube, sie suchen euch draußen auf der Ebene.«

»Lieber ein bekanntes Übel als ein unbekanntes«, sagte Amber.

Connor stöhnte innerlich auf. Ambers Temperament ging wieder einmal mit ihr durch.

Wolf runzelte die Stirn. »Was soll denn das heißen?«

»Sie haben doch überhaupt niemanden informiert, stimmt's?«, sagte sie anklagend.

Wolf betrachtete sie mit unbewegter Miene, aber seine blassgrauen Augen verengten sich. »Wir haben es versucht, konnten aber niemanden erreichen.«

»Das sollen wir Ihnen glauben?«, fragte Amber wütend. »Sie sind doch gar kein Naturschützer! Ich hab Ihre Schatzgrube gesehen – Elfenbein! Lassen Sie uns durch!«

Sie wollte sich an Wolf vorbeidrängen; Connor blieb dicht an ihrer Seite. Aber einer der Männer trat vor und stellte sich ihnen in den Weg. Wie durch einen Zauber hielt er plötzlich eine blutverschmierte Machete in der Hand. Zwar ließ er sie lose herabhängen, aber die Botschaft war trotzdem unmissverständlich.

Wolf ließ einen tiefen Seufzer hören und schüttelte in schlecht gespielter Enttäuschung den Kopf. »Wenn du das Elfenbein gesehen hast, kann ich euch definitiv nicht laufen lassen.«

»Wir erzählen es niemandem«, versicherte ihm Connor eilig. »Wir sagen überhaupt niemandem, dass wir Sie getroffen haben.«

»Das Risiko kann ich leider nicht eingehen«, sagte Wolf mit bedauerndem, aber kaltem Lächeln. »Auf dem Schwarzmarkt ist das Elfenbein mehr als zwei Millionen Dollar wert. Ihr werdet auf jeden Fall von der Polizei und vom Geheimdienst genau befragt werden, schließlich seid ihr die einzigen lebenden Zeugen des Anschlags. Sie werden das hier auf jeden Fall herausfinden, dann verliere ich alles, womöglich sogar meine Freiheit. Deshalb werdet ihr bestimmt verstehen, dass ihr im Camp bleiben müsst, jedenfalls so lange, bis wir das Elfenbein aus dem Park geschafft haben.«

Amber starrte Wolf wütend an. »Und ich dachte, Sie sind ein guter Mensch!«, schrie sie ihn verbittert an. »Aber Sie sind kein bisschen besser als die verdammten Rebellen dort draußen! Die töten unschuldige Menschen, Sie töten unschuldige Tiere! Sie sind nichts als ein erbärmlicher *Wilderer!*«

Wolf starrte sie von oben herab an, offensichtlich zutiefst beleidigt. »Ich bin einer der letzten Großwildjäger!«, sagte er und deutete sich wichtigtuerisch auf die Brust. »Und ich bin hier, um die Großen Fünf zu jagen!«

Mit einer grandiosen Geste trat er zur Seite und wies auf den abgetrennten Kopf des Büffelbullen, der ein Stück weit entfernt im Gras lag. Die toten Augen starrten zu ihnen auf, die majestätische Macht, die das lebende Tier ausgestrahlt hatte, war erloschen.

Wolf ging hinüber und klopfte stolz auf die kostbaren Hörner. »Sobald ich alle fünf Tiere erlegt habe, ist meine Sammlung vollständig. Dann übergebe ich euch den Behörden, gesund und munter, das verspreche ich euch.«

»Und wann wird das sein?«, fragte Connor.

»Mir fehlt nur noch eine einzige Trophäe«, grinste Wolf, »aber die ist am schwersten zu kriegen: ein Leopard.«

KAPITEL 59

Connor und Amber mussten sich wieder ans Feuer setzen und wurden an Händen und Füßen gefesselt.

»Ich bedaure es sehr, aber es muss eben sein«, sagte Wolf, als ihnen Abel und sein Kumpan die Hände hinter dem Rücken fesselten. »Es ist zu eurem eigenen Nutzen. Der afrikanische Busch ist nachts extrem gefährlich, und wir wollen doch nicht, dass euch etwas zustößt, wenn ihr wieder weglauft.«

»Bitte lassen Sie uns gehen!«, flehte Amber.

»Du bist selbst schuld, junge Dame!«, fauchte er scharf. »Hättest du nicht herumgeschnüffelt...«

»Aber es könnte noch Tage dauern, bis Sie einen Leoparden finden«, protestierte Connor. »Und überall schwärmen noch die Rebellen herum, das haben Sie selbst gesagt. Was ist, wenn sie uns zuerst finden?«

Wolf wischte den Einwand mit einer lässigen Handbewegung und einem verächtlichen »Pah!« beiseite. »Der Busch ist mein Jagdrevier. Diesem Lotterhaufen von Rebellen kann ich jederzeit aus dem Weg gehen.«

»Aber verstehen Sie denn nicht, was hier abgeht?«, rief Connor aufgebracht. »Die Rebellen haben den Präsidenten als Geisel genommen oder ihn womöglich sogar getötet! Es gibt einen Staatsstreich! Das Land wird in einen Bürgerkrieg gestürzt!«

Wolf verzog den Mund zu einem dünnen, verächtlichen Lächeln. »Das ist alles nur zu meinem Vorteil. Krieg bedeutet Chaos. Und Chaos bedeutet, dass hier bald keine neugierigen Ranger mehr herumschnüffeln. Wodurch es für mich einfacher wird, das Elfenbein aus dem Land zu schmuggeln, einschließlich meiner wunderbaren Sammlung.«

Er ging zum Rand des Camps und zog eine der Planen hinter den Ausrüstungsstapeln zurück. Eine makabre Reihe von Tierköpfen kam zum Vorschein: ein einst mächtiger Löwe mit voller Mähne; ein schwarzes Nashorn mit prächtigem Horn, dessen dunkle Augen wie mit Tränen schimmerten; der riesige Kopf eines Elefanten mit seinen langen, prächtigen Stoßzähnen. Und nun trugen zwei Männer auch den Kopf des Büffels herbei und fügten ihn zu der Sammlung hinzu.

»Sie sind krank, Wolf. Sie sind furchtbar krank«, sagte Amber und wandte voller Entsetzen und Abscheu den Blick ab.

Wolfs Augen blitzten wütend. »Du hast doch keine Ahnung, Mädchen. Ich bewahre diese Tiere auf – ich beschütze sie für die Nachwelt. Das ist wahrer Naturschutz! Auch noch in vielen Jahren werden wir diese großen Tiere bewundern können ...«

»Würde doch reichen, wenn Sie sie einfach mit der Kamera schießen, oder?«, fauchte Amber giftig zurück.

Wolf runzelte verwirrt die Stirn. »Wo bleibt denn dann der Nervenkitzel? Ich trete den Tieren zu Fuß gegenüber, Auge in Auge. Ich setze dabei genau wie die Tiere mein Leben aufs Spiel. Das ist es, was die ganze Sache ...«

Ein tiefes Knurren unterbrach ihn. Und war gleich noch

einmal zu hören. Es klang rau, als würde ein Baumstamm gesägt, und übertönte den abendlichen Chor der Savanne. Wolf riss die Augen auf. »Leopard!«, rief er atemlos.

Er sprang auf, griff nach dem Jagdgewehr und bellte seinen Männern knappe Befehle zu. Hastig verstaute er Munition in seiner Tasche und füllte seine Gürtelflasche mit Wasser aus dem Kanister. Abel warf sich einen Rucksack über die Schulter, der offenbar irgendwelche Ausrüstungsgegenstände enthielt. Sie liefen zum Waldrand, doch dort drehte sich Wolf noch einmal zu Connor und Amber um, als hätte er sie in seinem Jagdfieber schon fast vergessen.

»Versucht bloß nicht abzuhauen!«, warnte er sie. »Sonst jage ich euch! Eure Köpfe wären doch eine hübsche Ergänzung für meine Sammlung!«

Gefolgt von Abel verschwand er im schon fast dunklen Dickicht.

Amber starrte ihm nach. »Wenn ihn doch der Löwe dort gefressen hätte ...«

Connor nickte nur zustimmend.

Der Muskelprotz und seine beiden Kumpel blieben im Camp, wahrscheinlich, um sie zu bewachen. Aber da Connor und Amber gut gefesselt waren, achteten sie nicht weiter auf sie und fingen eine weitere Runde Igisoro an. Als es fast völlig dunkel geworden war, warfen die Wilderer Holz aufs Feuer und wärmten den Oryx-Eintopf wieder auf. Dieses Mal gaben sie den Gefangenen nichts von ihrem Essen ab, aber der Jüngste von ihnen kam herüber und gab ihnen einen Becher Wasser zu trinken. Dann setzten sie sich auf die andere Seite des Feuers und redeten gedämpft miteinander, wobei sie gelegentlich zu Connor und Amber hinüberschauten, die gegen den Baumstamm gelehnt am Feuer saßen.

»Verstehst du, was sie sagen?«, flüsterte Connor Amber zu. Er wünschte sich, er hätte sein Übersetzer-Smartphone noch.

Amber rückte ein wenig näher und antwortete leise: »Sie überlegen, was sie mit uns tun sollen.«

Dabei schaute sie ihn so voller Entsetzen und Angst an, dass er jede Hoffnung verlor, von diesen Leuten verschont zu werden.

»Der Muskeltyp will uns den Löwen zum Fraß vorwerfen«, flüsterte sie mit bebender Stimme. »Der mit dem Schnurrbart will uns den Rebellen übergeben, als Gegenleistung für freien Abzug. Und der Junge meint, sie sollten uns einfach hier zurücklassen, wenn sie abziehen.«

»Super Auswahl. Fällt mir echt schwer, etwas auszusuchen«, sagte Connor sarkastisch. »Und dann noch das, was Wolf uns angedroht hat...«

Amber lächelte gezwungen. Der Schein des Feuers zuckte über ihr Gesicht. »Sie reden auch über die Rückkehr der Schwarzen Mamba. Klingt so, als hätten sie ziemlich viel Angst vor ihm, sogar der Muskel...«

»*Tais-toi!*«, bellte der Muskelprotz herüber.

Nach dem wütenden Befehl, still zu sein, wagten sie nicht mehr, miteinander zu reden. Die Fesseln waren sehr eng, und schon bald begannen die Hand- und Fußgelenke anzuschwellen und zu schmerzen. Connor lenkte sich damit ab, dass er über das nachdachte, was Amber berichtet hatte. Superleistung, Connor, dachte er grimmig. Sie waren vom Regen in die Traufe gekommen – den Rebellen waren sie entflohen, nur um prompt den Wilderern in die Arme zu laufen. Am Todesurteil änderte das nichts.

KAPITEL 60

Es war schon spät, als sich die Wilderer endlich unter die Zeltplanen zurückzogen. Der Junge blieb am Feuer sitzen, um die Gefangenen zu bewachen. Amber lag verkrümmt auf dem harten Erdboden, die gefesselten Hände machten es ihr schwer einzuschlafen. Connor versuchte es erst gar nicht; sein Verstand arbeitete auf Hochtouren. Durch halb geschlossene Augen beobachtete er den Jungen, der geistesabwesend am Feuer saß und mit Connors Messer an einem Stock herumschnitzte. Connor zermarterte sich das Gehirn, wie er ihre Flucht arrangieren und gleichzeitig sein kostbares Erbstück zurückerobern konnte.

Wolf und Abel waren noch nicht zurückgekommen. Als die beiden anderen Männer endlich schliefen, hielt Connor den richtigen Zeitpunkt für gekommen, die Flucht zu versuchen. Denn obwohl sich Wolf am Anfang sehr um sie gekümmert hatte, konnte Connor nicht mehr darauf vertrauen, dass er sein Wort halten würde. Selbst wenn der Jäger tatsächlich vorhatte, sie freizulassen, sobald seine Beute aus dem Land geschafft war, konnte es durchaus sein, dass ihn seine Bande zu einer anderen Lösung überreden würde.

Nein, dachte Connor. Wir müssen fliehen, wenn wir lebend nach Hause kommen wollen.

Das Schnitzgeräusch hörte auf; Connor hob vorsichtig den Kopf. Der Kopf des Jungen war nach vorn gefallen, er schien zu dösen. Das Messer steckte in dem Stock. Connor wartete noch zehn Minuten, dann schob er sich mühsam an dem Baumstamm hoch, vor dem sie lagen, bis er auf die Knie kam. Das dauerte eine ganze Weile, da Arme und Beine durch die engen Fesseln fast gefühllos geworden waren. In die Hände floss höchstens noch halb so viel Blut wie normal, aber Connor war dennoch froh, dass die Fesseln so eng waren. Dadurch waren sie leichter aufzubrechen.

Er bückte sich, hob die Hände langsam hinter sich hoch und schlug sie dann, so hart er konnte, gegen das Gesäß. Aber der Schlag war nicht hart genug; die Kabelbinder platzten nicht. Stattdessen verlor er das Gleichgewicht, kippte nach vorn und landete mit dem Gesicht im Dreck.

Er spuckte die Erde aus und drehte den Kopf, um einen Blick auf den Wächter zu werfen. Glücklicherweise war der Junge nun wirklich eingeschlafen. Der Trick mit den Kabelbindern war ihm entschieden leichter vorgekommen, als er ihn bei seiner Geburtstagsfeier ausprobiert hatte. Connor überprüfte, ob sich der Verschluss genau zwischen seinen Handgelenken befand, und probierte es noch einmal. Er brauchte zwei weitere Versuche, bis der Kabelbinder endlich riss.

Connor schüttelte das Blut in die Hände zurück, rutschte zu dem schlafenden Wächter hinüber und streckte die Hand nach dem Messer aus. Der Junge regte sich; Connors Hand schloss sich um den Messergriff, bereit, sich zu verteidigen, falls der Junge aufwachte. Aber er wachte nicht auf. Vorsichtig zog er das Messer aus dem Ast und schnitt den Kabelbinder durch, mit dem seine Fußgelenke gefesselt waren. Dann schlich er zu Amber hinüber und legte ihr den Finger über die Lippen.

Ihre Lider flatterten auf, sie zuckte unwillkürlich zurück, beruhigte sich aber sofort, als sie Connors Gesicht im Schein des Feuers erkannte. Connor schnitt ihre Fesseln durch und gab ihr ein Zeichen, ihm zu folgen. Sie schlichen an dem Ausrüstungsstapel vorbei, wo Connor noch eine volle Wasserflasche mitnahm und auch seinen Rucksack fand. Leise huschten sie aus dem Feuerschein. Die Nacht schloss sich um sie, bis sie kaum noch einen Meter weit sehen konnten. Connor holte die Nachtsicht-Sonnenbrille aus der Seitentasche seiner Cargohose. Als er den winzigen Schalter am Bügel betätigte, explodierte die Welt förmlich aus der Dunkelheit heraus. Alles war nun in ein geisterhaftes Licht getaucht. Als er sich umdrehte, sah er plötzlich ein Paar große runde Augen vor sich und hätte beinahe aufgeschrien – aber es war nur ein kleiner Affe, der von einem Ast hing. Connor wusste, dass man diese Rasse Buschbabys nannte. Aber im Moment waren ihm solche Feinheiten herzlich gleichgültig.

Der Busch lag nun ungefähr so hell vor ihm wie bei Vollmond. Connor sah einen Pfad vor sich, dem sie folgen konnten, ohne allzu viel Lärm zu verursachen. Aber sie waren kaum ein paar Meter weit gekommen, als der Muskelprotz hinter einem Baum hervortrat. Er zog gerade den Reißverschluss seiner Hose zu, als sie plötzlich vor ihm auftauchten, und war offenbar genauso überrascht wie sie. Bevor er reagieren konnte, rammte ihm Connor einen geraden Faustsoß in den Magen – ein klassischer Oi-Zuki, aber es war, als hätte er gegen eine massive Steinmauer geschlagen. Da stand er nun, ein jahrelang durchtrainierter Kampfsportler, und musste einen Schmerzensschrei unterdrücken, als seine Faust gegen diese eisenharten Bauchmuskeln krachte.

Der Muskelmann grinste belustigt, wobei seine Zähne in der Dunkelheit wie ein Halbmond glänzten.

»*Encore!*«, lachte er und breitete die Arme aus, um Connor zu einem weiteren Hieb einzuladen.

In der Sekunde, in der Connor überlegte, welche Stelle am Körper dieses Monsters empfindlicher reagieren würde, trat Amber vor und rammte dem Mann das Knie zwischen die Schenkel. Dem Wilderer traten buchstäblich die Augen aus dem Kopf. Er klappte zusammen wie ein Taschenmesser und ließ ein qualvolles Aufstöhnen hören. Amber rammte ihm die Faust an die Schläfe. Der Muskelmann ging wie ein getroffener Bulle zu Boden.

Connor starrte Amber bewundernd an.

Sie zuckte nur die Schultern. »Selbstverteidigungs-AG in der Schule. Manchmal ganz nützlich, finde ich.«

Connor grinste. »Muss ich mir merken, falls wir uns mal streiten.«

KAPITEL 61

Connor und Amber schlichen durch eine fremdartige, unheimliche Nacht – lebendig, laut und ständig in Bewegung. Die warme Luft pulsierte förmlich mit dem endlosen Zirpen der Grillen und Zikaden und den jammernden Schreien der Buschbabys. Unzählige Fledermäuse flatterten leise durch die Luft. Der nächtliche Chorus zahlloser Tiere wurde von dem Trompeten der Elefanten und dem tiefen, langen Röhren der Löwen begleitet, die im hohen Gras umherstreiften.

Connors Blick zuckte ständig hin und her. Hier knackte ein Zweig, dort raschelte das Laub in der Dunkelheit. Aber selbst mit der Nachtsichtbrille bekam er die Verursacher nur selten zu sehen – oft huschten die Geschöpfe ins Unterholz oder in die Äste hinauf, bevor er sie identifizieren konnte.

Amber hielt seine Hand fest, sehr fest, voller Angst, ihn in dieser beunruhigenden Dunkelheit mit ihren unbekannten, fremdartigen Geräuschen zu verlieren. Er führte sie durch den immer lichter werdenden Wald. Immer wieder blickte er auf den Kompass und korrigierte die Marschrichtung. Er hatte sich bewusst entschieden, nicht den direkten, geraden Weg zur Lodge zu wählen. Auf keinen Fall wollte er den Schutz und die Deckung zu früh aufgeben, die ihnen der Wald bot.

Im Freien konnten sie leicht von ihren Verfolgern – den Rebellen und jetzt auch noch von den Wilderern – entdeckt werden. Oder zur Beute eines der Löwen werden, die sie draußen in der Ebene brüllen hörten.

Sie waren still. Seit der Begegnung mit dem Muskelmann hatten sie kein Wort mehr gesprochen. Connor nahm an, dass der Mann inzwischen die anderen im Camp alarmiert hatte. Die Frage war, ob sie die Verfolgung aufnehmen würden, solange Wolf nicht zum Lager zurückgekommen war.

Connor hörte ein leises Knacken ganz in der Nähe. Ein Zweig. Irgendetwas schlich dort herum.

Er blieb stehen; Amber regte sich nicht, obwohl ihm ihr schneller Atem bewies, dass sie furchtbare Angst ausstand. Angestrengt lauschten sie in die Dunkelheit auf das Tier oder den Menschen, der sich näherte. Aber die Nachtgeräusche verrieten nichts.

Leise schlichen sie weiter, hielten sich an den offenbar oft benutzten Wildwechsel. Sie kamen darauf schneller voran, außerdem waren ihre Spuren unter den vielen Tierspuren schwerer zu erkennen. Sollte sich Wolf wirklich dazu entschließen, sie zu jagen und wieder einzufangen, wollte Connor es ihm so schwer wie möglich machen.

Aus dem Augenwinkel sah er eine blitzschnelle Bewegung. Er wirbelte herum.

»Was ist?«, flüsterte Amber erschrocken, ihre Augen waren so weit aufgerissen wie die eines Buschbabys.

Connor legte ihr rasch den Finger auf die Lippen und schaute sich aufmerksam um. Durch die Nachtsichtbrille sah er die Umrisse von Büschen und Bäumen in einem sanften Licht glimmen. Ein Ast bewegte sich leise, aber es war nichts zu sehen.

»Hab ich mir nur eingebildet«, flüsterte er und führte sie

weiter. Aber sie hatten noch keine fünf Schritte zurückgelegt, als sie beide ein deutliches Rascheln hörten.

War Wolf bereits auf ihrer Spur? Oder liefen sie einer Rebellenpatrouille direkt in die Arme?

Connor drehte sich langsam um sich selbst, suchte in höchster Anspannung und Konzentration das Unterholz ab. Aber er sah nur eine schattenhafte Wand von Büschen und hohem Gras.

Bis er zufällig nach oben schaute.

Von einem Ast spähten zwei glasig-grüne Augen herab.

Ohne Connors Nachtsichtbrille wäre das Raubtier völlig unsichtbar gewesen, nichts als ein Geist in der Nacht. Aber Connor konnte gerade noch seine schlanken Umrisse ausmachen, die weiße Schwanzspitze zuckte... Und dann blitzten furchtbar scharfe Reißzähne auf, als der Leopard die Schnauze aufriss und sich mit einem gewaltigen Sprung auf sie stürzte.

KAPITEL 62

»Ich komme nicht voran«, beschwerte sich Charley wütend bei Colonel Black. »Connors Smartphone reagiert nicht. In der Safari-Lodge geht niemand mehr ans Telefon. Die französische Botschaft in Bujumbura hat übers Wochenende geschlossen und unter ihrer Notfallnummer meldet sich nur ein Anrufbeantworter. Als ich endlich das Büro von Präsident Bagaza erreichte, sagte die Sekretärin, dass sie mich zurückrufen wolle, aber das hat sie nicht getan – und das ist jetzt vier Stunden her. Außerdem schließt das Büro ebenfalls bald fürs Wochenende.«

»So ist es eben in Afrika, Charley«, sagte Colonel Black und schaute sie mitleidig und zugleich mit grimmiger Besorgnis an. »Hast du versucht, die Krankenhäuser zu erreichen?«

Charley nickte. »Aber nur eins hat geantwortet. Ein offensichtlich völlig überarbeiteter Arzt, der Wochenendbereitschaft hat. Ein Dr. Emmanuel Ndayi... Ndayikunda, so jedenfalls hat es sich angehört. Er versprach, dass er sofort die Liste der Neuzugänge durchsehen und mich dann umgehend zurückrufen würde, aber ich warte immer noch auf seinen Anruf.«

»Mach dir da keine großen Hoffnungen«, meinte der

Colonel. »Nach meiner Erfahrung bedeutet ›sofort‹ nur irgendwann in den nächsten Tagen.«

»Aber was können wir noch tun?«, rief Charley fast flehend. Sie hielt die Armlehnen ihres Rollstuhls so fest umklammert, dass die Knöchel weiß hervortraten. »Connor hat sich seit vierundzwanzig Stunden nicht mehr gemeldet. Kein Bericht, kein Lebenszeichen, nichts. Etwas ist furchtbar schiefgelaufen. Ich fühle es in jeder Faser meines Körpers.«

»Du hast recht.« Der Colonel setzte sich aufrecht und griff nach dem Telefonhörer. »Ein Kommunikations-Blackout, der so lange andauert, schreit förmlich danach, die Sache nicht auf die leichte Schulter zu nehmen. Ich rufe den burundischen Generalstabschef an und erkundige mich, ob er irgendwelche Informationen besitzt.«

Colonel Black wählte die Nummer des Militärhauptquartiers in Burundi. Immer wieder wurde er Untergebenen weiterverbunden und arbeitete sich auf diese Weise schließlich zu den höherrangigen Offizieren durch, bis er schließlich mit dem Generalstabschef persönlich verbunden wurde.

»Generalmajor Tabu Baratuza«, bellte der Generalstabschef ungehalten. »Was kann ich für Sie tun, Colonel? Bitte fassen Sie sich kurz, ich hätte schon vor einer Stunde bei einem offiziellen Dinner sein müssen.«

»Ich entschuldige mich für die Störung, General. Aber wir haben begründeten Anlass zur Sorge bezüglich der Sicherheit Ihres Präsidenten und seiner Besucher, des französischen Botschafters und dessen Familie.«

»Wie kommen Sie darauf?«, wollte der Generalstabschef wissen, aber sein Ton war milder geworden. Offenbar hatte der Colonel jetzt seine volle Aufmerksamkeit.

»Wir haben einen Sicherheitsagenten im Einsatz, der die Kinder des Botschafters schützen soll«, erklärte Colonel

Black. »Seit vierundzwanzig Stunden haben wir keinerlei Kontakt mehr mit ihm. Wir können auch niemanden sonst erreichen – weder die Familie des Botschafters noch überhaupt die Safari-Lodge, in der sie untergebracht sind. Das ist hochgradig ungewöhnlich. Haben Sie in jüngster Zeit Kontakt mit dem Präsidenten oder seiner Garde in der Ruvubu-Safari-Lodge gehabt?«

Der Generalmajor zögerte einen Moment, offensichtlich wollte er seine Antwort genau abwägen. »Ja. Ich habe einen Befehl vom Präsidenten erhalten, sofort einen kleinen Trupp Soldaten in Sektor acht des Nationalparks zu entsenden.«

»Aus welchem Grund?«

»Ich bin nicht befugt, diese Information weiterzugeben. Aber heute Morgen wurde der Befehl widerrufen.«

Colonel Black runzelte die Stirn. »Ist das nicht recht ungewöhnlich?«

»Eigentlich nicht. Der Präsident ist dafür bekannt, dass er seine Meinung immer wieder ändert.«

Der Colonel lehnte sich, nun mit sehr nachdenklicher Miene, im Schreibtischsessel zurück. »Bevor wir den Kontakt verloren, berichtete unser Agent von Gerüchten über einen Mann, der Black Mamba genannt wird. Ich frage mich, ob das irgendwie mit dem Schweigen unseres Agenten zu tun hat.«

Der Generalmajor räusperte sich. »Ich, hm, kenne diese Gerüchte. Aber ich kann Ihnen versichern, dass es sich tatsächlich nur um Gerüchte handelt, nichts weiter. Aber ich werde mich sofort-sofort persönlich um Ihr Anliegen kümmern, Colonel, und dafür sorgen, dass sich jemand in Kürze wieder bei Ihnen meldet. Einen schönen Abend.«

Der Generalstabschef legte auf. Der Colonel schaute Charley überrascht an. »Er wird sich *persönlich* und *sofort-sofort* darum kümmern! Wenn wir Glück haben, bedeutet das, dass wir schon in einer Stunde etwas hören werden. Aber mach dir keine allzu großen Hoffnungen.«

Aber sie mussten keine Stunde lang warten – nicht einmal eine halbe. Und nicht irgendein Offizier, sondern der Generalmajor persönlich rief zurück.

»Colonel, wir können weder die Präsidentengarde noch einen unserer im Park stationierten Soldaten erreichen«, sagte der General. »Ich hoffe, dass es sich nur um ein Problem mit dem Telefonnetz handelt, aber um sicherzugehen, werde ich sofort eine Einheit in den Park entsenden. Sie wird im Morgengrauen dort eintreffen.«

KAPITEL 63

Ein entsetzliches, schauriges Knurren. Messerscharfe Krallen, die sich in sein Fleisch gruben. Ein unglaubliches Gewicht, eine todbringende Schwere krachte auf seine Schultern, drückte ihn unter sich zu Boden. Amber unter ihm, schreiend. Klauen, die ihm den Rücken zerfetzten. Fauchende, gierige Zähne, die sich in den Rucksack schlugen und ihn zerrissen. Schmerzen, heiß, weißglühend wie Feuer, blendend... und dann dunkles Nichts...

Connor schlug die Augen auf. Frühes Morgengrauen am Horizont, kaum wahrnehmbar. Vögel sangen leise in den Bäumen, Insekten summten im Gras. Die Glut eines Lagerfeuers glomm, glühte in der leichten Brise immer wieder auf, schickte eine kaum sichtbare graue Rauchfahne in den Morgenhimmel. Mittendrin lag ein flacher Stein, auf dem drei dicke weiße Würste brutzelten und immer brauner wurden.

Er lag flach auf dem Bauch neben dem Feuer. Sein Rücken fühlte sich an, als hätte er Feuer gefangen und schmorte nun vor sich hin wie die Würste. Jemand drückte eine weiche Paste auf seine Wunden, die das unsagbar schmerzhafte Brennen ein wenig linderte. Langsam flauten die Schmerzen ab. Connor seufzte und schloss die Augen. Aber die Erleichterung dauerte nicht lange. Plötzlich spürte er ein scharfes Zwicken an der Schulter, als würde er gebissen.

Er hob den Kopf und schaute seitwärts hoch. Ein junges schwarzes Mädchen mit runden Wangen und dunklen, blitzenden Augen kniete neben ihm. Er sah rohe, blutige Wunden, die sich über seine linke Schulter zogen, aufgerissen von den Klauen des Leoparden. Eine war besonders tief. Auf diese Wunde trug das Mädchen eine weitere Schicht der rotbraunen Paste auf. Dann nahm sie eine Treiberameise zwischen Daumen und Zeigefinger und setzte das zappelnde Insekt auf die Wunde.

»Nein!«, stöhnte er, aber es war schon zu spät.

Die scharfen Kiefer bissen auf beiden Seiten in die Wundränder, schlossen sich ruckartig und zogen sie so zusammen. Das Mädchen riss den Körper der Ameise ab, sodass nur der Kopf zurückblieb. Die Kiefer öffneten sich nicht mehr. Verblüfft und erschöpft wehrte sich Connor nicht mehr, als sie methodisch eine Ameise nach der anderen an die Wunde setzte und sie mit den Insekten buchstäblich vernähte. Bald zog sich eine ordentliche Reihe von Ameisenköpfen, wie kleine schwarze Perlen, über die Schulter.

»Wer ... bist du ...?«, stöhnte er, als sie damit fertig war.

»Sie heißt Zuzu«, antwortete Amber anstelle des Mädchens. »Sie gehört zum Batwa-Stamm, der hier in der Nähe wohnt.«

Connor drehte den schmerzenden Kopf in die andere Richtung. Amber saß auf einem Felsblock, zupfte die trockenen Fasern aus einer Baobabfrucht und kaute zufrieden darauf herum. »Du hast mir schon wieder das Leben gerettet«, stellte sie fest.

»Echt?«

Amber lächelte. »Kannst du dich nicht daran erinnern?«

Connor schüttelte den Kopf. Das gesamte entsetzliche Erlebnis mit dem Leoparden war nur eine zerrissene, wirre Abfolge von albtraumhaften Erinnerungsfetzen.

»Ich hab nur ein entsetzliches Brüllen gehört«, erklärte sie. »Konnte überhaupt nichts sehen. Aber du hast dich praktisch über mich geworfen und mich vor dem Leoparden beschützt. Und du hast nicht losgelassen, nicht mal, als er anfing, dich zu zerreißen.« Amber schüttelte ungläubig über so viel Mut den Kopf. »Jetzt weiß ich endlich, was mit Nahpersonenschutz gemeint ist.«

Sie zwinkerte ihm zu und trank einen Schluck aus der Wasserflasche, die Connor vom Camp der Wilderer mitgenommen hatte.

Connor versuchte sich aufzusetzen, aber sofort zuckten unglaubliche Schmerzen über seinen Rücken.

»Ist es schlimm?«, fragte er stöhnend. Er konnte sich lebhaft vorstellen, wie sein Rücken aussehen musste – die Haut zerfetzt, das Fleisch in Streifen bis auf die Knochen aufgerissen.

Amber warf einen Blick auf die Wunden und verzog das Gesicht. Dann fragte sie Zuzu: »*Est-ce qu'il va s'en sortir?*«

Das Mädchen antwortete auf Französisch. Amber übersetzte: »Zuzu sagt, in ihrem Stamm gibt es ein Sprichwort: ›Jede Wunde lässt eine Narbe zurück. Und jede Narbe erzählt eine Geschichte. Und die Geschichte sagt: Ich habe überlebt.‹ Ich glaube, damit will sie sagen, dass du am Leben bleibst.«

Amber hielt die zerfetzten Reste seines Rucksacks in die Höhe. »Ich fürchte, dieses Ding hier ist nicht leopardensicher.«

Sie zeigte ihm auch sein blutverschmiertes T-Shirt. Vier streifenförmige Risse an der Schulter, aber der Rest des Shirts war nicht beschädigt. »Was dich wirklich gerettet hat, ist dein

T-Shirt! Keine Ahnung wieso, aber durch irgendein Wunder wurde dein Rücken nicht zerrissen.«

»Das Hemd ist stichsicher«, erklärte Connor stöhnend, als ihm Zuzu half, sich aufzusetzen. »Leider nützt es nichts, wenn man zu Brei zerschlagen wird. Aber wie zum Teufel sind wir dem Biest entkommen?«

Amber wies mit den Augen auf Zuzu. »Das haben wir unserer neuen Freundin hier zu verdanken. Sie hatte ihr Lager ganz in der Nähe. Sie hat mich schreien gehört und das Biest mit einem brennenden Ast von ihrem Feuer vertrieben.«

Zuzu rasselte ein paar Worte herunter, während sie das Gel aus einem Aloe-vera-Blatt, das sie aufgeschlitzt hatte, in seine Schürfwunden und auf die Blutergüsse rieb. Es linderte den Schmerz fast sofort. Connor schaute Amber fragend an.

»Sie sagt, wir hätten unglaubliches Glück gehabt, dass wir den Angriff überlebt haben. Vor diesem Leoparden hat nämlich ihr ganzer Stamm riesige Angst; sie nennen ihn den gefleckten Teufel. Er ist ein Menschenfresser!«

Noch während sie redete, breitete sich ein strahlendes Lächeln über ihrem Gesicht aus.

»Und darüber freust du dich wohl auch noch?«, fragte Connor. »Wir hätten umkommen können!«

Ihr Lächeln wurde noch breiter. »Henri lebt!«

KAPITEL 64

Sämtliche Schmerzen waren augenblicklich wie weggefegt, als er das hörte. Er konnte es kaum glauben. Er war völlig überzeugt gewesen, dass Henri nicht mehr lebte.

»Woher weißt du das? Wo ist er?«

»Zuzu hat einen Rebellentrupp beobachtet. Sie führten einen weißen Jungen mit rotem Haar mit sich. Sie marschierten in Richtung Dead Man's Hill.« Amber reichte ihm die Wasserflasche. »Kann nur mein Bruder gewesen sein.«

»Wir hätten doch wissen müssen, dass dieser Typ uns belog!«, murmelte Connor vor sich hin und schüttelte wütend den Kopf über die fiese Lüge. Er nahm einen Schluck Wasser, eine Dosis Antibiotika und zwei Schmerztabletten. »Wir müssen so schnell wie möglich zur Lodge und ...«

»Nein!«, unterbrach ihn Amber. »Wir gehen zum Dead Man's Hill!«

Connor blinzelte verblüfft. Bisher hatte sich Amber seinen Entscheidungen noch nie widersetzt. »Aber wir wissen doch nicht einmal, wie wir von hier aus dorthin kommen!«

»Zuzu weiß es. Sie sagt, es geht hier lang.« Amber deutete nach Norden über die Ebene. »Und sie wird uns führen.«

Das Buschmädchen nickte, als hätte sie alles verstanden, während sie noch einmal nach seinen Wunden sah.

»Aber das ist genau die entgegengesetzte Richtung!«, wandte Connor ein. »Und überhaupt: Was willst du denn tun, wenn wir dort ankommen?«

»Henri herausholen natürlich.«

Connor starrte Amber mit offenem Mund an. Drehte sie durch? War das alles zu viel für sie gewesen? »Hör mal zu. Wir sind müde, hungrig, verletzt. Wir sind doch überhaupt nicht zu einer Rettungsaktion in der Lage. Und wenn du glaubst, dass die Rebellen nur einfach zuschauen, wenn wir in ihr Camp spazieren und Henri vor ihren Nasen herausholen, dann täuschst du dich aber gewaltig. Das geht nicht ohne Kampf!«

»Weiß ich doch«, fauchte sie gereizt und schaute ihn wütend an, weil er sie für so naiv hielt. »Aber wenn wir ihn jetzt nicht herausholen, werden wir ihn vielleicht nie mehr finden ... jedenfalls nicht lebendig.«

Connor rieb sein dreckverschmiertes Gesicht und seufzte erschöpft. »Mir ist klar, dass du alles tun willst, um Henri zu retten. Das geht mir genauso. Aber ich darf nicht zulassen, dass du mit dieser Kamikaze-Aktion dein Leben aufs Spiel setzt. Das ist glatter Selbstmord. Ich denke, es ist das Beste, wenn wir zur Lodge gehen und Verstärkung holen.«

»Und wie lange wird das dauern? Einen Tag? Zwei? Vielleicht noch mehr in diesem gottverlassenen Land. Aber wir dürfen keine Zeit verschwenden. Jede Minute zählt. Wer weiß, was sie meinem Bruder antun! Henris Leben steht vielleicht auf dem Spiel!«

»Deins auch!«, gab Connor scharf zurück. Er war selbst hin- und hergerissen zwischen dem Wunsch, Amber in Sicherheit zu bringen, und dem drängenden Verlangen, Henri zu retten. Sein Kopf sagte ihm das eine, sein Herz das andere. Aber der Verstand behielt die Oberhand. »Tut mir leid, aber ich kann nicht zulassen, dass du das Risiko eingehst.«

Amber starrte ihn an. Ihre Augen blitzten vor Wut. »Ich habe Henri schon einmal verloren. Ich will ihn nicht noch einmal verlieren. Er ist alles, was mir von meiner Familie geblieben ist. Ich muss ihn retten!« Sie stieß wütend mit dem Zeigefinger in seine Richtung. »Und du musst meinen Bruder auch retten! Du bist doch angeblich sein Bodyguard, oder nicht?«

»Ich bin auch *dein* Bodyguard«, rief er frustriert. »Es ist meine Pflicht, euch *beide* zu schützen!«

Amber sprang von ihrem Stein und verschränkte trotzig die Arme. »Na, dann ist ja alles geklärt. Du musst mich beschützen, während ich meinen Bruder rette. Denn das werde ich tun, auch ohne dich!«

KAPITEL 65

»Deine Eltern sind tot!«, brüllte Blaze und schlug mit einem langen, dünnen Bambusstock auf Henri ein.
Wumm!
Henri stürzte auf den felsigen Boden und schrie auf vor Schmerzen. Auf seinem Oberarm zeichnete sich ein langer roter Striemen ab, der rasch anschwoll.
»Deine Eltern waren Feiglinge. Sie konnten dich nicht mal beschützen.«
Wumm!
Tränen quollen aus Henris Augen, als der Stock über seinen Rücken peitschte. Es tat so weh, dass er nicht einmal aufschreien konnte.
»Deine Schwester ist abgehauen.«
Wumm!
Henri rollte sich instinktiv zusammen und schützte den Kopf mit den Händen, als Blaze weiter auf ihn einschlug.
»Hast du gehört? Sie konnte dich auch nicht schützen.«
Wumm! Wumm!
»Und jetzt ist sie auch tot. Und ihr Freund. Und du bist ganz allein.«
NoMercy schaute teilnahmslos zu, als Blaze auf den weißen Jungen einprügelte. Er erinnerte sich, dass sein eigenes Auf-

nahmeritual in die Rebellengruppe ganz ähnlich anfing. Er war aus seinem Dorf entführt und Tag und Nacht verprügelt worden, bis er nicht mehr wusste, ob er noch lebte oder schon tot war, bis sein Körper und sein Geist zerbrochen, vollkommen vernichtet waren. Wörter wurden ihm ständig eingeflüstert, die reines Gift waren und ihn allmählich überzeugten, dass seine Familie ihn verraten, ihn schmählich im Stich gelassen hatte, bevor sie von einer rivalisierenden Rebellenbande ermordet worden war. Dann war die Schwarze Mamba zu ihm gekommen, hatte ihm Rettung und Erlösung von den ständigen Schmerzen, der unerbittlichen Folter angeboten. An diesem Punkt war er so weit gewesen, dass er alles getan hätte, *alles*, damit die unerträglichen Schmerzen aufhörten. Sogar einen Menschen mit bloßen Händen erwürgen. Von da an wurde er neu geboren. Das geschah nicht auf einen Schlag, sondern Stück für Stück, von einem Mord zum nächsten. General Pascal, die Schwarze Mamba, hatte aus ihm einen Krieger gemacht, einen Soldaten. Er hatte ihm einen neuen Namen gegeben. Seine Vergangenheit war vergessen, nicht mehr wichtig. Er lebte nur noch, um zu kämpfen, und wenn es sein musste, auch um zu sterben, als gäbe es kein Morgen.

Blaze hörte mit der brutalen Bestrafung des weißen Jungen auf.

Henri lag zitternd auf den Felsen, keuchend, wimmernd, Blutspritzer ringsum, die auf dem heißen Stein fast sofort eintrockneten. Der Rebell kniete nieder und fuhr dem Jungen sanft durch das rote Haar.

»Aber wir können dich beschützen«, flüsterte er ihm ins Ohr. »Wir können dich stark machen. Doch zuerst musst du beweisen, was in dir steckt. Du musst dir unseren Respekt verdienen. Bis du es wert bist, den Namen Roter Teufel zu tragen.«

Motorengeräusch. Blaze und NoMercy blickten sich um. Ein Jeep raste heran.

General Pascal kam von der Lodge zurück und brachte Grey Man mit sich, wie sie den Fremden nannten.

»Er arbeitet von jetzt an mit den anderen«, befahl Blaze und reichte NoMercy den Bambusstock. »Verprügle ihn, wenn er zu langsam arbeitet.«

NoMercy nickte, zog Henri auf die Füße und schleppte ihn zum Fluss, wo die versklavten Arbeiter die Erde umgruben und auswuschen. Blaze stolzierte wichtigtuerisch durch den seichten Fluss und salutierte vor dem General, als dieser und Grey Man ausstiegen.

»Willkommen im Diamond Valley, Mr Grey.« General Pascal machte eine majestätische Handbewegung über das verborgene Tal, das er von den Zwangsarbeitern buchstäblich umgraben und ausplündern ließ. »So nenne ich das Tal jetzt. Ein Tal der Diamanten, so reich mit diesem kostbaren Mineral gesegnet, dass nachts der Boden funkelt, als seien Sterne vom Himmel gefallen.«

»Eine sehr poetische Beschreibung«, bemerkte Mr Grey völlig humorlos und gleichgültig. Seine fast farblosen Augen waren auf NoMercy gerichtet, der gerade einem zerschlagenen, blutenden, weinenden weißen Jungen einen verbeulten Eimer gab. »Wer ist der weiße Junge?«, fragte er.

»Der Sohn von irgendeinem ausländischen Botschafter.« Der General lachte und machte eine wegwerfende Handbewegung. »Weiße Männer haben schon immer unser Land geplündert. Höchste Zeit, dass sie den Preis dafür bezahlen.«

»Sie könnten ein Lösegeld erpressen«, schlug Mr Grey vor. »Er könnte ziemlich viel Geld wert sein.«

»Warum? Ich habe alle Reichtümer der Welt hier im Tal.«

Der General befahl Blaze, die Stahlschatulle aus Pascals Zelt zu holen. Er stellte sie auf die Motorhaube und breitete daneben eine Sammlung von Rohdiamanten aus. »Kommen wir zum Geschäft, Mr Grey. Suchen Sie sich ein paar Steine aus. Ich will, dass meine Armee die am besten ausgerüstete in ganz Afrika wird.«

KAPITEL 66

Connor, Amber und Zuzu brachen das Lager ab und machten sich auf den Weg durch die Savanne. Zuzu ging voraus; ihre nackten Füße verursachten fast kein Geräusch auf der roten Erde. Sie war klein und schlank wie eine Gazelle, trug einen fleckig-braunen Wickelrock und einen einfachen Schal, der den Kopf bedeckte und über die linke Schulter herabhing. In der rechten Hand trug sie einen Bogen und mehrere Pfeile mit schwarzen Spitzen. An einem Seil um die Hüfte hingen eine kleine Kalebasse mit Wasser, ein einfacher Feuerstarter und ein kleines Messer. Davon abgesehen, schien sie nichts zu besitzen.

Connor war erstaunt, dass sie ohne Nahrung und Ausrüstung in dieser Wildnis überleben konnte. Als er sie danach fragte, erklärte sie, dass ihr das Land alles bot, was sie zum Leben brauchte. Und zum Beweis pflückte sie eine Handvoll kleiner orangefarbener Beeren von einem Busch, warf sich ein paar davon in den Mund und bot ihnen die übrigen an. Sie schmeckten bittersüß, aber sehr viel besser als die »Würste«, die Zuzu zum Frühstück gebraten hatte.

Am Morgen hatte Connor mit sich gerungen, ob er Amber nachgeben und ihren Bruder retten sollte oder nicht. Während er noch grübelte, hatte ihm Zuzu einen der weißen wurstförmigen Klöße gereicht, die sie auf dem heißen Stein gebraten hatte. Ohne groß zu überlegen, was er da aß, hatte er hineingebissen. Die »Wurst« war eigenartig breiig und schmeckte ein bisschen nussig wie Pilze, aber nicht so angenehm. Zuzu hatte ihn aufmunternd angeschaut, während er kaute. Danach hatte ihn Amber mit unverhohlener und größter Freude informiert, was er da gerade gegessen hatte: gebratene Nashornkäferlarven! Er hätte beinahe alles wieder ausgespuckt, beherrschte sich aber, weil er Zuzu nicht beleidigen wollte. Von Gunner hatte er erfahren, dass es sich dabei um eine Buschdelikatesse handelte. Um zu vermeiden, dass sie ihm eine zweite Portion gab, hatte er rasch Ambers Planänderung zugestimmt. Es war ihm ohnehin klar geworden, dass er gar keine andere Wahl hatte, schließlich konnte er nicht eine um sich schlagende, strampelnde und schreiende Klientin den weiten Weg zur Lodge schleppen. Aber er durfte auch nicht zulassen, dass sie allein und unbeschützt in ein möglicherweise tödliches Gebiet marschierte. Und der überzeugendste Grund: Wie hätte er als Bodyguard mit dem Gedanken leben können, dass er seinen Klienten in höchster Not im Stich gelassen hatte?

Doch als er nun Zuzu durch den stickig-heißen, schwülen Busch folgte, kamen ihm starke Zweifel, ob sein Entschluss wirklich klug gewesen war. Schließlich hatte er nicht mal einen Bruchteil des Wissens über den Busch, über das Zuzu offenbar verfügte. Und er besaß rein gar nichts mehr, von seinem Messer abgesehen. Die Sonnenbrille war beim Angriff des Leoparden zerbrochen. Connor fühlte sich in keiner Weise auf die schweren Aufgaben und Qualen vorbereitet, die ihnen bevorstanden. Es kam ihm so vor, als marschierten sie geradewegs in eine Löwengrube, mit kaum mehr als einem Zahnstocher bewaffnet. Und er konnte eigentlich auch nicht begreifen, warum sie ihr Leben schon wieder einer völlig fremden Person anvertrauten, nach dem, was sie gerade erst mit Wolf erlebt hatten.

Connor beschleunigte den Schritt, bis er mit Amber gleichauf war. »Bist du sicher, dass wir unserer Führerin vertrauen können?«, fragte er leise. Er vermied Zuzus Namen, sie sollte nicht merken, dass sie über sie redeten.

»Warum denn nicht?«, fragte Amber überrascht.

»Wir merken es doch nicht mal, wenn sie uns in eine Falle führt! Wer weiß, vielleicht kassiert sie von den Rebellen eine Belohnung, wenn sie uns bei ihnen abliefert.«

Amber schaute ihn mit gerunzelter Stirn an. »Ich kann nicht glauben, dass jeder in diesem Land korrupt ist! Sie hat uns das Leben gerettet, schon vergessen? Sie hat mich sogar davon abbringen wollen, zum Dead Man's Hill zu gehen. Sie glaubt, der Berg ist verflucht… und dass dieser Leopard dort lebt.«

»Das sagst du erst jetzt!«, sagte Connor empört. Und wütend auf sich selbst, weil er dieser verrückten Rettungsaktion überhaupt zugestimmt hatte.

Amber redete einfach weiter, ohne auf ihn zu achten. »Aber ich hab ihr gesagt, wie viel mir mein Bruder bedeutet. Das hat sie verstanden, sie hat selbst einen Bruder verloren.«

»Trotzdem, wir wissen gar nichts über sie!«, sagte Connor stur.

»Ich schon. Während du den toten Mann gespielt hast, haben wir viel miteinander geredet.«

Zuzu blickte über die Schulter, um zu checken, ob sie noch Schritt halten konnten. Ihr Lächeln war offen und unschuldig und Connor konnte nicht die geringste Spur von Trug und Täuschung darin erkennen. Plötzlich verspürte er Gewissensbisse, dass er ihr überhaupt etwas Böses zugetraut hatte. Aber es war schließlich seine Aufgabe als Bodyguard, misstrauisch zu bleiben, bis die betreffende Person sich als absolut vertrauenswürdig erwiesen hatte.

»Eine sehr traurige Geschichte«, fuhr Amber fort. »Ich hab dir ja schon erzählt, dass sie zu einem der Batwa-Stämme gehört, die hier in der Gegend leben. Oder genauer: lebten. Die Regierung hat sie vom Land ihrer Ahnen vertrieben, als der Nationalpark erweitert wurde. Minister Feruzi hat gelogen, als er sagte, die Batwa hätten wunderbare neue Häuser, Schulen und Frischwasserbrunnen bekommen. Stimmt alles nicht! Die Stämme mussten froh sein, wenn sie einen Brunnen bekamen, von Häusern ganz zu schweigen. Die meisten erhielten überhaupt kein Land und müssen jetzt sehen, wie sie zurechtkommen. Zuzu sagt, nur ein paar Batwa-Männer hätten Arbeit im Park bekommen, obwohl sie den Busch besser kennen als jeder andere, deshalb schlagen sich viele als Bettler oder mit kleinen Hilfsjobs durch. Zuzu und ihre Familie sind so etwas wie Naturschutz-Vertriebene!«

»Wie kommt es dann, dass sie hier im Park unterwegs ist, wenn der Zutritt doch gar nicht erlaubt ist?«

»Sie ist auf der Jagd«, erklärte Amber. »Die Batwa waren schon immer Jäger und Sammler. Ihr Vater ist an gebrochenem Herzen gestorben, sagt sie, weil er seine Heimat und dann auch noch seinen Sohn verloren hat. Jetzt muss Zuzu für die ganze Familie sorgen. Aber die Regierung hat jede Art von Jagd im Park verboten. Sie darf sich auf keinen Fall erwischen lassen, sonst wird sie wegen Wilderei verurteilt und dann hat ihre Familie überhaupt nichts...«

Zuzu blieb plötzlich stehen und hob warnend die Hand. Connors Blick huschte durch die Umgebung, aber er konnte keine Gefahr erkennen. Zuzu legte sehr langsam einen Pfeil in den Bogen und zielte auf etwas, das im Gebüsch verborgen war. In der Savanne wurde es plötzlich still, als ob alle Geschöpfe die Gefahr spürten. Connors Puls beschleunigte sich. Er zog Amber näher an sich, um sie besser gegen ein Raubtier schützen zu können.

Plötzlich schoss Zuzu den Pfeil ab und verschwand sofort im Gras. Connor sah kurz ihren gelenkigen Körper, dann nur noch eine Bewegung im Gras. Fast geräuschlos rannte sie durch das Unterholz. Connor packte Ambers Hand und rannte hinter Zuzu her. Er durfte sie nicht aus den Augen verlieren. Auf einer kleinen Lichtung holten sie sie ein. Sie kniete neben einem sterbenden Dikdik.

Die Savanne war nicht still geworden, weil ein Löwe oder Leopard herumschlich. Das Raubtier war Zuzu.

Sie zog den Pfeil aus der Brust der winzigen Antilope und legte ihn beiseite. Dann legte sie die Hände auf das Tier und flüsterte leise ein paar Worte. Es klang wie ein Gebet oder wie ein Segen. Sie blickte auf.

»Die Batwa nehmen, was sie können, aber nur, was sie brauchen«, übersetzte Amber.

Zuzu band die Beine des kleinen Tiers zusammen. Connor bückte sich nach dem Pfeil, aber sie sagte schnell: *»Ne touchez pas! C'est toxique!«*

»Nicht anfassen«, übersetzte Amber. »Er ist giftig.«

Connor nickte. »Ja, hab's schon verstanden.«

Zuzu warf sich die Antilope über die Schulter. »Was zum Essen.« Sie nahm Pfeile und Bogen und marschierte weiter.

Connor und Amber folgten ihr, beeindruckt von ihrem Geschick als Jägerin. Zuzu legte ein gleichmäßiges, aber strenges Tempo vor. Sie schien weder zu ermüden noch trinken zu müssen, und obwohl es Connor und Amber unmöglich vorkam, sich in dieser Landschaft zu orientieren, schien Zuzu genau zu wissen, wohin sie ging. Sie folgte

Pfaden und Wildwechseln, die für die beiden Weißen unsichtbar blieben.

Nachdem Connor Zuzus Geschichte gehört hatte, war er fast sicher, dass ihre Führerin nichts Böses im Schilde führte. Aber eine Frage gab ihm keine Ruhe: Warum half sie ihnen? Wenn es ihrer Familie wirklich so schlecht ging, würde sie doch bestimmt in Versuchung geraten, Amber und Connor bei der nächsten Gelegenheit an die Rebellen zu verkaufen? Er beschloss, sie sorgfältig zu überwachen.

Nach zwei Stunden scharfem Fußmarsch in brütender Sonne waren Connor und Amber der Erschöpfung nahe. Gerade als Connor Zuzu bitten wollte, eine Pause einzulegen, deutete sie auf einen zerklüfteten Felsgipfel, auf dem eine einzelne Akazie stand.

Dead Man's Hill.

KAPITEL 67

Jetzt gibt es kein Zurück mehr, dachte Connor und stählte sich innerlich für den steilen Aufstieg, der ihnen bevorstand.

Am Fuß des Hügels legte Zuzu eine Trinkpause ein. Sie trank einen offenbar genau bemessenen Schluck aus ihrer Kürbisflasche. Connor und Amber, die nach dem langen Marsch fast völlig dehydriert waren, tranken den gesamten Rest ihres Wasservorrats. Connor hielt die leere Wasserflasche hoch und drehte sie um, damit Zuzu sah, dass sie völlig leer war. Zuzu lächelte, deutete auf den Berg und sagte etwas.

»Eine Quelle auf halbem Weg zum Gipfel«, übersetzte Amber.

Ihre Führerin erriet, dass sie auch hungrig sein könnten, und schlenderte gelassen zu einer Gruppe von Palmen hinüber. Mit der Genauigkeit einer Scharfschützin schleuderte sie einen Stein in die dichten Palmwedel hinauf; drei runde rote Früchte fielen herab. Die äußere Schale glänzte und war hart wie eine Walnuss, aber Zuzu zeigte ihnen, wie sie sie mit einem Stock aufschlagen konnten. Connor stellte erstaunt fest, dass das hellbraune Fleisch fast wie trockener Lebkuchen schmeckte.

»Es ist, als würde sie hier mitten durch einen Supermarkt

spazieren«, stellte Amber fest und genoss den unerwarteten Leckerbissen.

Die kurze Vesperpause hatte ihre Lebensgeister wieder ein wenig aufgefrischt. Kaum hatte er fertig gegessen, sprang Connor auch schon wieder auf die Füße. Doch Zuzu blieb sitzen und aß ruhig weiter.

»Kommst du nicht mit?«, fragte er.

Zuzu schüttelte den Kopf, warf einen schnellen, ängstlichen Blick auf den Berg und murmelte etwas.

Amber übersetzte. »Sie sagt, sie will hier warten, bis wir mit Henri zurückkommen, und uns dann zur Lodge führen.«

Connor starrte Amber an. »Wir können doch nicht ohne sie gehen!«, sagte er entschlossen. »Wir haben keine Ahnung, was auf der anderen Seite ist oder wo sich dein Bruder befindet.« Und obwohl er es nicht sagte, hatte er auch nicht die Absicht, ihre Führerin aus den Augen zu lassen.

»Aber sie ist stur. Sie will nicht gehen.«

»Dann gehen wir auch nicht. Wenn wir schnell fliehen müssen, brauchen wir Zuzus Hilfe. Sie kennt sich hier aus.«

»Aber …« Amber schaute ihn an, sah aber sofort, dass es keinen Zweck hatte, mit ihm zu streiten. Er würde nicht nachgeben.

Sie kniete neben Zuzu nieder und redete rasch auf Französisch auf sie ein. Ihr Ton veränderte sich, zuerst redete sie ihr nur gut zu, dann schien sie sie anzuflehen.

Zuzu zögerte, immer wieder hörte Connor die Wörter *les spectres* und *le léopard*. So eindringlich klangen ihre Argumente, dass Connors Bedenken wuchsen, auf den Berg zu steigen. Schließlich gab Zuzu Ambers eindringlichen Bitten nach und nickte zögernd. Sie stand auf und nahm Pfeil und Bogen. Amber warf Connor einen triumphierenden Blick zu.

»Wie hast du denn das geschafft?«, fragte er.

Sie grinste. »Ich hab ihr erzählt, dass du in deinem Land ein berühmter Krieger bist und die Macht hast, uns vor bösen Geistern zu schützen.«

»Na prima. Ein Kampf gegen Geister wäre mal eine nette kleine Abwechslung.«

»Richtig überreden konnte ich sie aber erst, als ich ihr versprach, dass sie sich von meinen Klamotten und meinem Schmuck aussuchen darf, was sie will, wenn wir wieder in der Lodge sind«, fügte sie hinzu.

Connor schaute sie fassungslos an. »Für ein *Kleid* vergisst sie ihre Angst vor Geistern?«

Amber lachte. »Auch ein Buschmädchen weiß, was wirklich wichtig ist. Sie besitzt nur den Sarong und ihren Schal und sonst nichts. Für Zuzu ist das ein ziemlich gutes Geschäft.«

Zuzu führte sie durch das Unterholz und einen kurvenreichen Wildwechselpfad hinauf. Sie stieg den felsigen Steilhang so sicher hinauf wie eine Bergziege, sodass sich Connor allmählich völlig untrainiert und im Vergleich zu ihr schwerfällig und ungelenkig vorkam. Selbst Amber, die geübte Bergsteigerin, hatte Mühe, ihr so schnell zu folgen. Zuzu blickte sich immer wieder ängstlich um, aber kein feindliches Geschöpf ließ sich blicken. Der Anstieg in der heißen Sonne war anstrengend, und als sie auf halber Höhe tatsächlich an eine Quelle kamen, ließen sie sich dankbar daneben auf den Boden sinken. Sie füllten ihre Wasserflaschen und kühlten sich mit dem Wasser ein wenig ab.

Als sie unterhalb des Gipfels ankamen, hatte die Sonne bereits ihren Zenit überschritten. Die uralte Akazie warf einen düsteren Schatten, der auf dem von der Sonne ausgebleichten Felsplateau tatsächlich ein wenig an einen alten, verkrüppelten Mann erinnerte. Sie näherten sich dem Baum. Zuzu wurde immer langsamer und ängstlicher. Nervös gab sie ihnen ein Zeichen, sich nur geduckt zu bewegen und absolut still zu sein. Hinter einem Felsblock gingen sie in Deckung und spähten über die Bergkante.

Connor starrte erstaunt auf die Landschaft, die sich auf der anderen Seite des Hügels bot.

Unter ihnen lag ein verborgenes Tal. Von hier oben konnten sie es fast in seiner gesamten Länge überblicken. Es wurde von steilen Abhängen eingefasst, durch die zahlreiche kleine Bäche flossen. Das Tal war dicht mit Bäumen und Büschen bewachsen, ein natürliches Biotop für alle möglichen Pflanzen und Tiere. Die Hänge waren mit einem dichten Teppich von Laubbäumen bedeckt, der sich bis zum Talboden hinunter erstreckte. Dort wand sich ein breiter, glitzernder Fluss durch das Tal, bis er in der Ferne über Stromschnellen und kleine Wasserfälle in den Ruvubu mündete. Es war, als blickten sie in eine urzeitliche Welt hinunter – wenn nicht auch hier die zerstörerische Macht der Menschen zu beobachten gewesen wäre. Ein Stück weiter flussaufwärts war ein primitiver Staudamm gebaut worden; auf beiden Seiten hatte man den Wald in Ufernähe gerodet. Männer mit nacktem Oberkörper arbeiteten mit Pickeln und Schaufeln, rissen tiefe Löcher in den Boden, zerhackten mit Macheten das Unterholz und fällten Bäume oder standen im seichten Wasser und siebten die Erde mit großen, rostigen Drahtsieben. Und rings um die Szene der Zerstörung standen Jungen, fast noch Kinder, die riesige AK-47 schussbereit hielten und die Arbeiter bewachten.

Zuzu schüttelte traurig den Kopf. »*On dirait qu'ils mangent de la terre.*«

»Es kommt ihr so vor, als würden sie die Erde essen«, übersetzte Amber.

»Aber was suchen sie?«, fragte Connor.

»*Des diamants*«, antwortete Zuzu leise.

Amber schüttelte empört den Kopf. »Die ganze Zerstörung – nur für einen winzigen Diamanten am Finger?«

»*C'est le Black Mamba!*«, zischte Zuzu plötzlich und duckte sich tiefer.

Connor folgte ihrem Blick und entdeckte einen großen Mann in militärischer Tarnkleidung. Selbst aus der Ferne war der berüchtigte Kriegsherr eine eindrucksvolle Erscheinung. Mit mächtiger Brust und muskulösen Armen überragte er seine Rebellensoldaten, sogar Blaze, den Connor sofort wiedererkannte, als die verspiegelte Sonnenbrille in der Sonne aufblitzte. Connor wurde klar, dass seine Vermutungen zutrafen: Die ANL, die Armée Nationale de la Liberté, war für den Anschlag auf den Präsidenten und seine Begleitung verantwortlich.

Als Connor sah, wie verängstigt Zuzu war, verflogen auch die letzten Zweifel, die er noch an ihr gehabt hatte. Sie schien über den Rebellenführer und seinen Ruf als kaltblütiger Mörder von Frauen und Kindern genau Bescheid zu wissen.

»*C'est trop dangereux ici!*«, sagte sie und zog Amber am Arm, damit sie sich zurückzogen.

Amber schüttelte den Kopf. »*Non! D'abord nous devons trouver Henri.*«

Connor ließ den Blick über das gesamte Camp schweifen, suchte angestrengt unter den vielen erschöpften, dreckverschmierten Arbeitern nach einem schmächtigen Jungen. Wenn Blaze hier war, standen die Chancen gut, dass auch Henri hierher verschleppt worden war.

»Dort ist er!«, stieß er hervor und deutete über die zerschlissenen Zeltplanen hinweg, die offenbar die armseligen Unterkünfte der Arbeiter darstellten. Ein elfenhaft kleiner

Junge stolperte durch das Flussbett. Selbst in seinem dreckverschmierten Zustand war er mit seiner hellen Haut und den roten Haaren unter den schwarzen Arbeitern leicht zu erkennen. Er schleppte einen schweren Eimer Erde mit sich. Alle paar Meter geriet er ins Stolpern, beugte sich vornüber und rang offenbar um Atem.

»Er braucht den Inhalator«, zischte Amber wütend und tastete instinktiv nach dem rettenden Instrument in ihrer Tasche.

Entsetzt beobachteten sie, wie der Junge mit dem roten Barett – NoMercy, hatte ihn Blaze genannt – zu Henri hinüberstolzierte und mit einer Bambusgerte ausholte. Henri duckte sich noch tiefer, nahm den Eimer und stolperte ein paar Schritte weiter, bis er auf die Knie fiel, immer noch heftig um Atem ringend.

»Er stirbt, wenn sie ihn zwingen weiterzugehen!«, sagte Amber tonlos. Ihr Gesicht war kreidebleich geworden, während sie machtlos mitansehen musste, was mit ihrem Bruder geschah.

Als NoMercy auf Henri einschlug, stieß sie einen erstickten Schrei aus und stand auf.

»Nein!«, zischte Connor, packte sie am Arm und zog sie wieder in die Deckung herunter. Er deutete auf einen Rebellensoldaten, der ein Stück weiter unten neben einer Felsengruppe Wache stand. »Wir müssen warten, bis es dunkel ist.«

KAPITEL 68

Connor beobachtete das Rebellencamp aus dem Unterholz. Im fahlen Licht des abnehmenden Mondes konnte er mehrere Wachtposten ausmachen, die den Rand der Rodung patrouillierten, die Waffen lässig über die Schulter gehängt. Die übrigen Rebellensoldaten hatten sich um die blendend grellen Petroleumlampen versammelt, tranken, rauchten und spielten Karten. Den Kern des Lagers bildete eine Reihe von einfachen Zelten; von dort schallte harte Rapmusik aus Gettoblastern, ein schwerer, pulsierender Rhythmus, der durch das ganze Tal hallte. Weiter stromabwärts waren mehrere Lagerfeuer zu sehen, neben denen die erschöpften Arbeiter in kleinen Gruppen unter primitiven, halb zerrissenen Planen lagen.

Und dort würde auch Henri höchstwahrscheinlich sein. Wenn er überhaupt noch lebte.

Die Stunden bis zum Einbruch der Nacht hatten sich entsetzlich langsam dahingeschlichen. Das Bild von Henri, halb zerschlagen, zu einer Arbeit gezwungen, die er nicht bewältigen konnte, während er ständig nach Atem rang, hatte sich unauslöschlich in Connors Gedanken festgesetzt. Aber natürlich kam es nicht infrage, bei hellem Tageslicht in das Rebellenlager zu spazieren – das wäre nichts anderes als das Todesurteil für ihn und Amber gewesen. Deshalb hatten sie sich auf die halbe Höhe des Bergs zurückgezogen, um den richtigen Zeitpunkt abzuwarten. Hier, außer Sichtweite des Lagers, hatte es Zuzu gewagt, ein Feuer zu entfachen und auf der Glut das Dikdik zu braten; Amber hatte schweigend dagesessen, die Knie bis zur Brust hochgezogen.

Kaum war die Sonne hinter dem Horizont verschwunden, als die drei auch schon auf den Berggipfel zurückkehrten. Von dort schlichen sie leise bis ins Tal hinunter. Zuzu hatte sorgfältig darauf geachtet, außer Sichtweite der Wächter zu bleiben, was mit der zunehmenden Dunkelheit immer einfacher wurde. Andererseits bedeutete das auch, dass die Dschungelpfade nicht mehr zu sehen waren. Jeder Schritt war gefährlich; Connor bezweifelte, dass sie ohne Zuzu überhaupt bis zur Talsohle gekommen wären.

»Kannst du Henri sehen?«, fragte Amber, die neben Connor lag.

Connor schüttelte den Kopf. »Bleib hier. Ich gehe ihn suchen.«

»Nimm das hier mit.« Sie reichte ihm den Inhalator. Als er ihn entgegennahm, drückte sie ängstlich seine Hand.

»Keine Angst, ich hole ihn raus, versprochen«, versicherte er ihr.

Als er aufstehen wollte, tippte ihm Zuzu auf die Schulter. Sie kratzte ein wenig feuchten Lehm zusammen und beschmierte damit Connors Gesicht und seine Arme. »*Camouflage*«, flüsterte sie.

»Gute Idee«, sagte er.

Connor wartete, bis ein Wachtposten vorbei war, dann schlich er unter dem Gebüsch hervor und huschte zum Lager der Rebellen. Sein Herz hämmerte heftig, als er die Böschung hinunterkletterte. Seine einzige Deckung war die Nacht, die vom Mond spärlich erhellt wurde, und die Tarnung auf dem

Gesicht. Das war wenig; er fühlte sich wie ein Kaninchen im Scheinwerferlicht, und tatsächlich tauchte auch schon ein Kindersoldat auf. Connor ließ sich sofort in eine Erdmulde fallen und machte sich so flach wie möglich. Der Rebell blieb nur ein paar Meter entfernt stehen.

Hatte er ihn gesehen?

Connor wartete mit angehaltenem Atem. Jeden Augenblick konnte der Alarm ausgelöst werden oder jemand hielt ihm eine Knarre an den Hinterkopf. Eine glühende Zigarettenkippe landete im Dreck, keine Handbreit von seinem Kopf entfernt; Glutfunken sprühten über sein Gesicht und in seine Augen. Connor unterdrückte ein Husten, als der scharfe Geruch in seine Nase stieg. Er blickte auf, rechnete fest damit, dass der Junge grinsend auf ihn herabstarrte, stattdessen hörte er nur ein Plätschern, als der Rebell das Wasser abschlug. Der Junge drehte sich um und ging zu seinen Kameraden zurück.

Connor seufzte innerlich erleichtert auf und kroch langsam aus der Mulde. Gebückt huschte er am Ufer entlang und stieg über einen Erdhaufen, der in der Nähe des Arbeiterlagers aufgeschüttet worden war. Es war wahrhaftig die Hölle auf Erden. Die flackernden Lagerfeuer beleuchteten die eingesunkenen Gesichter der Zwangsarbeiter – Männer und Jungen, die alle hundemüde, ausgelaugt oder gar halbtot vor Hunger und Erschöpfung auf der Erde lagen. Es stank nach Schweiß, verdreckten, ungewaschenen Körpern. Von den Büschen am Rand des Lagers kam der Gestank von Urin und Fäkalien.

Connor duckte sich, als ein weiterer Wächter vorbeipatrouillierte. Aus keinem ersichtlichen Grund kickte der Rebell einen der schlafenden Arbeiter in die Rippen. Als das Opfer vor Schmerz und Schock aufstöhnte, schlenderte der Rebell mit leisem Lachen weiter. Die Szene bestärkte Connor in dem Entschluss, Henri herauszuholen, koste es, was es wolle. Bei dieser Behandlung würde der Junge wahrscheinlich den kommenden Tag nicht überleben.

Endlich entdeckte er ihn. Er lag ein wenig abseits von den anderen, ziemlich weit hinten unter einer der Planen. Er hatte sich zu einer Embryohaltung zusammengerollt, zitternd wie Espenlaub. Selbst aus der Entfernung konnte Connor über dem dumpfen Schnarchen der Arbeiter Henris angestrengtes, pfeifendes Atmen hören.

Leise schlich er um das Lager herum, wobei er sich immer im Schatten der Bäume und so weit wie möglich vom Feuerschein entfernt hielt. Langsam kniete er neben Henri nieder, legte ihm sanft die Hand auf die Schulter und einen Finger über die Lippen. Henri zuckte zusammen und riss in blankem Entsetzen die Augen auf.

»Ich bin's, Connor«, flüsterte er Henri ins Ohr, als ihm klar wurde, dass sein dreckverschmiertes Gesicht dem traumatisierten Jungen wie eine Monstervisage aus einem Albtraum vorkommen musste.

»Sie haben doch... gesagt... dass du tot bist...«, keuchte Henri.

»Bin ich aber nicht. Deine Schwester auch nicht.«

Es dauerte einen Augenblick, bis Henri klar wurde, was Connor gesagt hatte, dann lächelte er schwach. Connor gab ihm den Inhalator und half ihm, das Gerät auf Mund und Nase zu setzen. Aber auch nach ungefähr einer Minute war Henris pfeifender Atem nicht besser geworden, deshalb verabreichte er ihm zwei weitere Dosen, bis das Pfeifen schließlich nachließ. Obwohl Henri noch Zeit gebraucht hätte, sich zu erholen, durfte Connor das Risiko nicht eingehen. Jeden Augenblick konnte ein Posten vorbeikommen.

»Kannst du gehen?«, flüsterte er.

Henri nickte. Als Connor ihm half, sich aufzusetzen,

schlug einer der Arbeiter die Augen auf und schaute direkt zu ihnen herüber. Connor erstarrte und wartete auf die Reaktion des Mannes.

»*C'est mon ami*«, flüsterte Henri.

Der Mann zwinkerte ihm zu, als wollte er sagen, dass Henris Geheimnis bei ihm gut aufgehoben sei, und schloss wieder die Augen.

Henri stöhnte leise, als Connor ihm auf die Beine half.

»Geht schon«, flüsterte er mit tapferem Lächeln.

Connor spürte die angeschwollenen Striemen von den Hieben mit dem Bambusstock, von denen Henris Oberarme und Rücken bedeckt waren. Es war klar, dass der Junge unerträgliche Schmerzen aushalten musste. Er bewunderte seinen Mut, legte sich Henris Arm über die Schulter und stützte ihn. Vorsichtig schlichen sie zum Fluss. Während sie zwischen den Aushubhaufen, den Gruben und Wassergräben hindurchhumpelten, warf Connor immer wieder einen schnellen Blick ringsum. Glücklicherweise ließ sich kein Wachtposten blicken. Die übrigen Rebellen wurden durch ihr Kartenspiel abgelenkt. Connor half Henri die Böschung am anderen Ufer hinauf. Jetzt war er fast sicher, dass sie es schaffen konnten.

Sie hatten fast den Schatten und die Deckung der Büsche erreicht, als plötzlich ein Schrei ertönte. Taschenlampen leuchteten auf, ihre Strahlen zuckten wie blitzende Schwerter durch die Dunkelheit. Befehle wurden gebrüllt. Ein heilloser Schrecken durchzuckte Connor. Man hatte sie entdeckt.

Aber der Alarm galt nicht ihnen.

Aus dem Schutz der Büsche sah Connor zwei Soldaten, die mit vorgehaltenen Gewehren jemanden ins Lager führten.

Amber.

KAPITEL 69

Connor zerrte Henri tiefer ins Gebüsch. Sie rannten fast blind durch das Unterholz, folgten einem Trampelpfad, der kaum zu sehen war, Zweige peitschten über ihre Gesichter. Hinter ihnen ratterten Gewehre los, der Dschungel schien förmlich zu explodieren, als Leuchtspurgeschosse Blätter und Zweige zerhackten und die Rinde der Bäume pulverisierten. Geduckt rannten sie weiter, Henris Fuß verfing sich in einer Wurzel und beide stürzten, doch Connor riss den Jungen sofort wieder hoch. Die Schreie der Rebellen kamen immer näher. Fast schon völlig erschöpft, zerrte Connor Henri weiter.

Connor verfluchte sein Pech. In diesem entsetzlichen Spiel um Leben und Tod war er wieder auf den Start zurückgeworfen worden. Er hatte nichts weiter erreicht, als einen Klienten gegen den andern einzutauschen. Wieso war Amber gefangen genommen worden? Zuzu musste sie verraten haben! Jetzt wurde ihm klar, dass ihr Aberglaube, die Angst vor Geistern und vor der Schwarzen Mamba nichts als Getue gewesen waren, um ihn und Amber zu täuschen. Er hätte doch seinem Instinkt folgen und sich gegen Amber durchsetzen sollen, dann wären sie jetzt längst in der Lodge.

Aber es war zu spät für solche Einsichten. Der Dschungel

wimmelte bereits mit Rebellen; jetzt zählte nur noch das nackte Überleben.

Weiter rechts und links hörte er die Verfolger durch das Unterholz stürmen. Immer wieder zuckten Schüsse blitzartig zwischen den Büschen hindurch. Aber Connor hatte allmählich den Eindruck, dass die Rebellen ziemlich chaotisch vorrückten. Sie schwärmten viel zu breit aus, um nur hinter ihm und Henri her zu sein. Er vermutete, dass sie Henris Flucht noch gar nicht bemerkt hatten und dass nur deshalb so viele Soldaten ausschwärmten, weil sie vermuteten, dass Amber nicht allein unterwegs gewesen war – und dass sich deshalb irgendwo noch weitere Eindringlinge versteckten. Für Connor war das ein Vorteil; er und Henri mussten nur ein gutes Versteck finden und abwarten, bis sie ihre chaotische Suche abbrachen.

Als sie weiter den Hügel hinaufkletterten, kamen sie an einem alten, ausgehöhlten Baumstamm vorbei.

»Da rein«, befahl Connor und hoffte, dass keine giftigen Insekten oder Schlangen ihre Nester in den Baum gebaut hatten.

Henri kniete nieder und blickte hinein. »Aber es ist nicht groß genug für uns beide.«

»Nicht nötig. Ich muss erst noch deine Schwester herausholen.«

Henri riss die Augen auf. »Wie denn?«

»Weiß ich noch nicht. Aber ich muss dich vor den Rebellen verstecken, sonst kann ich es nicht versuchen.«

Henri kroch zögernd in den Baumstumpf. Connor bedeckte das Loch mit Zweigen und Ästen. Ein Tracker würde sich davon nicht täuschen lassen, aber bei Nacht war das Loch gut genug getarnt; ein suchender Blick würde vermutlich darüber hinweggleiten.

Henri spähte heraus. »Du lässt mich hier aber nicht im Stich?«

Connor schüttelte den Kopf. »Keine Sorge. Aber wenn ich aus irgendeinem Grund noch nicht zurück bin, wenn der Morgen dämmert, gehst du nach Süden zur Lodge.«

Henri schüttelte voller Entsetzen den Kopf. Connor nahm die Rangeman-Uhr ab, griff in das Loch und legte sie um Henris Handgelenk. »Für die Kompassfunktion drückst du hier drauf«, erklärte er und zeigte ihm, wie die Uhr funktionierte. »Es ist ein ganz besonderes Geburtstagsgeschenk, also pass gut darauf auf, bis ich wieder da bin.«

Henri nickte. Dass er jetzt die Verantwortung für Connors kostbare Uhr trug, schien ihn irgendwie zu beruhigen. Oder jedenfalls gab es ihm etwas zu tun.

Connor warf noch einmal einen prüfenden Blick auf die Tarnung des Lochs, dann lief er auf demselben Pfad wieder zurück. Vorsichtig wich er aus, sobald er die immer noch suchenden Rebellen durch das Unterholz trampeln hörte. Er hatte vor, sich irgendwie durch ihre Reihe zu schmuggeln und eine gut versteckte Stelle am Flussufer zu suchen, von wo aus er Amber lokalisieren ...

Der Lauf einer AK-47 tauchte plötzlich direkt vor ihm aus der Dunkelheit auf; die Mündung wurde hart gegen Connors Brust gestoßen.

»Nicht schießen!«, rief er und hob die Hände. Im selben Augenblick legte der Junge mit dem roten Barett den Finger an den Abzug.

KAPITEL 70

Connor schlug die Augen auf und blinzelte. Zum zweiten Mal in dieser Nacht blickte er dem Tod ins Auge. Zuerst, als ihm der Junge mit dem roten Barett den Lauf der AK-47 gegen die Brust gestoßen hatte. In dieser schrecklichen Sekunde war er absolut sicher gewesen, dass sein Leben zu Ende war. Wie in einem entsetzlichen Albtraum sah er das Blut aus sich herausschießen ... bis NoMercy im allerletzten Augenblick den Finger vom Abzug gelöst hatte. Stattdessen hatte er Connor die Waffe mit einem brutalen Schlag ans Kinn geschmettert und alles war schwarz geworden. Und jetzt, als er wieder zu sich kam, war er schon wieder mit dem Tod konfrontiert. Aber dieses Mal war es wirklich der Tod. Schwarz wie Kohle, mit pockennarbiger Haut und unergründlichen Augen, so unmenschlich wie die einer Schlange, die ihn jetzt mit grausamer Entschlossenheit betrachteten.

»*Où est le garçon?*«, fragte der Tod.

Connor war zu benommen, um antworten zu können. Das brachte ihm einen so harten Schlag ins Gesicht ein, dass ihm buchstäblich der Kopf dröhnte. Er blinzelte, um die Schmerzenstränen zu unterdrücken, und versuchte, sich auf das Gesicht seines Folterers zu konzentrieren. Das grelle Licht einer Petroleumlampe blendete ihn, sodass er alles nur verschwommen wahrnahm, doch dann tauchte das Gesicht des Mannes wieder auf, den sie Schwarze Mamba nannten.

»*Où est le garçon?*«, wiederholte General Pascal.

»Ich ... ich verstehe nicht ...«, murmelte Connor.

»*Anglais!*«, knurrte der General und hob überrascht eine Augenbraue. In erstaunlich gutem Englisch wiederholte er die Frage. »Wo ist der Junge?«

»Welcher Junge?«, fragte Connor zurück.

Das brachte ihm erneut einen brutalen Schlag ein. Winzige Lichtblitze zuckten durch seine Augen, er schmeckte Blut auf den Lippen. Aber das jahrelange Kickboxtraining hatte ihn abgehärtet, sodass er ein paar Schläge wegstecken konnte.

»Der Sohn des Botschafters. Brauchst du noch eine Erinnerung?«, fragte General Pascal und hielt ihm die mächtige Faust vor die Augen.

Connor wappnete sich gegen den unvermeidlichen Schlag und zuckte nicht zurück. Aber dieses Mal schlug der General nicht zu, sondern grinste breit. »Gefällt mir, der Bursche hier. Hat Mut«, verkündete er den Rebellen, die um ihn herumstanden. Er wandte sich wieder Connor zu, der an einen Felsblock gelehnt mitten im Rebellenlager saß. »Nicht wichtig. Am Morgen finden wir ihn. Blaze sagt, dass du ein guter Kämpfer bist. Hast sogar *zwei* von meinen Soldaten besiegt.«

Er wies mit einer Kopfbewegung auf den Rebellen, den Connor in den Wait-a-while-Busch gestoßen hatte. Dessen Gesicht, Arme und Beine waren mit einer Unzahl von kleinen, blutigen Kratzern übersät. Neben ihm stand Dredd, dessen halb zerrissener Arm in einer blutigen Schlinge bewegungslos herabhing. Aber wenigstens war er noch am Leben.

»Engländer mögen Sport, Männer«, verkündete der General auf Englisch, damit auch Connor alles verstehen konnte. »Ich will selbst den Weißen Krieger im Kampf sehen! Hornet!«

Er winkte einen der Kindersoldaten herbei, der ein blaues T-Shirt mit dem Logo der New Orleans Hornets trug. Der Junge war breit gebaut, mit wulstigen Augenbrauen und mürrischem Gesichtsausdruck. Er war ungefähr gleich groß wie Connor, aber mindestens doppelt so muskulös. Auf Connor wirkte er, als hätte er seit seiner Geburt nur rohe, bluttriefende Büffelsteaks zu essen und reinste Brutalität zu trinken bekommen.

»Wollen doch mal sehen, wie du gegen meinen Champion kämpfst.«

»Ich hab keine Lust, gegen ihn zu kämpfen«, sagte Connor müde, aber natürlich war ihm klar, dass er keine andere Wahl hatte.

Der General lachte nur höhnisch und gab Blaze mit einer Kinnbewegung ein Zeichen. Blaze trat in den Lichtkreis der Lampe und zerrte Amber hinter sich her. Sie wirkte verstört und völlig verängstigt, schien aber nicht verletzt zu sein.

»Connor!«, schrie sie auf und wollte zu ihm laufen.

Blaze riss sie brutal zurück, zog die Machete und setzte ihr die Klinge an die Kehle.

General Pascal grinste Connor fröhlich an. »Hast du jetzt mehr Lust zu kämpfen, mein Junge?«

KAPITEL 71

Ein Kreis von Petroleumlampen markierte den Ring, eine von den Diamantenarbeitern ausgehobene Mulde, die nun fast so hell wie ein Stadion beim Endspiel erstrahlte. Der Boden der Mulde war wassergetränkt und matschig; ringsum auf dem Grubenrand rangelten die Rebellen um die besten Plätze. Es herrschte große Aufregung, denn allen war klar, dass nur einer der beiden Kämpfer lebend aus der Mulde steigen würde.

Connor blickte zu den feindseligen Männern und Jungen hinauf. Er hatte schon ein paar wirklich harte Kämpfe durchstehen müssen, bevor er britischer Juniormeister im Kickboxen geworden war, aber im Vergleich zu dem, was ihm hier bevorstand, kamen ihm alle früheren Kämpfe wie kleine Rangeleien im Sandkasten vor.

Auf der anderen Seite der Grube zog Hornet gerade sein T-Shirt über den Kopf. Ein muskelbepackter Sixpack kam zum Vorschein – übersät mit vielen Narben, eindeutigen Beweisen, dass der Junge ein abgehärteter Kämpfer war. Für diese Kampfmaschine war Connor in seinem verletzten und erschöpften Zustand kein Gegner; seine Chancen, den Muskelberg zu besiegen, waren gleich null. Aber er weigerte sich, den Gedanken überhaupt nur zuzulassen. Sein Kickboxtrainer Dan hatte ihm einen unbezwingbaren Kampfgeist buchstäblich eingebläut: *Der Wille zum Sieg ist der Weg zum Sieg.*

Connor ging durch seine üblichen Kampfvorbereitungen, lockerte Arme und Beine, streckte sich, rollte den Kopf, versuchte, sich auch innerlich auf den Kampf zu konzentrieren. Das fiel ihm nicht leicht. Er wusste, dass Körperstärke gegen diesen Kämpfer nichts nützte; er hatte nur eine Chance, wenn er schneller und beweglicher war und eine listige Kampfstrategie entwickelte. Und was noch wichtiger war: Er musste den Kampf möglichst schnell und hart zu Ende bringen.

»Das ist kein Tanz!«, rief einer der Jungen vom Rand, als Connor seine Beine lockerte. Die anderen Zuschauer grölten.

Connor ignorierte sie und drehte sich zu General Pascal um, der in einem gepolsterten Gartensessel am Rand der Grube mehr lag als saß, wie ein römischer Kaiser in seiner Loge im Kolosseum. »Was ist, wenn ich den Champion besiege?«

Der General, der gerade einen großen Schluck aus einer Bierflasche trank, verschluckte sich fast vor Lachen und prustete: »Wenn du gewinnst, lasse ich das Mädchen frei. Wenn du verlierst... na, dann bleibt dir wenigstens erspart, mitansehen zu müssen, was mit ihr passiert.«

Amber starrte stumm und entsetzt zu Connor herab, während Blaze ihr mit der Rückseite der Klinge seiner Machete zärtlich über die Wange strich. Er wollte Connor provozieren; stattdessen bestärkte er nur seinen Willen, bis zum letzten Atemzug zu kämpfen, um sie zu retten.

»Der Kampf beginnt!«, verkündete General Pascal und hob grüßend die Bierflasche.

Wie ein Rudel gieriger Hyänen begannen die Zuschauer zu brüllen und zu pfeifen.

Hornet griff sofort an. Wie ein gereizter Elefantenbulle stürmte er heran. Connor rührte sich nicht, stand auf den Zehenballen und wartete auf genau den richtigen Augenblick. Hornet senkte den Kopf, benutzte ihn praktisch als Rammbock und hätte mit dem mächtigen Schädel und dem Stiernacken sogar einen Panzer vom Platz rammen können. Doch im allerletzten Augenblick schnellte Connor zur Seite und trieb gleichzeitig die Faust in den kritischen Punkt des Schädels, den K.-o.-Punkt direkt unterhalb des rechten Ohrs. Das war einer der sogenannten Vitalpunkte, wie Connor im Kampfsporttraining gelernt hatte.

Hornet ging zu Boden, hart und schwer, wie der Büffel, den Wolf erschossen hatte. Er platschte mit dem Gesicht in den Matsch. Das Grölen verstummte schlagartig, als die Zuschauer geschockt beobachteten, wie ihr Champion zu Boden ging. Dann fingen sie an zu jubeln.

»Ich hab gewonnen«, verkündete Connor.

General Pascal grinste vielsagend. »Glaube ich nicht«, sagte er und schwenkte die Bierflasche lässig zu seinem gefallenen Soldaten. »Du hast ihn nur richtig wütend gemacht.«

Connor drehte sich um. Hornet war aufgestanden, schüttelte den Kopf, um seine Benommenheit zu vertreiben, und griff erneut an. Er stieß einen urtümlichen Kampfschrei aus und brachte seine Vorschlaghammerfaust auf Connors Kopf nieder. Connor hatte gerade noch Zeit, sich wegzuducken, und antwortete mit einem Schlag in Hornets Solarplexus. Hornet grunzte, steckte den Schlag aber weg und wurde nur noch wütender. Er trieb Connor den Ellbogen unter das Kinn, ziemlich genau an die Stelle, an der ihn NoMercys Hieb mit der AK-47 erwischt hatte. Für einen Augenblick wie gelähmt taumelte Connor zurück. Hornet setzte sofort mit einem Haken in Connors Bauch nach, gefolgt von einer ganzen Serie von Hammerhieben in die Rippen. Connor schnappte nach Luft, als einer der Schläge die von den Ameisenköpfen zusammengehaltene Wunde wieder aufplatzen ließ. Hornet sah den Schmerz in Connors Augen aufblitzen und schlug noch einmal zu.

Der Junge prügelte mit erbarmungsloser Wut auf Connor ein, angefeuert von den Rebellen: »*Hor-net! Hor-net! Hor-net!*« Connor musste zurückweichen, bis er mit dem Rücken am Rand stand. Die Rebellen stießen ihn in den Ring zurück. Und dort wartete Hornet auf ihn. Er packte Connor, hob ihn hoch und warf ihn in die größte Schlammlache, die sich in der Mulde befand. Connor krümmte sich zusammen und blieb wie eine weggeworfene Lumpenpuppe liegen. Hornet warf sich auf ihn und drückte seinen Kopf in den Morast.

Connor bekam keine Luft mehr, verzweifelt versuchte er, sich aus dem eisernen Griff zu winden. Das Grölen der Zuschauer klang plötzlich undeutlich, gedämpft und verzerrt; sein Mund schlug mit Schlamm voll. Kurz kam sein Kopf wieder hoch, er konnte einen verzweifelten Atemzug holen und hörte Ambers Stimme über dem Lärm, die seinen Namen schrie. Dann wurde er wieder in den Schlamm gedrückt.

Spuckend und blind versuchte Connor, seinen Angreifer abzuwerfen. Aber Hornet war einfach zu schwer und zu stark. Connor spürte, dass seine eigenen Kräfte schnell nachließen; jetzt kämpfte er um sein Leben. Mit einem letzten Versuch, sich zu befreien, griff er an Hornets Innenschenkel und kniff den *Yako*-Nervenpunkt mit aller Kraft.

Nichts geschah.

Connor kniff ihn noch einmal, noch härter. Aber Hornet drückte ihn weiter unter Wasser, als spürte er überhaupt nichts. Vielleicht war der Bursche noch härter als Dredd, aber Connor hatte gesehen, wie Ling einen Hundert-Kilo-Mann gekniffen hatte, der dann außer Reichweite gesprungen war, als hätte ihn ein Stromstoß getroffen. Aus irgendeinem unerklärlichen Grund war Hornet offenbar gegen diese Technik gefeit.

Connors Hände wühlten im Matsch, suchten verzweifelt nach einem Haltepunkt, um sich doch noch wegwälzen zu können. Plötzlich schlossen sich seine Finger um einen Stein. Mit einem letzten Aufbäumen seines Überlebensinstinkts schlug er den Stein auf den nackten Fuß des Angreifers. Hornet grunzte vor Schmerzen. Connor schlug noch einmal zu. Dieses Mal hörte er ein übelkeitserregendes Knacken. Hornet ließ ihn los, rollte sich, krumm vor Schmerzen, von ihm herab, zog das Knie hoch an die Brust und griff mit beiden Händen nach dem Fuß.

Die Menge buhte; Connor kam taumelnd auf die Füße. Aber bis er den Schlamm aus den Augen gewischt und sich umgedreht hatte, war Hornet aus dem Ring gehumpelt und kam mit einer Schaufel zurück.

Wütend schwang er die Schaufel wie eine Waffe und brüllte: »Damit ich schaufeln dein Grab!«

Connor griff instinktiv nach dem Messer am Gürtel, aber es war nicht mehr da. Vom Rand der Grube winkte ihm NoMercy spöttisch mit dem Messer zu.

Hornet holte aus. Connor sprang zurück, die scharfe Metallkante hätte ihn beinahe in zwei Stücke gehackt. Rasend vor Wut stürmte Hornet heran und brachte die Schaufel mit einem gewaltigen Schlag auf Connors Kopf herab. Connor konnte nicht mehr weiter zurückweichen und warf sich zur Seite. Gerade als er wieder auf die Füße kam, krachte die Schaufel voll in seinen Rücken. Connor ging zu Boden, wie von einem Bus überfahren.

Ausgepowert, halb wahnsinnig vor Schmerzen, kroch er

auf allen vieren durch den Matsch, um aus der Reichweite der Schaufel zu kommen. Aber Hornet setzte ihm nach, holte zum letzten, tödlichen Schlag aus. In diesem Moment war Connor klar, dass alles vorbei war.

Da hörte er Amber schreien: »Hinter dir!«

Connor blickte über die Schulter. Eines der großen Metallsiebe lag mitten auf der Grubenböschung. Knapp außer Reichweite – wenn nicht der Rebell, der sich Dredd nannte, das Sieb im selben Moment ganz beiläufig ein Stückchen weiter hinunter gekickt hätte.

Eine kleine Geste, weil Connor ihn vor der Hyäne gerettet hatte.

Connor riss das Sieb hoch, gerade noch rechtzeitig, um den Schaufelhieb aufzufangen. Hornet wurde noch wütender und hieb noch einmal auf ihn ein. Wieder konnte Connor den Schlag abwehren, doch dieses Mal setzte er nach und kickte Hornet mit aller Kraft in das Knie. Es knirschte grauenhaft; der Muskelberg taumelte schreiend rückwärts.

Connor, dem die unerwartete Chance neuen Mut gab, sprang auf, schlug Hornet mit dem Sieb die Schaufel aus den Händen und ließ den Eisenrand des Siebs mit voller Wucht gegen Hornets Kinn krachen. Dann warf er das Sieb beiseite, packte Hornets Hals mit beiden Händen und riss ihn ruckartig abwärts, während er gleichzeitig sein Knie von unten hochriss. Das Knie krachte mit unglaublicher Brutalität mitten in Hornets Gesicht. Die Nase wurde eingedrückt und mehrfach gebrochen. Blut spritzte heraus, Hornet brüllte auf, aber Connor hörte noch nicht auf; immer wieder stieß er dem Jungen das Knie ins Gesicht, bis dieser das Bewusstsein verlor und schlaff wurde. Connor ließ ihn in die Schlammbrühe fallen. Aber er konnte nicht mehr aufhören. Fast wahnsinnig vor Schmerz, Wut und Todesangst, hatte sein

Überlebensinstinkt die volle Kontrolle übernommen. Er griff die Schaufel und holte weit über dem Kopf aus, um sie zum letzten, unausweichlich tödlichen Hieb auf Hornets Kopf herabkrachen zu lassen. Hornet öffnete die Augen. Noch halb bewusstlos, hob er matt die Hand, ein jämmerlicher Versuch, den furchtbaren Schlag abzuwehren.

»Kill! Kill! Kill!«, brüllten die Rebellen, die in einen kollektiven Blutrausch verfallen waren.

Connor zögerte nur kurz, dann brachte er die Schaufel mit aller Kraft herunter – und ließ sie auf einen Stein direkt neben Hornets Kopf krachen.

Die Menge stöhnte enttäuscht auf.

»Wie … warum du … nicht kill?«, schrie einer der Soldaten.

Unendlich erschöpft und ausgepowert warf Connor die Schaufel weg. »Ich töte nicht«, stieß er mühsam hervor, mehr zu sich selbst als zu den Rebellen. »Ich beschütze.«

KAPITEL 72

Kämpferisch und ungebrochen stand Connor vor dem General. »Sie haben versprochen, Amber freizulassen!«, schrie er wütend.

Der General leerte die Bierflasche und warf sie in die Kampfgrube. »Nur wenn du siegst.«

Er genoss Connors Empörung und Frustration. Blaze streichelte Ambers Wange mit der Machete.

»Ich habe gesiegt! Ich habe Ihren Champion besiegt!«, schrie Connor und wies auf den stöhnenden Hornet, der gerade von seinen Kameraden weggetragen wurde.

»Nein, du hast verloren!«, verkündete der General. »Hast Mitleid gezeigt! Nur Schwächlinge haben Mitleid! Sieger ist man nur, wenn man den Feind tötet! Aber du wirst es schon noch lernen, du wirst schon sehen!«

»Was soll das heißen?«

General Pascals Augen funkelten boshaft. »Du bist jetzt mein Weißer Krieger und kämpfst für mich!«

Connor starrte ihn ungläubig und fassungslos an. »Ich werde *niemals* für Sie kämpfen!«

Der General lachte schallend. »Hast du gerade gemacht!«

»Nein! Ich habe für Ambers Freiheit gekämpft!«

Wieder lachte der General. »Wie romantisch du bist! Dafür

darf Amber am Leben bleiben. Aber nur so lang, wie du mein Champion bleibst!«

Er drehte sich halb um, betrachtete Amber von oben bis unten und ließ eine ihrer roten Haarsträhnen durch seine wulstigen Finger gleiten. »Hm«, sagte er mit lüsternem Grinsen, »oder vielleicht nehme ich sie als Frau?«

Connor spürte heiße Wut in sich hochkochen.

»Oh, Weißer Krieger, keine Angst! Ich behandle sie gut!«

Der General gab Blaze ein Zeichen. »Beide fesseln. Wir wollen doch nicht, dass sie wegrennen, oder? Und morgen früh suchen wir ihren kleinen Bruder. Ich will die Ratte wiederhaben.«

Blaze grunzte enttäuscht, nickte aber und steckte widerwillig die Machete in den Gürtel. Er winkte NoMercy zu sich. »Fesseln!«, knurrte er.

Die Pistole, die Connor in den Rücken gestoßen wurde, machte ihm unmissverständlich klar, dass jeder Widerstand zwecklos war. Er und Amber wurden grob zu den Bäumen am Rand der Lichtung geschleppt. Plötzlich stieg ihm ein seltsamer Geruch in die Nase – ein teures Aftershave. Nur ein winziger, kaum wahrnehmbarer Hauch, den er nur deshalb riechen konnte, weil er so gar nicht zu dem Gestank ungewaschener Körper, Schweiß und Fäkalien passte, der über der Diamantenmine und dem Camp lag. Er blickte sich scharf um. Knapp außerhalb des Lichtkreises der Petroleumlampen stand ein Mann im Schatten der Bäume, keine zehn Meter entfernt. Es war zu dunkel, um ihn genauer betrachten zu können, aber er musste wichtig sein, denn General Pascal war zu ihm hinübergegangen und redete mit ihm.

Während sie von Blaze und NoMercy gefesselt wurden, konzentrierte sich Connor auf das Gespräch des Generals mit dem Fremden.

»… ist ein Risiko, die Kinder gefangen zu halten«, sagte der Fremde gerade. »Es könnte im Ausland Aufmerksamkeit erregen.«

»Warum? Alle glauben, dass sie bei dem Anschlag getötet wurden«, gab der General zurück. »Und der Junge hat Talent für einen guten Kämpfer!«

»Es ist mir egal, was Sie mit ihnen machen«, sagte der Fremde. »Aber sorgen Sie dafür, dass die beiden das Tal nicht mehr lebend verlassen.«

KAPITEL 73

Geschlagen, kaputt, blutend senkte Connor den Kopf. Er hatte gesiegt und war doch besiegt. Sie hatten ihn und Amber an Baumstämme gefesselt; nun waren sie Gefangene eines größenwahnsinnigen, tyrannischen Rebellen, von aller Welt vergessen. Ihr Schicksal war besiegelt. Er wusste zwar, dass Buddyguard Himmel und Erde in Bewegung setzen würde, um ihn und seine Klienten zu lokalisieren. Aber welche Hoffnung gab es schon, sie in diesem gottverlassenen, verborgenen Tal aufzuspüren, in einem Land, das in Kürze im Chaos eines Bürgerkriegs versinken würde? General Pascal konnte sie jederzeit sang- und klanglos im Dschungel verschwinden lassen. Oder sie beim ersten Anzeichen eines Rettungsversuchs töten und irgendwo verscharren.

Nicht weit entfernt stand NoMercy Wache. Er spielte mit Connors Messer, warf es immer wieder in die Luft und fing es geschickt auf. Connor beobachtete ihn verbittert. Die Klinge blitzte und funkelte im Schein der Petroleumlampe, als sie durch die Luft wirbelte. Wieder hörte er die Stimme seines Vaters, die ihm befahl, niemals aufzugeben. Aber hier war er mit einer harten Realität konfrontiert, die ihm nicht die geringste Hoffnung ließ. Sein Mut, seine Kraft waren auf den absoluten Tiefpunkt gefallen, versunken im schwarzen

Sumpf der Verzweiflung. Er hatte alles gegeben, um Henri und Amber zu schützen, aber am Ende hatte es doch nicht gereicht.

»Wie geht es dir?«, flüsterte Amber. Sie lag neben ihm, die Hände auf dem Rücken gefesselt und am gegenüberstehenden Baumstamm festgebunden.

Connor hob mühsam den Kopf. »Ist mir schon mal besser gegangen.« Er versuchte ein Lächeln, aber selbst das tat weh.

Amber schaute seinen zerschundenen Körper an. Von Schuldgefühlen überwältigt, begann sie zu weinen. »Es... es tut mir... so leid...«

»Was tut dir leid?«

»Dass ich uns in diese Lage gebracht habe. Ich bin schuld an dem, was du durchgemacht hast, um mich zu schützen.« Jetzt rannen die Tränen frei über ihr Gesicht. »Du hast recht gehabt, wir hätten sofort zur Lodge zurückgehen sollen. Hilfe rufen sollen. Keine Ahnung, was ich mir dabei gedacht habe. Ich war so verzweifelt wegen Henri...« Sie unterbrach sich plötzlich. »Henri – wo ist er überhaupt?«

Connor blickte sich rasch um, aber niemand war in Hörweite. »In einem Versteck«, flüsterte er.

»Hoffentlich finden sie ihn nicht«, schluchzte sie. »Ich wollte ihn doch nur... wollte ihn herausholen... Alles ist meine Schuld und ich...«

»Nein, ist es nicht«, unterbrach er sie. »Die Entscheidung habe ich getroffen. Es war meine Pflicht, euch *beide* zu schützen.«

Amber schaute ihn mit tiefer Zuneigung an. »Und du hast meinen Bruder auch gerettet, dafür werde ich dir mein Leben lang dankbar sein... auch wenn das vielleicht nicht mehr allzu lange sein wird«, fügte sie mit schwachem Lächeln hinzu.

Connors Gedanken flogen zu Henri zurück, der allein in

der dunklen Baumhöhle saß und auf ihre Rückkehr wartete. Aber niemand würde zurückkehren. Er konnte nur hoffen, dass der Junge seine Anweisung befolgte und floh, bevor der Tag anbrach. Und bevor die Rebellen mit der Suche begannen. Denn sonst wären alle Opfer vergeblich gewesen.

»Wie haben sie dich gefangen?«, fragte Connor.

»Einer der Rebellen schlich sich von hinten an uns an.«

»Und was ist mit Zuzu?«

Amber zuckte die Schultern. »Als mich der Rebell packte, war sie schon nicht mehr zu sehen.«

»Hm. Glaubst du, dass sie uns verraten hat?« Er hatte plötzlich einen bitteren Geschmack im Mund.

»Kann sein«, seufzte Amber. »Woher sonst hätte der Wärter wissen sollen, wo ich mich versteckt hatte?«

In der Ferne erhellte ein Blitz mit vielen Verzweigungen den rabenschwarzen Himmel. Die einsame Akazie auf dem Berggipfel war für einen Sekundenbruchteil klar zu sehen, sie hob sich wie ein verkrüppelter Galgen vor dem momentan erleuchteten Hintergrund ab. Als das düstere Omen wieder in der Dunkelheit versunken war und ein langes, tiefes Donnern über die Savanne rollte, verspürten Connor und Amber tiefe Resignation. Ihr Schicksal war besiegelt.

KAPITEL 74

Im Einsatzraum wurde es still, als Colonel Black hereinkam. Er nickte dem Alpha-Team knapp zu; sein harter, militärischer Schritt und die grimmige Miene ließen sie sofort ahnen, dass er keine guten Nachrichten hatte.

»Setzt euch«, befahl er. Nach einer durchwachten Nacht klang seine Stimme rau und heiser. Charley rollte zu ihrem Platz neben dem Colonel und wappnete sich für das Schlimmste.

»Die Situation ist folgendermaßen«, begann der Colonel. »Auf den burundischen Staatspräsidenten wurde im Busch ein Attentat verübt; er kam dabei ums Leben. Die Armee entdeckte die Überreste seines Safarikonvois in Sektor vier des Nationalparks, rund fünfunddreißig Kilometer von der Lodge entfernt.«

Colonel Black gab einen Befehl auf seinem Tablet-Computer ein, der drahtlos mit den Widescreen-Monitoren an der Wand verbunden war. Das Satellitenbild eines ausgetrockneten Flussbetts erschien. Trotz der geringen Auflösung war die Szene klar genug zu erkennen. Vier zerstörte Fahrzeuge, eines war umgekippt und ausgebrannt, ein weiteres war nur noch ein verkohltes Karosserieskelett. Auch ein Krater von einem Granateneinschlag war zu sehen.

»Was sind die dunklen Flecken?«, fragte Jason, der wie alle anderen angestrengt auf das Foto schaute.

»Leichen«, antwortete der Colonel tonlos.

Totenstille breitete sich aus.

»Gibt es ...«, Charley räusperte sich, »... gibt es Überlebende?«

Der Colonel nickte. »Der Generalmajor berichtet, zwei Minister und ihre Frauen seien aus der Lodge befreit worden, wo sie von Angehörigen der Armée Nationale de la Liberté gefangen gehalten wurden. Die ANL wird von einem General Pascal geführt, auch bekannt als Schwarze Mamba.«

»Aber was ist mit Connor und der Familie Barbier?«, fragte Ling drängend.

»Das wissen wir nicht«, gestand der Colonel mit einem tiefen Seufzen. »Die Armee untersucht immer noch den Ort des Anschlags. Wenn sie in einem der ausgebrannten Fahrzeuge waren, wird es eine Weile dauern, bis die Leichen identifiziert sind.«

Ein kollektives Aufstöhnen war zu hören. Charley kämpfte ihre aufwallenden Tränen nieder und fragte mit gepresster Stimme: »Wissen denn die Überlebenden nicht, was aus ihnen geworden ist?«

»Der Generalmajor sagt, die Minister seien sofort bei Beginn des Überfalls geflohen und erst später von den Rebellen gestellt worden. Sie hätten nichts beobachten können. Aber es gibt einen Hoffnungsschimmer: Einer der Landrover wird vermisst.«

»Sie denken also, dass Connor entkommen konnte?«, fragte Richie.

»Das ist das Szenario, das ich gerne glauben *möchte*. Und auf das wir uns konzentrieren werden. Allerdings sind seit dem Anschlag inzwischen achtundvierzig Stunden vergangen, zwei volle Tage und Nächte ohne jeden Kontakt mit Connor. Wir müssen daher von einer der folgenden vier Möglichkeiten ausgehen: Erstens, er ist im Busch untergetaucht; zweitens, er wurde gefangen genommen; drittens, er wurde verwundet und liegt irgendwo ... und viertens, das Worst-Case-Szenario, er ist ...« Der Colonel musste den Satz nicht zu Ende führen; das Alpha-Team wusste auch so, welches die vierte und letzte Möglichkeit war.

»Was geschieht jetzt?«, fragte Ling nach kurzem Schweigen.

»Die burundische Armee hat die Lodge von den Rebellen zurückerobert«, erklärte der Colonel. »Der Generalmajor will weitere Truppen entsenden, und die Einheit, die sich schon im Park befindet, durchkämmt derzeit Sektor um Sektor des Parks. Wenn Connor oder jemand von der Barbier-Familie noch lebt, werden sie sie finden.«

Charley hob die Hand. »Ich denke, jemand von uns sollte sofort nach Burundi fliegen und die Suche unterstützen.«

»Das denke ich auch«, nickte der Colonel.

»Ich melde mich freiwillig.«

Colonel Black schüttelte nachdrücklich den Kopf.

Charley starrte ihn wütend an. »Sie schicken mich nicht, weil ich im Rollstuhl sitze?«

Der Colonel blickte sie vorwurfsvoll an. »Ich weiß, wie nahe es dir geht, Charley, aber du solltest mich inzwischen besser kennen. Tatsache ist, dass ich *keinen* von euch in ein Land schicken werde, das am Rande eines Bürgerkriegs steht.«

»Aber wir *brauchen* jemanden vor Ort«, sagte Charley beharrlich.

»Niemand von euch geht. Das ist ein Befehl.«

»Wer geht denn dann?«, fragte Jason.

»Ich.«

Der Colonel gab jedem einen dünnen Aktenordner. »Das sind eure jeweiligen Aufträge. Ich fahre in einer Stunde zum Flughafen; bis dahin will ich von allen einen aktuellen Statusbericht haben.«

Das Alpha-Team vertiefte sich sofort in die Papiere. Charley starrte auf das Satellitenfoto der ausgebrannten Fahrzeuge und die dunklen Flecken, die rings um die Autowracks im Sand lagen. Sie wischte sich mit dem Handrücken die Tränen weg.

»Mach dir nicht zu viel Sorgen«, sagte Ling und legte ihr den Arm um die Schultern. »Connor ist ein Überlebenskünstler.«

KAPITEL 75

Irgendwann in der Nacht fielen erste Regentropfen auf Connors Gesicht. Kühl, erfrischend waren sie; er ließ sie über die Wangen rinnen. Und als der Regen stärker wurde, öffnete er den Mund und genoss das lebensspendende Nass. Aus dem Regen wurde ein Wolkenbruch, ein Tropenregen von der Stärke einer Sintflut, der auf die Zeltplanen trommelte und jedes andere Geräusch übertönte. Die vielen Schichten von Schweiß und Dreck wurden von der Haut und aus den Kleidern gewaschen; Connors Wunden und Entzündungen wurden gereinigt und gekühlt; er spürte, wie die Lebensgeister wieder in ihm erwachten und die Energie zurückkehrte.

Die Rebellen waren in den Schutz ihrer Zelte geflohen, während die versklavten Arbeiter im Freien zitternd vor Kälte ausharren mussten, als ihre verschlissenen Zeltbahnen unter dem Gewicht der Wassermassen rissen. Die Baumgruppe, unter der Connor und Amber lagen, bot ihnen kaum Schutz vor dem Regen, sodass auch sie durchnässt und zitternd dem Sturm hilflos ausgesetzt waren.

Als sich auch die Wächter in ihre Zelte retteten, dämmerte es Connor allmählich, dass das ihre beste und womöglich einzige Gelegenheit war, den Rebellen zu entkommen. Aber so sehr er sich auch abkämpfte, er konnte die Fesseln nicht sprengen. Auch die Hoffnung, dass der Regen ihm helfen würde, aus den Fesseln zu schlüpfen, erfüllte sich nicht, im Gegenteil: Die Seile hatten sich mit Wasser vollgesaugt und waren jetzt sogar noch enger als zuvor. Connor mühte sich ab, bis er vor Erschöpfung innehalten musste.

Vielleicht war er eine Weile eingedöst, denn das Nächste, was er hörte, war eine gewaltige Explosion und das unverkennbare, harte *Knack!* von Gewehrfeuer. Immer noch fiel der Regen in einer dichten Kaskade, aber der erste fahle Schimmer der Dämmerung stahl sich durch die hinteren Ausleger der Sturmwolken. Überall im Lager stürzten die Rebellen aus ihren Zelten und feuerten kopflos und chaotisch in den Dschungel. Eine weitere Explosion erschütterte das Tal, als eine Mörsergranate im Flussbett explodierte und eine Fontäne von Sand, Lehm und Steintrümmern in die Luft schleuderte. Die Sklavenarbeiter rannten um ihr Leben, um im Dschungel Deckung zu suchen, aber viele wurden durch das Feuer, das aus dem Dickicht kam, niedergemäht.

»Was ist los?«, schrie Amber, der ihr nasses Haar teilweise über den Augen klebte.

»Es muss die Armee sein«, antwortete Connor. »Irgendwie haben sie uns gefunden!«

»Dann werden wir gerettet?« Sie schien unsicher, ob sie lachen oder weinen sollte.

Aber Connor wurde klar, dass jede Freude verfrüht wäre. Sie lagen gefesselt mitten auf einem Schlachtfeld, jederzeit konnten sie von Kugeln sowohl der Feinde als auch des Rettungstrupps getroffen werden. Und ob es nun tatsächlich ein Rettungstrupp war oder nicht, Connor wusste jedenfalls, dass er und Amber so schnell wie möglich aus der Kampfzone verschwinden mussten. *Bedrohung einschätzen. Der Gefahr begegnen. Aus der Gefahrenzone fliehen.* Sonst würden sie im Kugelhagel sterben, genau wie der Rest der Arbeiter.

Er verdoppelte seine Anstrengungen freizukommen. Die Haut unter den Fesseln war bereits wundgescheuert, trotzdem machte er weiter. Er hörte, wie General Pascal mitten im Chaos des Überraschungsangriffs seine Befehle brüllte. Obwohl Connor den Rebellenführer abgrundtief hasste und verachtete, musste er doch seine Kaltblütigkeit und sein militärisches Geschick bewundern. Der Mann hatte Nerven wie Stahl und viele Jahre Erfahrung in der Guerillakriegsführung; innerhalb von Minuten ordnete er seinen zuerst kopflos in den Wald ballernden Trupp in mehrere kleine Kampfeinheiten, dann leitete er eine Gegenoffensive auf den in den bewaldeten Talhängen verborgenen Feind ein.

Der General brüllte zu NoMercy herüber, Connor und Amber scharf zu bewachen – und sie zu töten, falls die Regierungstruppen in das Lager eindringen sollten. Er brüllte den Befehl sogar auf Englisch, damit auch Connor ihn verstehen konnte. Was wiederum zeigte, dass der General selbst unter größter Anspannung nicht die Nerven verlor.

Und tatsächlich stürzte er Connor damit in größte Verzweiflung. Wie wahnsinnig riss und zerrte er an seinen Fesseln, und auch Amber versuchte sich zu befreien.

NoMercy verfolgte ihre vergeblichen Anstrengungen mit spöttischem Grinsen, vergewisserte sich, dass die Fesseln noch fest saßen, und wandte dann seine Aufmerksamkeit den Kämpfen zu, die ringsum tobten. Leuchtspurgeschosse surrten über ihre Köpfe hinweg; ganz in der Nähe explodierte eine weitere Granate und blies ein Rebellenzelt in die Luft. Schreie der Verwundeten kamen aus allen Richtungen. Dann rückten die ersten Soldaten der Regierungstruppen aus den

Büschen auf das Lager vor. NoMercy feuerte eine Salve aus seiner AK-47 auf sie ab.

Jetzt war der Junge abgelenkt; Connor raffte noch einmal seine ganze Kraft zusammen und zerrte an den Fesseln. Aber sie gaben keinen Millimeter nach. Außer sich vor Wut und Angst riss er wieder und wieder daran, obwohl seine Handgelenke bereits bluteten.

Und dann, als er alle Hoffnung schon aufgeben wollte, rissen die Fesseln doch noch.

Sie fielen so plötzlich, so unerwartet von seinen Händen ab, dass er sekundenlang wie erstarrt dalag.

Dann sprang er auf, stürzte sich von hinten auf NoMercy und packte ihn mit dem rückwärtigen Würgegriff, *Katahajime* genannt. Das war eine klassische Jiu-Jitsu-Technik, bei der die Wirkung durch die Kleidung des Gegners noch verstärkt wurde. Damit konnte ein Gegner effektiv außer Gefecht gesetzt werden. NoMercy bekam keine Luft mehr, sein Gehirn war von der Blutzufuhr abgeschnitten. Er wehrte sich heftig, aber nach weniger als zehn Sekunden fiel er schlaff in sich zusammen. Obwohl der Junge brutal und absolut gnadenlos war, wollte Connor ihn nicht umbringen und auch sein Gehirn nicht dauerhaft schädigen. Er gab ihn deshalb frei und ließ den bewusstlosen Jungen auf den Boden fallen.

Rasch nahm er ihm das Messer samt der Scheide weg, rannte zu Amber hinüber und schnitt ihre Fesseln durch. Er musste heftig säbeln, bis er es geschafft hatte. Was ihn kurz stutzen ließ – wie war es ihm gelungen, seine eigenen Fesseln zu sprengen? Er richtete sie auf, bis sie an den Baum gelehnt sitzen konnte, und sie legte ihm kurz voller Erleichterung die Arme um den Hals. Sie zitterte wie ein verletztes Vögelchen. Dann erstarrte sie plötzlich. Connor wandte den Kopf. General Pascal ragte hinter ihm auf, die Glock 17 direkt auf ihn gerichtet.

»Du machst deinem Namen alle Ehre, Weißer Krieger«, verkündete der General mit einem verächtlichen Seitenblick auf den bewegungslos daliegenden NoMercy. »Und so wirst du auch sterben.« Er hob die Waffe ein wenig. Das schwarze, todbringende Loch zielte genau auf Connors Stirn. Der General krümmte den Finger am Abzug.

KAPITEL 76

Wie aus dem Nichts surrte ein Pfeil heran und drang durch den muskulösen Unterarm des Generals. Instinktiv zuckte sein Arm hoch, mit ihm die Pistole, der Schuss löste sich und schlug in den Stamm neben Connors Kopf ein. Rindenstücke wirbelten durch die Luft. Der General schrie vor Schmerzen; die Waffe fiel ihm aus der Hand. Er griff nach der Wunde, aus der das Blut schoss, und versuchte, den Blutstrom zu stoppen, während er gleichzeitig nach seinen Soldaten brüllte.

Bevor die Männer ihrem General zu Hilfe kommen konnten, riss Connor Amber hoch. Sie flohen in den Dschungel. Im Vorbeilaufen warf Connor noch einen Blick auf die Rückseite des Stamms, an den er gefesselt worden war, und sah, warum er so leicht freigekommen war: Ein Pfeil steckte im Stamm. Jemand hatte seine Fesseln mit einem meisterhaften Schuss durchtrennt.

Auf der anderen Seite des Flussbetts tauchte ein Kopf aus dem Gebüsch auf. Zuzu winkte sie aufgeregt zu sich herüber. Ein Rebell stellte sich ihnen in den Weg, aber Zuzu schaltete ihn mit einem weiteren Pfeil aus. Connor machte sich Vorwürfe, dass er dem Mädchen misstraut hatte, und schwor, ihr einen ganzen Schrank voller Klamotten zu kaufen, wenn sie lebend aus dem Tal herauskamen.

Hinter ihnen brüllte die Schwarze Mamba vor Wut und Schmerzen, während das heftige Gewehrfeuer durch das Tal hallte und der Regen unbarmherzig herabprasselte. »Fangt sie!«

Connor warf einen Blick über die Schulter. Sie wurden von mehreren Rebellen verfolgt, darunter Blaze, der die Machete schwang. Mordlust stand in ihren Gesichtern geschrieben. Connor stieß Amber vor sich her, half ihr die schlüpfrige Böschung hinauf. Der starke Regen hatte das Flussbett in eine Sumpflandschaft verwandelt. Das bisher nur knöcheltiefe schlammige Wasser ging ihnen jetzt bis weit über die Knie. Sie kamen nur noch langsam voran und die Rebellen holten auf.

Zuzu konnte noch zwei weitere Rebellen kampfunfähig machen, dann gingen ihr die Pfeile aus. Immer aufgeregter winkte sie ihnen, sich zu beeilen. Connor und Amber wateten durch den schlammigen Fluss und hatten fast das Ufer erreicht, als Zuzu zu schreien anfing. Wie panisch deutete sie flussaufwärts. Connor drehte sich um. Eine Wand aus braun schäumendem Schlammwasser donnerte im Flussbett heran. Der primitive Damm, den die Arbeiter weiter flussaufwärts aufgeschüttet hatten, war gebrochen; das aufgestaute Wasser wälzte sich in einer Flutwelle heran.

»Schnell! Schnell!«, schrie er Amber zu.

Sie versuchten, noch schneller durch den Fluss zu kommen, aber ihre Füße sanken immer tiefer in den schlammigen Boden, es war, als wollte sie der Fluss seiner Flutwelle opfern. Die Verfolger sahen, was auf sie zukam, gaben die Jagd auf und versuchten ihrerseits, sich in Sicherheit zu bringen.

Connor und Amber schnellten förmlich durch das Wasser, erreichten das Ufer und kletterten verzweifelt die schlammige, rutschige Böschung hinauf. Aber die Erde war so durchweicht, dass sie immer wieder zurückrutschten. Jetzt war die Flutwelle fast heran. Zuzu rannte herbei, warf sich auf den Rand der Böschung, packte Ambers Hand und zog sie zu sich hoch.

Connor spürte, wie die Böschung unter ihm wegsackte. Seine Füße verloren den Halt. Zuzu und Amber griffen nach seinen Händen. Das Buschmädchen verfehlte ihn, aber Amber schaffte es. Sie stemmte sich mit beiden Füßen in die Erde, als die Flutwelle herankam und Connor mit sich reißen wollte.

»Bleib bei mir!«, brüllte Amber verzweifelt, als ihre glitschigen Hände auseinanderglitten.

Connor packte noch fester zu, aber die Flut schien entschlossen, ihn mit sich zu reißen. Zuzu packte Amber um die Hüfte, um sie zu stabilisieren. Wie in einem wahnsinnigen Seilziehen kämpften die beiden Mädchen gegen die Flut um Connors Leben. Und mit einer letzten, verzweifelten Anstrengung zerrten sie ihn auf die Böschung, während hinter ihm die Schlammflut mit wütendem Gebrüll vorbeirauschte.

Keuchend brach Connor auf der Böschung zusammen. Die beiden Mädchen halfen ihm auf die Beine. »Danke«, stöhnte Connor. »Das war knapp!«

Auf der anderen Seite des tobenden Flusses stieg Blaze gerade auf das Ufer hinauf, wobei er seine Machete als Steighilfe immer wieder in die aufgeweichte Böschung rammte. Die anderen Rebellen hatten weniger Glück, sie wurden vom Fluss mitgerissen und trieben schreiend in der brodelnden Brühe flussabwärts.

Zuzu packte Connor am Arm und drängte ihn voran, aber er war wie angewurzelt stehen geblieben.

»Los, komm schon!«, schrie Amber, dann sah sie seine weit aufgerissenen Augen. »Was ist los? Siehst du einen Geist?«

»Ja ... einen Geist«, flüsterte er tonlos.

Durch den dichten Regen sah Connor einen Mann mit fahlgrauem Gesicht und toten Augen zwischen den Bäumen am anderen Ufer. Er stand absolut still und verfolgte reglos das entsetzliche Chaos, den Kampf gegen die Flut und das Sterben im Kugelhagel. Connor lief ein eiskalter Schauder über den Rücken. Diesen Mann hatte er schon einmal gesehen – auf einem brennenden Tanker vor der somalischen Küste. Connor hatte angenommen, dass der Mann bei den Explosionen des Chemikalientankers ums Leben gekommen war; jedenfalls hatte man keine Spur mehr von ihm gefunden. Und jetzt stand dieser Mann wieder hier, mitten im Dschungel Afrikas, und starrte Connor über den Fluss hinweg direkt an.

Dann kam Leben in die Gestalt. Er hob eine halbautomatische Pistole und zielte sorgfältig. Connor duckte sich unwillkürlich und riss Amber und Zuzu mit sich zu Boden. Eine Kugel schoss dicht an seinem Kopf vorbei. Ein Schrei ertönte. Connor wirbelte herum, rechnete damit, entweder Zuzu oder Amber tot im Matsch liegen zu sehen. Aber beide schauten ihn nur starr vor Schreck an. Ein paar Schritte weiter war ein Rebell auf die Knie gefallen, ein Loch mitten in der Stirn. Er kippte langsam vornüber und blieb still liegen.

Connor wartete nicht, bis der Geist einen zweiten Schuss abfeuern konnte. Er zog die beiden Mädchen hoch und floh mit ihnen in den Dschungel.

KAPITEL 77

Connor riss die Äste und Zweige von dem Baumstamm weg. Nichts. Falscher Baum? Er rannte von einem Baum zum nächsten und suchte nach der Höhle, in der er Henri versteckt hatte. Aber der Dschungel hatte in der Nacht ganz anders ausgesehen; jetzt hatte Connor jede Orientierung verloren. »Ich bin sicher, dass er hier irgendwo ist«, versicherte er Amber.

Das Gewehrfeuer kam näher. Zuzu drängte; sie mussten fliehen.

Amber war hin- und hergerissen. Sie wollte unbedingt ihren Bruder finden, aber sie würde selbst in Lebensgefahr geraten, wenn sie nicht flohen. »Ist er überhaupt noch hier? Du hast ihm doch gesagt, er soll schon bei Tagesanbruch verschwinden.«

»Weiß ich.« Connor suchte immer verzweifelter. »Aber wir *müssen* den richtigen Baum finden, damit wir ganz sicher sind, dass er nicht mehr drin ist.«

»Vielleicht hat ihn die Armee gefunden?«, fragte Amber hoffnungsvoll.

Eine Handgranate explodierte in der Nähe. Sie ließen sich auf den Boden fallen, während brennende Blätter und verkohlte Erde rings um sie herabprasselten. Connors Ohren klingelten von der Explosion.

»Du gehst mit Zuzu«, sagte er hastig. »Ich suche inzwischen weiter.«

Aber Amber schüttelte den Kopf. »Nein, wir bleiben zusammen.«

»Du hast keine Wahl!«, sagte Connor scharf und zog sie auf die Füße. »Ich kann nicht riskieren, dass sie dich noch einmal fangen. Jetzt geh endlich ...«

»Connor! Amber!«, zischte es plötzlich.

Sie wirbelten herum. Weiter oben am Hang spähte ein verängstigtes Gesicht durch einen Blätterhaufen. Connor hatte die Höhle besser getarnt, als er selbst gedacht hatte.

»Henri!«, rief Amber, kletterte schnell den Hügel hinauf und riss die Äste vom Höhleneingang weg. Henri kroch heraus, und Amber umarmte ihn so heftig, dass Connor fürchtete, sie könnte den mageren Jungen erdrücken.

»Tut mir leid, Connor«, murmelte Henri, während ihn Amber noch an sich drückte, »ich hatte zu viel Angst, als die Schießerei losging.«

Connor grinste. »Gut gemacht, Henri, denn sonst ...«

»*Allons-y!*«, rief Zuzu und winkte ihnen aufgeregt zu, ihr sofort zu folgen.

»Aber die Lodge ist in dieser Richtung!«, widersprach Connor und deutete hügelaufwärts.

Zuzu schüttelte heftig den Kopf und schoss ein paar Wörter auf Französisch auf ihn ab.

»Wenn zwei Elefanten kämpfen, leidet das Gras am meisten«, übersetzte Amber. »Sie meint, der Umweg ist sicherer. Wir müssen die Kampfzone vermeiden.«

Als links von ihnen eine weitere Granate einschlug, brauchte Connor keine weitere Überredung. Sie rasten einen Wildwechselpfad entlang, der ungefähr auf halber Höhe des Hügels dem Flussverlauf folgte.

Je weiter sie durch das Tal liefen, desto schwächer wurde der Gefechtslärm. Auch der Regen ließ allmählich nach. Zuzu verringerte die Geschwindigkeit und blieb einige Male stehen, damit Henri ein paar Atemzüge durch den Inhalator nehmen konnte. Als sie endlich am Talausgang ankamen, war der Sturm vorüber; die frühe Morgensonne brach mit langen, goldenen Strahlen durch die Wolken.

Sie hielten am Rand des Wasserfalls an, über den sich der Fluss in den Ruvubu ergoss, ein glitzernder Vorhang aus Wasser und Gischt, eine funkelnde Kaskade, die über vierzig Meter in ein Becken stürzte. Von hier aus konnten sie über den Park blicken und wieder einmal bewunderte Connor die majestätische Schönheit Afrikas. Die sanft gewellte Savanne wirkte nach dem stundenlangen Regen frisch und wie neugeboren. Das Grün der Büsche und Bäume glänzte saftig und schien über Nacht neu erblüht zu sein. Vögel zwitscherten in einem vielstimmigen Chorus, während sie unablässig zwischen den Bäumen umherflatterten oder in kühnen Sturzflügen durch die Luft schwirrten. Unten auf der Ebene zogen grasende Herden von Zebras, Antilopen und Gnus langsam dahin, unzählige Tiere, die ein ständiges Wiehern und Schnauben hören ließen. Und weiter hinten zog eine Karawane von mächtigen Elefanten am Ruvubu entlang, der durch den sintflutartigen Regen angeschwollen war und nun im frühen Morgenlicht funkelte wie eine endlose Diamantenhalskette.

Der Sturm hatte mehr als nur Regen gebracht – er hatte neues Leben hervorgerufen.

Amber spähte über den Rand des Wasserfalls, dann warf sie Connor einen Seitenblick zu.

»Springst du zuerst?«, fragte sie schelmisch. Henri riss entsetzt die Augen auf.

Connor grinste. »Hab schon geduscht«, gab er zurück.

Beim Abstieg übernahm Amber die Führung. Die Felsen rings um den Wasserfall waren schlüpfrig und von Moosen und Flechten überwuchert. Sie wählte den leichtesten Weg, der durch eine natürliche Felsspalte führte. Sie kamen nur langsam voran, fanden aber genügend Haltepunkte, Kerben und Nischen, dass auch Henri die steile Wand ohne große Probleme bewältigen konnte. Unten am Felsbecken angekommen, setzte sich Zuzu wieder an die Spitze und führte sie am Nebenfluss entlang auf eine größere Baumgruppe zu, die mitten auf der Ebene stand. Obwohl sie sich nicht verfolgt fühlten, hielten sie es für sicherer, in Deckung zu bleiben. Connor bildete den Schluss und schaute sich immer wieder nach Verfolgern um. Niemand sprach. Nach dieser entsetzlichen Nacht und ihrer gefährlichen, knappen Flucht waren alle zutiefst erschöpft und erschüttert.

Plötzlich blieb Zuzu stehen. Amber fragte flüsternd, was los sei, aber Zuzu legte den Finger auf den Mund und zog das Messer.

Es wurde absolut still. Die Vögel hörten auf zu singen.

KAPITEL 78

Auch Connor spürte nun die Gefahr. Er fühlte sich beobachtet. Aufmerksam, abwartend. Er zog das Messer, ließ den Blick wachsam durch die Büsche schweifen, sah aber nichts. Zuzu stand so still wie ein verängstigtes Reh, all ihre Sinne schienen auf die unbekannte Gefahr gerichtet zu sein. Amber hatte Henri an sich gezogen; auch ihre Blicke suchten ängstlich nach der neuen Gefahr, die ihnen drohte.

Ein kaum hörbares Rascheln und eine leichte Bewegung hinter ihnen ließen sie herumfahren. Wolf trat aus dem Gebüsch.

Der Jäger zielte mit seiner Jagdwaffe auf Connor.

»Habt ihr euch verirrt, Kinder?«, fragte er leise. »Ihr seid weit von der Lodge entfernt. Außerdem lauft ihr in die falsche Richtung.«

Sein Tonfall ließ Connor einen Schauder über den Rücken laufen. Er packte das Messer noch fester, überzeugt, dass er es brauchen würde. »Nein, tun wir nicht. Wir haben eine gute Führerin.«

»Das sehe ich.« Wolf musterte Zuzu aufmerksam, dann glitten seine blassgrauen Augen wieder zu Connor und Amber zurück. »Hast du nicht gesagt, dein Bruder ist tot?«

»Wir haben ihn gerettet«, antwortete Amber knapp.

»Ah! Wie ich euch gerettet habe«, sagte Wolf mit einem dünnen Lächeln. »Und wie habt ihr mir das vergolten?« Jetzt verschwand das Lächeln und er schaute sie drohend an. »Indem ihr eure vorwitzigen Nasen in meine Angelegenheiten gesteckt und einen meiner Männer verwundet habt!« Er schwenkte die Waffe ein wenig nach links und zielte auf Amber.

»Ist Ihnen klar, dass weiter hinten im Tal ein richtiger Krieg stattfindet?«, fragte Connor und hoffte, seine Aufmerksamkeit von Amber abzulenken.

Wolf nickte gelassen. »Rührend, dass du dir Sorgen um meine Sicherheit machst«, antwortete er sarkastisch. »Aber es ist keine Kunst, den Regierungstruppen aus dem Weg zu gehen. Abel schmuggelt gerade die Ware aus dem Park. An deiner Stelle würde ich mir mehr Sorgen um meine *eigene* Zukunft machen.«

Immer noch war die Waffe auf Amber gerichtet.

»Und – was wollen Sie jetzt tun?«, fragte sie herausfordernd. »Uns alle erschießen?«

Wolf verzog das bärtige Gesicht zu einem Grinsen, das eher ein Zähnefletschen war. »Wenn ein Jäger erst einmal die Beute im Visier hat, gibt es eigentlich nur noch eins zu tun.«

Er schwenkte die Waffe zwischen Amber und Connor hin und her und legte den Finger auf den Abzug. »Na, wer von euch beiden schenkt mir den ersten Kopf für meine Sammlung?«

Connor trat instinktiv vor Amber, um sie zu schützen.

»Aaah! Wir haben einen Freiwilligen!«, rief Wolf erfreut, schloss ein Auge und zielte.

Die Entfernung war zu groß, um sich noch auf den Jäger zu stürzen, bevor er feuerte, aber wenn er das Messer warf, konnte er ihn vielleicht verletzen oder jedenfalls ablenken.

Gerade als er das Messer schleudern wollte, löste sich ein dunkler Schatten von einem Ast über ihnen.

Der Leopard landete auf Wolfs Schultern, der unter dem Gewicht zu Boden stürzte. Der Schuss krachte, die Kugel riss ein Loch in einen Baumstamm. Aber das Raubtier ließ sich davon nicht abschrecken. Es stieß ein furchtbares Knurren aus und schlug die grausamen Zähne in den Hals des Jägers. Wolf stieß einen halb erstickten Schrei aus. Er versuchte, sich gegen das Tier zu wehren, aber der Leopard war zu stark.

Während der Leopard den Jäger erstickte, zuckten seine grünen Augen drohend zwischen Connor und den anderen hin und her, eine stumme Warnung, sich auf keinen Fall einzumischen. Connor hielt das Messer in der Hand und überlegte kurz, ob er den Leoparden angreifen sollte, aber der stieß schon bei Connors erstem Schritt ein drohendes Knurren aus. Der Leopard drückte den Jäger mit scharfen Krallen fester auf den Boden und biss noch einmal und noch stärker zu. Der Jäger zuckte ein letztes Mal, dann blieb er reglos liegen. Connor wich langsam zurück, und der Leopard machte sich daran, den leblosen Jäger auf den Baum zu schleppen.

KAPITEL 79

Eine zerlumpte, erschöpfte Gruppe schleppte sich durch die sengend heiße Savanne – Schwester, Bruder, Bodyguard, Batwa-Mädchen. Zuzu hatte entschieden, den Dead Man's Hill in großem Bogen zu umgehen. Die schiere Brutalität und unglaubliche Schnelligkeit des Leoparden beim Angriff hatte alle noch nervöser gemacht. Ständig zuckten ihre Blicke hin und her, schon das leiseste Geräusch, die geringste Bewegung im hohen Gras jagte ihnen einen entsetzlichen Schrecken ein.

»Das war ausgleichende Gerechtigkeit«, verkündete Amber nach längerem Schweigen, während sie sich durch ein Dickicht schlugen. »Der Jäger wird vom Gejagten getötet.«

Connor nickte. Seit dem Leopardenangriff hatte er sein Messer nicht mehr weggesteckt; er hatte nicht die Absicht, dem nächsten Raubtier wehrlos zum Opfer zu fallen, ob es nun ein Löwe, eine Hyäne oder eine Schlange war – oder ein Rebell. »Sicher, Wolf hat bekommen, was er verdient hat, aber andererseits hat er uns auch geholfen.«

»Das hat er«, gab Amber zu, »aber später hat er versucht, uns umzubringen.«

»Ich glaube, das ganze Land will uns umbringen«, bemerkte Henri mit müdem Lachen.

Er humpelte vor Connor her. Die Schwielen der Prügel, die ihm die Rebellen verabreicht hatten, waren noch lange nicht verheilt, sodass ihm das Gehen schwer fiel. Aber er beklagte sich nicht, wie Connor bewundernd feststellte. Zugleich war Connor wütend auf Blaze, der den Jungen mit solcher Brutalität behandelt hatte; das verlangte nach Vergeltung. Er konnte nur hoffen, dass auch Blaze von den Regierungstruppen bekommen hatte, was er verdiente.

Er fragte sich, ob die Kämpfe inzwischen abgeklungen waren – und ob General Pascal verwundet, gefangen oder tot war. Bei ihrer Flucht war die Lage chaotisch gewesen; Connor hatte nicht sehen können, welche Seite die Oberhand gewann. Allerdings hatten die Regierungstruppen den Überraschungsvorteil auf ihrer Seite; Connor hielt es für unwahrscheinlich, dass die Rebellen dem Angriff lange hatten standhalten können.

Zuzu machte plötzlich mit der flachen Hand ein Zeichen, sich zu ducken. Alle vier kauerten hinter einem Gebüsch nieder. Motorenlärm war zu hören, dann kam ein offener Jeep über die Bodenwelle vor ihnen. Er fuhr schnell und kam in ihre Richtung.

»Sollen wir nicht fliehen?«, fragte Henri mit vor Angst bebender Stimme.

Connor schüttelte den Kopf. »Dann würden sie uns sehen.«

Der Lärm des Dieselmotors wurde lauter. Connor spähte durch eine Lücke im Gebüsch. Der Geländewagen bremste urplötzlich stark ab und kam leicht schleudernd keinen Steinwurf von ihrem Versteck entfernt zum Stillstand.

Der Fahrer stand von seinem Sitz auf und scannte das Terrain durch ein Fernglas. »Verdammt!«, hörten sie ihn fluchen.

»Das ist Gunner!«, zischte Amber in freudigem Schock.

Bevor sie aufspringen konnte, legte ihr Connor die Hand

auf die Schulter. Sie runzelte verwirrt die Stirn. Connor schüttelte den Kopf und legte den Finger auf die Lippen. Nach allem, was sie durchgemacht hatten, begegnete er jedem im Park mit tiefem Misstrauen – und besonders diesem Mann, der unerklärlicherweise einer der wenigen war, die den Anschlag überlebt hatten.

»Connor! Amber!«, brüllte der Ranger in dringlichem Ton.

Als sich niemand blicken ließ, schüttelte der Ranger frustriert den Kopf und legte den Gang ein. In allerletzter Sekunde kam Connor zu dem Schluss, dass er das Risiko eingehen musste. Sie waren müde, erschöpft, hungrig, durstig und verletzt und noch immer weit von der Lodge entfernt. Diese Gelegenheit, gerettet zu werden, würden sie nicht mehr bekommen. Gerade als Gunner losfahren wollte, trat Connor hinter dem Busch hervor.

»Gunner!«

Gunners Kopf fuhr herum; ein erleichtertes Grinsen breitete sich auf seinem Gesicht aus. »Connor! Gott sei Dank, du bist am Leben! Ich hab euch überall gesucht! Wo sind Amber und Henri?«

Connor ging nicht darauf ein. »Wie sind Sie dem Überfall entkommen?«, fragte er. Er hielt das Messer hinter dem Rücken verborgen.

»Mit knappster Not. Konnte mich in eine Erdferkelhöhle retten. Aber es war wirklich knapp. Sind Amber und Henri bei dir?«

Connor ignorierte die Frage auch dieses Mal und fragte weiter: »Warum haben Sie und Buju den Konvoi anhalten lassen?«

Gunners Augen wurden schmal, als ihm klar wurde, warum Connor diese Fragen stellte. »Buju hatte eine Landmine entdeckt. Wir wollten nachschauen, ob sie erst kürzlich gelegt worden war oder noch aus dem Bürgerkrieg stammte. Und dann ging auch schon der Angriff los. Jetzt sag mir endlich: Sind die Barbier-Kinder bei dir oder nicht? Ihre Eltern sind krank vor Sorgen!«

Amber und Henri sprangen auf, ungläubig kamen sie herbeigerannt. »Sie leben?«

»Ja!«, rief Gunner, stieg hastig aus dem Fahrzeug und umarmte die beiden voller Freude. Dann kam auch Zuzu hinter dem Busch hervor und Gunner blickte sie überrascht an.

»Aber wir haben gesehen, wie ihr Landrover umstürzte und brannte!«, sagte Connor, immer noch misstrauisch.

»Das hab ich auch gesehen. Aber während die Rebellen den Präsidenten und die Garde umbrachten, schlich ich mich zu ihrem Wagen und zog sie heraus.« Gunner schaute die Geschwister ernst an, die sich weinend vor Freude an den Händen hielten. »Aber ... ich muss euch sagen, eure Eltern waren schlimm dran. Sie konnten sich kaum noch auf den Beinen halten. Wir haben die ganze Nacht und fast den ganzen Tag gebraucht, um zur nächsten Krankenstation zu kommen. Doch es geht ihnen schon viel besser. Sie haben sich solche Sorgen um euch gemacht! Ich musste ihnen bei meinem Leben versprechen, euch zu suchen. Und hier seid ihr nun!«

Er wandte sich zu Connor und hob halb die Hände, als wolle er sich ergeben. »Und du, Connor, steckst du jetzt endlich dein Messer weg? Ich habe keine Lust, ein Messer in die Rippen zu bekommen, zum Dank dafür, dass ich euch gerettet habe!«

Connor zögerte kurz, doch dann beschloss er, Gunner bis auf Weiteres zu vertrauen. Er holte das Messer hinter dem Rücken hervor und steckte es wieder in die Scheide.

»Ich mache dir keine Vorwürfe«, sagte Gunner und klopfte ihm auf die Schulter. »In eurer Situation würde auch ich niemandem über den Weg trauen. Deshalb habe ich die Barbiers sogar in der Krankenstation unter einem anderen Namen eingeliefert. So – und jetzt fahren wir zur Lodge. Eure Freundin kann auch mitkommen. Der ganze Park wimmelt inzwischen vor Soldaten. Die würden sie vermutlich für eine Rebellin halten.«

Amber erklärte Zuzu, wie gefährlich die Lage war, und konnte sie nach langem Zureden überzeugen, dass es besser war, mit ihnen in den Jeep zu steigen. Der Ranger legte den Gang ein und fuhr mit hoher Geschwindigkeit los.

»Wir müssen uns beeilen«, erklärte er, als er einfach über kleinere Büsche hinwegraste. »Ich habe dafür gesorgt, dass ein Flugzeug bereitsteht. Es bringt uns in die Hauptstadt. Dort werdet ihr wieder mit euren Eltern zusammentreffen.«

KAPITEL 80

Gunner fuhr nicht zum Haupteingang, sondern zum selten benutzten Hintereingang. Er öffnete das Tor und verschloss es wieder, sobald sie es passiert hatten. Dann parkte er vor einer der Gästesuiten.

»Warum die Heimlichtuerei?«, fragte Connor, als der Ranger sie erst aussteigen ließ, nachdem er sich prüfend umgeschaut hatte. »Die burundische Armee hat doch die Lodge unter Kontrolle, oder nicht?«

Gunner hob skeptisch die Augenbrauen. »Man sollte sich nie zu sicher fühlen, Connor, und in Afrika schon gar nicht. Die Schwarze Mamba hat früher schon Regierungstruppen besiegt, die seinen Rebellen fünffach überlegen waren. Noch weiß niemand, wo ihr seid und dass ihr überhaupt noch am Leben seid. Und ich will, dass es so bleibt, bis ich euch in Sicherheit gebracht habe. Jetzt geht ihr in eure Zimmer und packt nur das Notwendigste ein: den Pass, Flugtickets, ein paar frische Kleider... alles andere bleibt da.«

Sie liefen von Zimmer zu Zimmer, sammelten die wichtigsten Sachen ein, wie Gunner befohlen hatte – mit Ausnahme von Amber, die eine ganze Tasche mit ihren besten Klamotten und ihrem Schmuck für Zuzu vollstopfte, um ihr Versprechen einzulösen. »Ich wage kaum zu fragen, aber eine schnelle Dusche …?« Sie zupfte an ihrem schmutzverkrusteten Haar.

Gunner schüttelte bedauernd den Kopf. »Sorry, aber das kann ich nicht riskieren. Das muss bis später warten.«

Durch den Personaleingang gingen sie in die Küche. Ein paar herumliegende Pfannen und Töpfe, eine zerknitterte weiße Kochmütze und eine eingetrocknete Blutlache waren alles, was noch an den Koch erinnerte. Connor warf dem Ranger einen beunruhigten Blick zu.

»Wie gesagt, man darf sich nie zu sicher fühlen«, flüsterte Gunner. Leise füllten sie eine Tasche mit Nahrungsmitteln. Dann spähte er durch ein kleines Fenster in der Verbindungstür und führte sie in die Lounge.

Der prächtige Raum lag verlassen da, aber Connor sah sofort, dass hier offenbar eine Horde von Barbaren gefeiert hatte. Der Spiegel hinter der Bar war eingeworfen worden, Flaschen und Gläser lagen herum, die Wände waren von Kugellöchern übersät, mehrere Salven hatten den Stammesschild durchlöchert, der nun schief an der Wand hing. Das Zebrafell auf dem Parkettboden wies mehrere große rote Flecken auf, ob Blut oder Rotwein, war nicht zu erkennen, aber eine ominöse Spur dunkler Flecken zog sich von der Bar zur Rezeption hinaus.

»Glauben Sie, dass noch jemand da ist?«, flüsterte Amber nervös.

»So wie es hier aussieht, haben wir die Party verpasst«, antwortete Gunner. Er nahm ein paar Flaschen Wasser, Coladosen und Snacks aus der Bar und legte alles auf einen Tisch.

Aber Connor wurde das mulmige Gefühl nicht los, dass sie in eine Falle getappt waren, die jederzeit zuschnappen konnte. »Aber wo sind die Soldaten?«

Gunner zuckte die Schultern. »Wahrscheinlich jagen sie die

Rebellen draußen im Park. Ihr seht so aus, als könntet ihr etwas zu trinken brauchen. Ich will nicht, dass ihr tot umfallt, bevor wir unser Ziel erreichen. Hier.« Er wies auf die Coladosen und Wasserflaschen auf dem Tisch. »Esst und trinkt, während ich das Flugzeug startklar machen lasse.«

Damit verschwand er im Büro hinter der Rezeption.

Die vier stürzten sich auf die Cola und die Schokolade, die Bananen und Snacks, die Gunner auf den Tisch gehäuft hatte. Connor ging zu einem der Erkerfenster und blickte auf die Veranda und weiter über die Savanne hinaus. Trotz seiner Müdigkeit war ihm klar, dass sie noch immer nicht aus der Gefahrenzone heraus waren; er musste auch weiterhin seinen Bereitschaftscode Orange beibehalten. Aufmerksam spähte er hinaus, ließ den Blick über den gepflegten Park gleiten, der zur Lodge gehörte, und suchte auch die weiter entfernten Büsche nach Hinweisen auf möglicherweise dort lauernde Rebellen ab. Aber auch im Busch war nichts zu sehen. Tatsächlich kam Connor alles viel zu still, zu ruhig vor. Dann entdeckte er einen Mann in Armeeuniform, der halb im Gras verborgen am Elektrozaun lag. »Amber, wir müssen weg...«

»Mein Gott, ein Wunder!«, rief eine Stimme mit schwerem Akzent.

Connor wirbelte herum. Eine voluminöse Gestalt stand unter der Tür, die zur Eingangshalle führte: Minister Feruzi.

»Man hat mir erzählt, dass ihr den Anschlag überlebt hättet«, sagte der Minister für Handel und Tourismus, lächelte breit und watschelte zur Bar wie ein Nilpferd auf dem Weg zum Wasserloch. »Aber ich habe es nicht geglaubt, bis ich euch jetzt mit eigenen Augen sehe!«

»Wissen Sie, dass dort draußen am Zaun ein toter Soldat liegt?«, fragte Connor und deutete durch das Fenster hinaus.

»Ja, ja, wissen wir! Minister Rawasa ist in die Hauptstadt

zurückgeflogen, während ich dieses Chaos hier aufräumen soll«, sagte er mit einem »Einer-muss-es-ja-machen«-Schulterzucken. »Aber das ist nun wirklich eine große Freude, endlich wieder mal eine gute Nachricht! Ihr seid gesund und munter!«

Erst jetzt schien er Zuzu zu bemerken, die neben Amber stand. »Und wer ist das hier?«, fragte er herablassend.

»Unsere Führerin«, sagte Amber voller Stolz und Begeisterung. »Sie war so etwas wie unsere Rettungsleine.«

»Na, das freut mich aber. Die Burunder sind sehr gastfreundliche Menschen. Aber jetzt bin ich für eure Sicherheit verantwortlich.«

Er legte Amber und Henri die wulstigen Arme um die Schultern. Amber fühlte sich sichtlich unwohl und Henri zuckte vor der schweißnassen Berührung zurück. Erst jetzt bemerkte der Minister die roten Striemen, die Henris Körper bedeckten. Er ließ ihn los. »Oh, mein armer Junge! Was haben sie bloß mit dir gemacht?«

Im selben Moment kam der Ranger wieder herein. »Das Flugzeug ist unterwegs. Wir müssen schnell…« Er blieb stehen und starrte den Minister an.

»Gunner?«, rief der Minister aus und starrte ihn wie entgeistert an. »Mein Gott… noch einer, auferstanden von den Toten! Haben noch mehr von euch überlebt?«

Der Ranger schüttelte ernst den Kopf. »Ich habe Buju gefunden… oder das, was von ihm noch übrig ist.«

»Das ist tragisch«, erklärte der Minister. »Aber… gibt es Nachricht von Laurent und Cerise? Wir haben Grund zu der Annahme, dass sie den Anschlag ebenfalls überlebt haben könnten.«

»Keine Ahnung«, sagte Gunner und winkte Connor und die anderen zu sich. »Wir müssen los, Kinder.«

»Warum so eilig, Gunner?«, wollte Minister Feruzi wissen und kniff misstrauisch die Augen zusammen. »Hier in der Lodge sind wir jetzt in Sicherheit.«

»Meinen Sie, Herr Minister?«, fragte der Ranger und bedeutete ihnen mit einer scharfen Kopfbewegung, sich zu beeilen.

»Kinder, ihr dürft nicht mit ihm gehen!«, rief Minister Feruzi. »Dieser Mann steht unter Verdacht, an dem Anschlag beteiligt zu sein!«

Connor und die anderen blieben wie erstarrt auf halbem Weg stehen.

Hatte ich doch recht, dem Ranger nicht zu trauen?, fragte sich Connor.

»Glaubt ihm kein Wort«, sagte Gunner. »Er steckt hinter der ganzen Sache. Er hat die Route für die Sunset-Safari und den Aussichtspunkt festgelegt, obwohl es in der Nähe der Lodge einen viel besseren Platz gegeben hätte!«

Minister Feruzi lachte. »Das ist lächerlich! Denkt doch mal nach, Kinder: Wer hat den Konvoi mitten im Flussbett angehalten?«

»Nur, weil Buju eine Mine entdeckte!«, rief Gunner. »Sonst wären wir in die Luft geflogen! Connor, was glaubst du, warum Minister Feruzis Auto ganz hinten im Konvoi fuhr? Sein Auto blieb völlig unbeschädigt, weil er genau wusste, wo und wann der Überfall stattfinden würde!«

Connor stand zwischen dem Ranger und dem Minister; er hatte keine Ahnung, wem er glauben sollte. Einer von beiden log, das war klar. Amber und die anderen warteten darauf, dass er eine Entscheidung traf.

»Wir müssen los! Sofort!«, sagte Gunner eindringlich. Sein Blick zuckte zur Tür und weiter zur Veranda.

»In der Situation vertraue ich überhaupt niemandem!«, rief

Connor heftig und wiederholte damit nur, was der Ranger selbst gesagt hatte.

Gunners Story war kaum glaubhaft. Connor konnte es sich nicht vorstellen, dass sich ein Minister mit einer Bande von Rebellen verschwören könnte. Er machte einen Schritt auf Feruzi zu; der Minister breitete die Arme aus, um ihn auf seine Seite zu ziehen. Aber dann fiel Connor wieder der tote Soldat am Zaun ein. Wie konnte der Minister behaupten, die Lodge sei sicher, wenn die Wärter tot am Zaun lagen?

Connor zögerte und blieb stehen. Im letzten Moment änderte er seinen Entschluss. Er nickte Amber und den anderen zu, mit Gunner zu gehen.

»Jetzt kann ich nichts mehr für euch tun«, sagte der Minister mit öligem Lächeln.

Und genau in diesem Augenblick stapfte General Pascal in die Lounge, begleitet von Blaze, NoMercy und einem halben Dutzend Rebellen.

KAPITEL 81

»Ich sehe, Sie haben meine Flüchtlinge gefunden«, bemerkte General Pascal und marschierte direkt zur Bar, als wäre er bei sich zu Hause. Seine Augen waren blutunterlaufen und seine Haut ölig vor Schweiß. Den verletzten Arm trug er in einer Binde. Der Kampf gegen die Regierungstruppen hatte den Rebellenführer offenbar sehr stark mitgenommen – aber anscheinend hatte er durch sein militärisches Geschick wieder einmal die Oberhand gewonnen.

»Whisky!«, bellte er einen seiner Rebellensoldaten an. Der Junge eilte hinter die Bar, griff nach einer Flasche und füllte ein Whiskyglas bis zum Rand. Der General goss es in einem Zug hinunter und der Junge füllte es sofort wieder.

»Soweit ich weiß, sollte doch die Armee in Sektor vier umgeleitet werden!«, knurrte der General und starrte den Minister wütend an. »Wie kommt es dann, dass unser Camp in Sektor acht heute Morgen angegriffen wurde?«

Minister Feruzi wurde grau im Gesicht. »Der... der Generalmajor muss seine Pläne geändert haben, ohne mich zu informieren!«

General Pascal stieß dem Minister wütend den Zeigefinger in die feiste Brust. »Ist Ihnen klar, dass ich ein paar gute Kämpfer verloren habe?«, blaffte er ihn an. »Und was noch schlimmer ist: Die Armee hat womöglich das halbe Diamantenfeld pulverisiert!«

Der Minister zog hastig ein Taschentuch heraus und wischte sich in panischer Angst die Stirn. »Ich versichere Ihnen, der Generalmajor hatte die Instruktion, den Süden des Parks durchsuchen zu lassen. Aber was ist mit den Diamanten? Haben Sie noch die Kontrolle? Sind überhaupt noch welche übrig?«

»Darüber brauchen Sie sich nicht den dicken Kopf zu zerbrechen! Meine Truppen kontrollieren das Tal immer noch und es werden genug Steine für alle übrig bleiben.« Der General verzog schmerzhaft das Gesicht und rückte die Schlinge an seinem stark angeschwollenen Arm zurecht. »Jetzt regeln wir erst einmal das kleine Problem hier – meine Flüchtlinge. Dann reden wir über die Zukunft des Landes und Ihre Rolle, Feruzi.«

Gunner konnte sich nicht mehr beherrschen. Er trat plötzlich vor und spuckte dem Minister vor die Füße. »Sie Verräter! Sie sind nichts als Abschaum! Sie haben unser Leben für ein paar Diamanten verhökert!«

Minister Feruzi blickte auf die Spucke auf seinen Schuhen hinunter. »Das hätten Sie nicht tun sollen, Gunner.«

General Pascal nickte NoMercy schweigend einen Befehl zu. Der Junge trat einen Schritt vor. Ein ohrenbetäubendes *Peng!* krachte, als NoMercy Gunner in die Brust schoss.

»Sie sind gefeuert!«, sagte Minister Feruzi mit schadenfrohem Grinsen, als sich der Ranger, stöhnend vor Schmerzen, vor ihm auf dem Boden wand.

»Nein, Gunner – nein!«, schrie Amber, fiel neben dem Ranger auf die Knie und drückte eine Hand auf die Wunde, um das Blut zu stoppen. Aber es quoll zwischen ihren Fingern hervor. Connor drückte Henri an sich, während Zuzu mit weit aufgerissenen Augen wie im Schock den Jungen anstarrte, der neben dem Ranger stand und kalt auf ihn hinabblickte.

»Bring es zu Ende«, sagte der General in gelangweiltem Ton. »Ich will das Stöhnen nicht mehr hören.«

Connors Instinkt übernahm die Kontrolle. Er wusste nun, dass auch Amber, Henri und er den Raum nicht mehr lebend verlassen würden – und Zuzu erst recht nicht, die den General angeschossen hatte. Jetzt ging es ums Ganze – alles oder nichts. Er riss einen der Speere von der Wand. »Alle zurück!«, brüllte er warnend.

General Pascal betrachtete die alte Waffe amüsiert, während er lässig an der Bar lehnte und an seinem Whisky nippte. »Was hast du mit dem Ding vor, mein Weißer Krieger?«, fragte er leutselig. »Einen Löwen aufspießen?«

»Nein«, gab Connor zurück und richtete die Spitze auf ihn, »aber eine Schlange!«

Die Schwarze Mamba lachte. »Du hast wirklich eine Kämpfernatur, das muss man dir lassen. Aber das Spiel ist vorbei. Lass den Speer fallen, sonst muss dein Mädchen dran glauben.«

Blaze zückte seine Pistole und hielt sie an Ambers Kopf. Connor schwenkte den Speer in seine Richtung. Er stand nicht sehr weit entfernt; wenn er schnell genug war, konnte er Blaze vielleicht ausschalten, bevor dieser den Abzug durchzog. Aber nur vielleicht. Und NoMercy hätte genug Zeit, Gunner noch einmal eine Kugel zu geben. Und dann – was? Connors Blick zuckte zu den Verandatüren hinüber. Konnten sie über die Veranda fliehen? Doch dann sah er einen Rebellen, der draußen Wache stand. Auch dieser Fluchtweg war versperrt. Er hatte keine andere Wahl. Er warf den Speer weg, der über das Parkett klapperte.

»Du enttäuschst mich«, bemerkte General Pascal, kippte den Rest des Drinks hinunter und hustete in die Faust. »Ich hatte gehofft, du würdest lieber kämpfend sterben, wie ein echter Krieger.«

Der General wandte sich zum Ausgang und winkte Minister Feruzi und den übrigen Rebellen, ihm zu folgen.

»Blaze, töte die Flüchtlinge«, befahl er. »Wie, kannst du dir aussuchen. Aber sorg dafür, dass das Batwa-Mädchen am meisten leidet – ihr hab ich den Pfeil im Arm zu verdanken.«

KAPITEL 82

Blaze befahl Connor, Henri und Zuzu, neben Amber auf dem Boden zu knien. Das Parkett war blutverschmiert; die Blutlache neben Gunner breitete sich immer weiter aus. Der Atem des Rangers ging keuchend und rasselnd; er war bewusstlos, aber er klammerte sich noch an das Leben. Connors Gedanken überstürzten sich, verzweifelt versuchte er, einen Ausweg aus dieser hoffnungslosen Lage zu finden. Aber NoMercy hielt seine AK-47 kalt auf sie gerichtet und Connor war vollkommen klar, dass der Junge beim ersten Anzeichen von Widerstand ohne das geringste Zögern abdrücken würde.

Blaze steckte die Pistole weg und zog die Machete. Zärtlich strich er mit dem Finger über die scharfe Klinge. »Meine Lieblingswaffe«, sagte er mit sadistischem Grinsen. »Mit dieser Schönheit kann ich euch schneiden, spalten, zerhacken oder köpfen.«

Der Rebell genoss seinen Auftritt. Er stolzierte vor den Gefangenen hin und her, ließ die Machete um die Hand kreisen und zog die Szene genießerisch in die Länge.

Mit einer Kinnbewegung wies er auf Zuzu. »Dich, Batwa, spare ich mir bis zum Schluss auf«, fauchte er sie an. »Zuerst darfst du dir ansehen, was dir bevorsteht.«

Zuzu verstand die Drohung, auch wenn sie die Wörter

nicht verstand. Sie zuckte vor ihm zurück, aber ihr Blick war immer noch auf NoMercy gerichtet.

Blaze stieß die Spitze der Machete gegen Henris Brust. »Dich werde ich häuten. Und deine Haut dann in der Sonne zum Trocknen aufhängen.«

Henri, der schon im Camp von Blaze gefoltert worden war, schluchzte auf und zitterte am ganzen Leib. Blaze lachte spöttisch. »Armseliger Wicht!«

Nun war Amber an der Reihe. Blaze kauerte vor ihr nieder, schob eine Haarlocke mit der Machete weg und rasselte dann direkt vor ihren Augen mit seinem makabren Halsband.

»Vielleicht hab ich bald eines von deinen hübschen Zähnchen um den Hals hängen, was meinst du?«, sagte er und betrachtete sie lüstern.

»Geh zur Hölle!«, fauchte sie ihn trotzig an.

Blaze blies ihr spöttisch einen Luftkuss zu. »Dort treffen wir uns eines Tages.«

Connor wurde fast wahnsinnig vor Angst. Er konnte nichts, absolut nichts tun, konnte nur ohnmächtig mitansehen, wie Blaze nacheinander seine Freunde quälte. Es ging um Leben und Tod; grimmig beschloss er, alles zu versuchen, um Amber und Henri zu retten – lieber wollte er sterben. Das Messer seines Vaters steckte immer noch in seinem Gürtel; er warf einen kurzen Blick auf Zuzu. Plante sie etwas? Dachte sie so wie er? Sie hatte den Jungen mit der AK-47 nicht aus den Augen gelassen. Vielleicht würde sie sich auf NoMercy stürzen und versuchen, ihm die Waffe zu entringen, wenn er, Connor, Blaze angriff?

Der Rebell betrachtete Connor nachdenklich. »Ich weiß, was du denkst. Aber ich verspreche dir, wenn du auch nur mit einem Finger zuckst, wird es dein Mädchen hier bitter büßen müssen.«

Connor starrte wütend zu Blaze auf. »Ich reiße dir sämtliche Glieder aus, wenn du Amber oder Henri auch nur anfasst.«

Blaze grinste. »Aber, aber. Das hatte doch ich mit dir vor – dir sämtliche Glieder auszureißen. Aber wen nehmen wir denn nun als Ersten dran? Ene, mene, mu ...«, sang er mit Kinderstimme, wobei er die Machetenspitze von Connor zu Amber und zu Henri und wieder zurück wandern ließ, »... und tot bist du!«

Die Machete blieb vor Connor stehen. Blaze grinste. Mit einem heftigen Schlag fegte er einen der Kaffeetische frei, sodass Kerzen und Aschenbecher durch den Raum flogen. Dann packte er Connor am Haar und hielt ihm die Klinge an die Kehle.

»Na, wofür entscheidest du dich – kurzer Ärmel oder langer Ärmel?«

Connor starrte ihn an, die Frage verblüffte ihn, ließ ihm aber auch das Blut in den Adern gefrieren.

»NoMercy, halte seinen Arm fest«, befahl Blaze.

Plötzlich dämmerte es Connor, was der Rebell vorhatte. Er wehrte sich heftig, aber Blaze drückte ihm die Machete noch stärker an den Hals, sodass Blut herausquoll.

»Nicht jammern. Es tut erst weh, wenn der Arm ab ist«, erklärte Blaze, als NoMercy die AK-47 über die Schulter hängte und Connors Handgelenk packte. Mit überraschend großer Kraft drückte er Connors Arm auf den Tisch.

»*Deo?*«, stieß Zuzu plötzlich hervor und starrte NoMercy an.

Der Junge reagierte nicht.

Zuzu sprudelte einige Worte in ihrer Stammessprache hervor, doch der Junge reagierte immer noch nicht.

»*Deo! C'est ta soeur!*«, versuchte sie es auf Französisch.

NoMercy schaute sich verständnislos zu ihr um.

Zuzus Stimme wurde schrill. Aufgeregt schrie sie: »*Deo! Mon frère! S'il te plaît, ne lui fais pas de mal! Je t'en prie!*«

»*Tais-toi!*«, blaffte Blaze sie an und schlug ihr mit dem Handrücken ins Gesicht.

Der Schlag war so brutal, dass Zuzu gegen die Bar geschleudert wurde. Ihr Kopf krachte heftig gegen den Mahagonitresen.

NoMercy runzelte die Stirn. Er drückte immer noch Connors Arm auf den Tisch, aber seine Aufmerksamkeit war jetzt auf Zuzu gerichtet. Sie blutete an der Lippe, Tränen rollten ihr über das Gesicht, aber sie gab nicht auf, flehte den Jungen immer weiter an, ihr zuzuhören. Connor verstand kein Wort. Sein Herz raste, das Blut rauschte in seinen Ohren. Panik ergriff ihn, kein Muskel gehorchte ihm mehr, wie gelähmt sah er zu, wie Blaze neben den Tisch trat und zum Schlag ausholte.

Um Connor den rechten Arm abzuhacken.

»Nicht die Augen schließen«, sagte Blaze. »Du musst das unbedingt mitansehen.« Er schmatzte voller Vorfreude mit den Lippen. »Ich schwöre dir, du wirst es dein ganzes Leben lang nicht mehr vergessen.«

Die Machete schwang durch die Luft herab. Amber schrie, Henri schlug die Hände vor das Gesicht. Zuzu schrie noch lauter. Connor überwand seine Lähmung, riss das Messer aus der Scheide. Im letzten Moment ließ NoMercy los und Connor riss den Arm zurück. Die scharfe Klinge grub sich tief in den Holztisch.

Blaze starrte NoMercy an, außer sich vor Wut. »Du Idiot! Warum hast du ihn losgelassen!«, brüllte er.

Während er noch versuchte, die Machete aus dem Tisch zu ziehen, bückte sich NoMercy blitzschnell nach dem Speer.

Bevor Blaze wusste, was geschah, stieß der Junge zu – rammte Blaze die eiserne Speerspitze tief in den Rücken. Blaze brüllte vor Schmerzen, als der Speer durch sein Herz fuhr und durch den Brustkorb wieder herausdrang.

NoMercy drehte den Speerschaft noch einmal; Blaze brach zusammen. »Du hast mir weisgemacht, meine ganze Familie ist tot!«, schrie NoMercy. »Das ist meine Rache!«

KAPITEL 83

Zitternd, geschockt, entsetzt und erleichtert zugleich drückte Connor seinen rechten Arm schützend an den Körper. Fassungslos sah er Zuzu aufspringen und ihren lange tot geglaubten Bruder umarmen. NoMercy stand wie erstarrt, ließ die Umarmung regungslos über sich ergehen, seit Jahren die erste zärtliche Berührung. Dann sackten seine Schultern herab und ihre Köpfe schmiegten sich aneinander.

Amber hielt ihren eigenen Bruder an sich gepresst und lächelte unter Tränen, als sie das Wiedersehen der Geschwister beobachtete. Henri schaute mit rot verschwollenen Augen auf den verkrümmt auf dem Boden liegenden Rebellen hinab, der ihn so sehr gequält hatte. »Ist er ... wirklich ganz tot?«, fragte er verängstigt.

NoMercy nickte.

»Gut«, sagte Henri, endlich befreit von seinem schlimmsten Albtraum.

Connor fand wieder zu sich. Sein Verstand setzte ein. Blaze mochte tot sein, aber die Rebellenbande und ihr blutrünstiger Anführer, die Schwarze Mamba, waren noch sehr lebendig. Connor kam, immer noch taumelnd und benommen, auf die Füße. Sein erster klarer Gedanke galt dem Ranger. Gunner atmete noch, aber nur flach und mühsam.

Connor konnte nur hoffen, dass der junge Rebell nun auf ihrer Seite stand. »NoMercy, bitte hilf mir.«

»Ich heiße Deo«, sagte der Junge leise. »Das ist mein *richtiger* Name.«

»Gut, Deo. Ich heiße Connor. Und ich brauche deine Hilfe. Wir müssen den Mann wegbringen, auf den du geschossen hast.«

Zuzu ließ ihren Bruder los. Gemeinsam hoben sie Gunner hoch. Der Ranger stöhnte auf und kam zu sich. Sie schleppten ihn mühsam aus der Lounge, taumelnd erreichten sie die Küche. Aber er war zu schwer. Mitten in der Küche mussten sie ihn auf den Boden legen, um wieder zu Atem zu kommen.

»Lasst mich ... hier«, stöhnte Gunner.

»Nein.« Connor legte sich Gunners Arm um die Schultern und versuchte, ihn weiterzuschleppen. »Sie sind wegen uns hierher zurückgekommen. Wir nehmen Sie mit.«

Gunner verzog schmerzhaft das Gesicht. »Sinnlos ... ich schaffe ... es nicht ...«

»Doch, Sie schaffen es«, sagte Amber entschlossen, und nahm einen Erste-Hilfe-Kasten vom Regal. Rasch durchwühlte sie den Kasten, nahm Binden und Kompressen heraus und schaffte es in weniger als einer Minute, Gunner einen notdürftigen Verband anzulegen, um den Blutverlust zu stoppen.

»Schnell«, drängte Henri, der als Beobachtungsposten an der Tür zur Lounge stand. »Ich höre etwas. Jemand kommt.«

Amber wickelte die Binde mehrmals um Gunners Brust und fixierte das Ende mit einem Pflaster. Connor und Deo hoben den Ranger hoch und schleppten ihn zwischen sich zum Dienstbotenausgang. Zuzu riss die Tür auf, streckte den Kopf hinaus, um die Lage zu sondieren, und gab ihnen mit erhobenem Daumen das Zeichen, dass alles klar war. Mühsam schleppten sie Gunner hinaus. Die grelle Sonne traf Connor wie ein Schlag. So gut es ging, nutzten sie Büsche und Bäume als Deckung, schlichen von einem Bungalow zum nächsten. Deo wusste, dass das Tor von mehreren Rebellen bewacht wurde. Weitere Rebellen hätten sich bei den Jeeps versammelt, die vor dem Haupteingang geparkt waren. Henri entdeckte zwei Kindersoldaten, die Zigaretten rauchten und die Beine in einen der privaten Pools vor einer Gästesuite baumeln ließen.

Heftig keuchend vor Anstrengung, erreichten Connor und Deo endlich Gunners Jeep. Mühsam hoben sie den Ranger auf den Rücksitz. Amber setzte sich neben ihn und hielt ihn aufrecht. Die anderen zwängten sich auf die übrigen Sitze; Connor sprang auf den Fahrersitz und startete den Motor, der sofort ansprang, aber in der Stille übermäßig laut röhrte.

»So was *muss* doch schiefgehen!«, sagte Connor, rammte den ersten Gang ein und drückte das Gaspedal durch. Die Räder drehten durch und sprühten Sand und Steine durch die Luft, doch dann griffen sie und der Wagen setzte sich in Bewegung.

Connor trat das Gaspedal durch. Sie rasten auf das hintere Tor im Zaun zu. Jemand brüllte etwas. Einer der Rebellen am Pool hatte den Motorenlärm gehört und schrie den anderen etwas zu. Schüsse knallten; Kugeln pflügten die Erde auf beiden Seiten des Jeeps auf, ein paar prallten als Querschläger von der Karosserie ab. Alle duckten sich, Connor drückte bis zum Anschlag aufs Gas und raste direkt auf das geschlossene Tor zu. Mit einem ohrenbetäubenden Lärm krachte der Wagen durch das Tor, geriet kurz ins Schleudern, aber Connor konnte den Jeep wieder unter Kontrolle bringen und jagte den Weg entlang. Die Fahrt glich einem Slalomlauf – der Jeep krachte und schleuderte von einem Schlammloch zum nächsten, obwohl sich Connor bemühte, den größten Löchern auszuweichen. Sie rasten den Hang hinunter, auf die Savannenebene zu.

»Sie verfolgen uns!«, schrie Amber, die die Hand auf Gunners Wunde presste und sich verzweifelt bemühte, den Blutverlust einzudämmen.

Connor warf einen Blick in den Rückspiegel. Ein Konvoi von Jeeps raste hinter ihnen her.

»Dort ist das Flugzeug!«, brüllte Henri und deutete auf einen Privatjet, der in der Ferne gerade auf die Landebahn herabschwebte.

Als sie den Hang hinter sich hatten und auf die Ebene hinausrasten, blickte Connor erneut in den Rückspiegel. Die Rebellen hatten aufgeholt. Connor schätzte, dass es äußerst knapp werden würde, selbst wenn sie es bis zum Flugzeug schafften. Er versuchte, sich an den Weg zu erinnern, den der Fahrer bei ihrer Ankunft genommen hatte, aber es war keine richtige Fahrspur zu erkennen. Er beschloss, die Landebahn direkt anzusteuern.

»Haltet euch fest!«, brüllte er. »Könnte ein bisschen holprig werden!«

Die Insassen klammerten sich an allem fest, was sie zu fassen bekamen. Connor fuhr noch schneller, holte das Letzte aus dem Jeep heraus, raste im Zickzack zwischen großen Büschen, Bäumen, Felsbrocken und Erdlöchern hindurch. Jedem anderen Fahrzeug wären auf diesem unebenen, holprigen Terrain Achsen und Federung gebrochen, aber der Jeep steckte alles weg. Die Verfolger eröffneten wieder das Feuer, mehrere Kugeln schlugen in die Rückseite der Karosserie ein. Dennoch wagte Connor es nicht, in den Rückspiegel zu blicken. Wenn er nur eine Sekunde nicht nach vorne schaute, bestand die Gefahr, dass sie im nächsten Augenblick in einen halb verborgenen Felsblock oder in eine überwachsene Regenrinne rasten.

Das Flugzeug war inzwischen gelandet und rollte zum Ende der Landebahn, wo es wendete und wieder in Startposition ging. Sie waren noch mehr als einen Kilometer von ihm entfernt und die Verfolger feuerten nun aus allen Rohren. Die meisten Geschosse verfehlten sie, aber einige schlugen auch in den Jeep ein. Eine Kugel flog dicht an ihren Köpfen vorbei und schlug von innen durch die Windschutzscheibe, die zersplitterte und als Scherbenregen auf Connor und die anderen herabprasselte. Deo kniete sich auf den Sitz, hob die AK-47 und feuerte auf die Verfolger, um sie auf Abstand zu halten.

Der Jeep überschlug sich fast, als Connor das Lenkrad herumriss und auf die Landebahn einbog. Sie rasten ihrer Rettung entgegen, aber die Verfolger waren noch näher gekommen. Neben dem Flugzeug legte Connor eine Vollbremsung hin. Der Pilot musste die verzweifelte Jagd beobachtet haben, denn er hatte die Motoren nicht abgeschaltet. Er ließ die automatische Gangway herab und winkte ihnen vom Cockpit aus zu, sich zu beeilen.

Eine ziemlich überflüssige Geste, fand Connor.

Er sprang aus dem Wagen, riss die hintere Fahrgasttür auf, packte Gunner unter den Schultern und zog ihn heraus, während die anderen den Ranger hinausschoben. Deo und Connor schleppten den Verwundeten zum Flugzeug. Sie hatten gerade die Treppe erreicht, als vier Rebellenjeeps schleudernd zum Stillstand kamen und das Flugzeug einkreisten.

KAPITEL 84

Die Staubwolken sanken herab und die Schwarze Mamba stieg aus einem der Jeeps.

»Ich habe dich schwer unterschätzt, mein Weißer Krieger«, verkündete der General in bitterem, zugleich aber bewunderndem Ton. »Ich habe keine Ahnung, wie man dich ausgebildet hat, aber du bist jedenfalls kein gewöhnlicher Junge.«

Ein Dutzend Sturmgewehre war auf sie gerichtet; Connor und die anderen hatten keine andere Wahl: Sie mussten sich ergeben. Sie legten Gunner sanft auf die Erde. Beinahe hätten sie es geschafft, lebend aus dieser Hölle zu fliehen. Als letzten Schutz, den er seinen Klienten noch geben konnte, stellte sich Connor vor Amber und Henri und wartete darauf, dass der Rebellenführer den Befehl gab, sie zu erschießen.

General Pascal wandte seine blutunterlaufenen Augen dem abtrünnig gewordenen Deo zu. »Von all meinen Kindersoldaten hätte ich von dir am allerwenigsten erwartet, dass du mich verrätst. Nach allem, was ich für dich getan habe. Ich habe dich zum Mann gemacht! Zu einem großartigen Kämpfer!« Bitter enttäuscht, schüttelte der General den Kopf. »Aber ich bin ein nachsichtiger Befehlshaber. Ich werde dir noch einmal verzeihen, wenn du in deine rechtmäßige Familie zurückkehrst – nur dann bleibst du am Leben.«

Und wie ein großmütiger Vater, der den verlorenen Sohn wieder an sich ziehen wollte, breitete der General die Arme aus. Deo schaute seine Schwester an, die ihn mit stummem Blick anflehte, bei ihr zu bleiben.

»Triff deine Entscheidung!«, sagte der General ungeduldig. »Auf welcher Seite stehst du, NoMercy? Entscheide dich zwischen Leben und Tod.«

Deo legte den Arm um seine Schwester, zog das rote Barett vom Kopf und warf es dem General vor die Füße. »Zuzu ist meine richtige Familie«, sagte er fest. »Lieber sterbe ich, als dass ich mein Leben voller Hass verbringe.«

»Na gut«, sagte der General lässig, hob die Glock 17 und zielte sorgfältig auf Deos Kopf. »Macht mich zwar traurig, aber was soll's ...«

Plötzlich begann er zu zittern, griff sich an den Hals, würgte und hustete, dann presste er die Hand aufs Herz. Und stürzte wie ein gefällter Baum zu Boden, wo er sich vor Schmerzen wand und krümmte. Die Augen traten ihm schier aus dem Kopf, die Zunge quoll dick und rot aus dem Mund, die Adern an seinem verletzten Arm waren aufgeschwollen. Zuzus Pfeile – hatte sie nicht davor gewarnt? *Toxique.* Das tödliche Gift der Pfeilspitze hatte sich endlich im mächtigen Körper des Generals ausgebreitet und griff nun sein Herz an.

Die Rebellen gerieten in Panik, kauerten neben ihrem Befehlshaber nieder und wollten ihm auf die Füße helfen, doch es war zu spät. Im allgemeinen Durcheinander bemerkte keiner von ihnen, wie Connor und die anderen den Ranger die Treppe hinauf und in das Flugzeug schafften. Der Pilot ließ die Treppe einfahren, die Motoren heulten auf und das Flugzeug setzte sich in Bewegung. Der Rückstoß aus den Düsen wirbelte gewaltige Staubwolken auf, die die Rebellen vollständig einhüllten. Als sich der Staub wieder legte und sie ihre Magazine auf das Flugzeug leer schossen, hatte es schon fast die Mitte der Startbahn und die Startgeschwindigkeit erreicht.

Connor und die anderen ließen sich erschöpft in die Sitze sinken und schnallten sich an. Sie atmeten erst auf, als der Jet abhob und steil in die Luft stieg. Stumm, geschockt, unendlich erleichtert blickten sie auf das Tal hinunter, das für sie beinahe zum Tal des Todes geworden wäre. Sie hatten keine Chance gehabt – und doch hatten sie überlebt. Sie waren in Sicherheit.

Als der Pilot die Maschine in eine Kurve zog und Kurs auf die Hauptstadt nahm, blickte Connor noch einmal hinunter. Ein paar Kilometer von der Lodge entfernt waren Truppenverbände zusammengezogen worden; ein starkes Kontingent rückte von mehreren Seiten auf die Landebahn und auf die Lodge vor. Die Rebellen hatten keine Chance; sie standen einer überwältigenden Übermacht gegenüber; entweder flohen sie in Panik in den Busch oder sie legten die Waffen nieder und ergaben sich.

Zuzu lehnte sich zurück und seufzte. Noch nie im Leben hatte sie in einem so unglaublich weichen und bequemen Sessel gesessen. Sie murmelte ihrem Bruder etwas zu und er nickte zustimmend.

Amber schaute Zuzu fragend an, woraufhin diese ihre Worte auf Französisch wiederholte.

»Was hat sie gesagt?«, fragte Connor.

Amber lächelte. Sie blickte erst Zuzu und dann Connor dankbar und unendlich erleichtert an und zog Henri dicht an sich.

»Schneide der Schlange den Kopf ab, dann stirbt auch der Körper.«

KAPITEL 85

»Die Schwarze Mamba – vergiftet?«, rief Generalmajor Tabu Baratuza und lachte dröhnend. Sein Französisch wurde eine Sekunde später von Connors neuem Smartphone übersetzt, das ihm Colonel Black mitgebracht hatte. »Soll doch keiner mehr behaupten, es gäbe keine Gerechtigkeit in Afrika!«

Die Gäste lachten, hoben die Champagnerflöten und prosteten sich zu. Die Champagnerbar im prächtigen Präsidentenpalast von Bujumbura war zum Bersten gefüllt mit Politikern, ausländischen Diplomaten, erfolgreichen Geschäftsleuten. Sie feierten die Amtseinführung von Adrien Rawasa, dem früheren Minister für Energie und Bergbau, der kurz zuvor als neuer Präsident Burundis vereidigt worden war.

»Und welche Strafe wird Michel Feruzi erhalten?«, fragte Gaspard Sibomana, der neu ernannte Minister für Handel und Tourismus. »Tod durch Essen?«

Auch darüber wurde herzlich gelacht.

Botschafter Laurent Barbier und seine Familie lachten nicht. Seit dem Überfall auf den Safarikonvoi und ihrer knappen Flucht war noch keine Woche vergangen; zu frisch waren die Wunden – und die Erinnerungen an den Albtraum.

»Wie können sie darüber nur Witze machen?«, fragte Cerise verbittert. Während ihr Mann ziemlich glimpflich davongekommen war, hatte sie schwere Brandwunden an den Armen erlitten und hinkte leicht.

»Der Tod ist in Afrika allgegenwärtig«, erklärte Colonel Black. »Wenn sie nicht darüber lachen könnten, bliebe ihnen nur das Weinen. Und das liegt nicht in ihrer Natur.«

»Wer hätte geglaubt, dass Feruzi der Verräter war?«, sagte Laurent und schüttelte bekümmert den Kopf. »Nach der ganzen wunderbaren Arbeit, die wir zusammen für den Park geleistet haben, habe ich ihn für meinen Freund gehalten! Ich kann nur sagen, wie froh ich bin, dass ich Ihre Dienste in Anspruch genommen habe, Colonel. Wenn Connor nicht gewesen wäre, würden wir heute nicht feiern, sondern trauern.«

»Ich habe nichts anderes von ihm erwartet«, sagte der Colonel und blickte Connor mit unverhohlener Anerkennung an. »Er ist bis ins Mark das Abbild seines Vaters.«

Für Connor war es das höchste Lob, das man ihm zollen konnte. Mit seinem Vater verglichen zu werden, machte ihn stolz und glücklich. Colonel Black brauchte gar nichts weiter zu sagen, wenn er seine tief empfundene Anerkennung für Connors Leistung ausdrücken wollte. Der Chef der Buddyguard-Organisation war ohnehin ein Mann der Tat und nicht des Wortes. Er war als Erster in das Flugzeug gestürzt, als es in Bujumbura gelandet war, um sich zu vergewissern, dass es Connor gut ging. Dann hatte er den Transport in eine private Klinik organisiert, wo sie alle sofort medizinisch behandelt und betreut wurden. Und während sich Connor von seinen zahlreichen Verletzungen erholte, war der Colonel ein ständiger Besucher gewesen.

Cerise beugte sich vor und küsste Connor auf beide Wangen. »Merci, merci«, flüsterte sie. »Du hast meine Kinder in Sicherheit gebracht, Connor. In unserem Haus in Paris wirst du immer hochwillkommen sein.«

»Danke, Madame Barbier, das ist sehr freundlich«, antwortete Connor. »Nach allem, was wir gemeinsam durchgestanden haben, sind Amber und Henri und ich wirklich enge Freunde geworden.«

Henri stand neben seiner Mutter. Die roten Striemen auf seinen Armen und auf dem Rücken waren zwar noch nicht verheilt, aber doch schon stark abgeschwollen. Die Erinnerung an die entsetzlichen Schläge war jedoch noch frisch und würde noch lange von den Narben auf seinem Rücken wachgehalten werden. Schüchtern lächelte Henri zu Connor auf, dann warf er die Arme um ihn und drückte ihn fest an sich. »Kannst du uns nicht für immer beschützen?«

Connor zauste ihm die roten Haare. »Du fliegst nach Hause zurück, Henri. Dort wird dir niemand etwas antun.«

»Aber ich habe immer noch Angst«, gestand er leise. Dann wühlte er in seinen Hosentaschen. »Fast hätte ich es vergessen – deine Uhr.«

Er reichte Connor die Rangeman, auf der kaum ein Kratzer zu sehen war.

»Nein, sie gehört dir«, sagte Connor und schloss Henris Hand um die Uhr. Henri brauchte Connors Geburtstagsgeschenk noch mehr als er selbst. »Trage sie immer dann, wenn du vor irgendetwas Angst bekommst.«

Henri nahm das Geschenk dankbar an. »Das mache ich«, versprach er.

Amber trat vor und nahm Connors Hand. Sie schaute ihn einen Moment lang an. Das Leuchten war wieder in ihre grünen Augen zurückgekehrt, aber die entsetzlichen Erlebnisse ihrer Flucht vor den Rebellen hatten Amber verändert – sie war reifer und erfahrener geworden. Sie beugte sich vor und küsste ihn liebevoll auf beide Wangen, und er roch ihren wunderbaren Duft und genoss die sanfte Berührung ihrer

Haare. Die Küsse dauerten vielleicht ein wenig länger als nötig und hätten vielleicht noch viel länger gedauert, wenn sie ihre wahren Gefühle für ihn hätte ausdrücken können, aber solange ihre Eltern direkt neben ihnen standen, war das nicht möglich. »Du hast für immer einen Platz in meinem Herzen«, flüsterte sie und drückte ein letztes Mal seine Hand.

Laurent und seine Familie wurden zu einer Pressekonferenz gerufen; Connor und Colonel Black zogen sich in eine stillere Ecke der Bar zurück, um nicht aufzufallen. Dann wurde ein Rollstuhl hereingeschoben. Connor starrte verblüfft auf den Mann, der darin saß.

»Gunner!«, rief er aus und lief schnell zu ihm hinüber. »Ich hätte nie geglaubt, dass Sie so schnell wieder auf die Beine kommen!«

»Auf die Räder, meinst du wohl«, antwortete der Ranger lachend, brach aber sofort ab und verzog schmerzhaft das Gesicht. Seine Brust war bis zum Hals dick verbunden und seine Stimme klang noch heiserer als sonst. »In Afrika überleben nur die Starken«, erklärte er. »Und *du*, mein Junge, bist definitiv ein Löwe!«

Connor fühlte sich durch den Vergleich geehrt. »Aber was sind dann Sie?«

»Im Moment ein Kragenfaultier«, sagte er und deutete auf seine Bandagen auf Brust und Hals. »Aber bald bin ich wieder auf den Beinen.«

»Joseph Gunner, nehme ich an?«, fragte Colonel Black und trat näher, um sich vorzustellen. »Ich bin Colonel Black, Connors ... Vormund. Sie waren noch bewusstlos, als ich Sie zum ersten Mal sah. Ich möchte mich dafür bedanken, dass Sie mitgeholfen haben, ihn und die Familie Barbier zu retten.«

Gunner lachte, verzog aber sofort wieder das Gesicht. »Na,

am Ende musste Connor *mich* retten! Sie haben hier einen wirklich bemerkenswerten Jungen.«

»Ja, ich weiß«, antwortete der Colonel. »Und darüber wollte ich mit Ihnen reden. Connor hat sich sehr positiv über Sie geäußert. Ich möchte Ihnen einen Vorschlag machen, der Sie vielleicht interessieren könnte.«

»Na, anhören kostet nichts, Colonel. Höchstens ein bisschen Zeit. Und in meinem derzeitigen Zustand habe ich davon jede Menge.«

»Entschuldigst du uns einen Moment, Connor?«, bat der Colonel und lud Gunner mit einer Handbewegung ein, ihm in einen Nebenraum zu folgen. »Gunner«, sagte er im Weggehen, »ich suche einen Mann, dem ich das Überlebenstraining anvertrauen ...«

Während der Colonel den Rollstuhl zur Tür hinüberschob, lehnte sich der Ranger noch einmal seitlich aus dem Rollstuhl und rief zu Connor zurück: »Vergiss den Spruch nicht: *Egal, ob du ein Löwe oder eine Gazelle bist: Wenn die Sonne aufgeht, musst du laufen.*«

Connor lachte. Vom Laufen hatte er für eine ganze Weile genug. Er freute sich auf ein ruhigeres Leben, zum Beispiel als nichtoperativer Kontaktpartner im Einsatzraum der Buddyguard-Zentrale. Er hielt einen vorbeigehenden Kellner an und versorgte sich mit einem der zierlichen Hähnchen-Grillspieße. Nachdenklich kauend stand er in einer Ecke und überlegte, was Amber in diesem Augenblick wohl machte, als ihm jemand leicht auf die Schulter tippte. Er drehte sich um und fand sich Auge in Auge mit dem neuen Staatspräsidenten.

»Ich möchte dir persönlich meine Anerkennung ausdrücken, dass du die Barbier-Kinder unversehrt zurückgebracht hast«, sagte Präsident Rawasa. Seine Stimme war überraschend sanft und leise für jemanden, der nun ein ganzes

Land regieren musste.« »Wenn die Kinder den Überfall nicht überlebt hätten, wäre unser Land in eine schwierige Lage geraten, mit unabsehbaren internationalen Folgen. Ich weiß bis heute nicht, wie ihr es geschafft habt, lebend aus dem Tal herauszukommen.«

»Wir hatten sehr viel Glück«, antwortete Connor. »Aber wahrscheinlich hätten wir es nicht geschafft, wenn Zuzu nicht gewesen wäre, das Batwa-Mädchen.«

»Ja«, nickte der Präsident nachdenklich. »Zuzu. Den Namen muss ich mir merken ...«

Der Präsident schüttelte Connor die Hand, und plötzlich stieg Connor ein leichter Duft in die Nase, der Duft eines teuren französischen Herrenparfüms, das leicht nach Moschus roch. Es war ein unverkennbarer Duft, der Connor sofort in das verborgene Tal zurückversetzte und ihm den geheimnisvollen Fremden in Erinnerung rief, der knapp außerhalb des Lichtkreises der Petroleumlampen gestanden hatte. Connor hatte den Fremden für den weißen Mann gehalten, den er damals auf dem brennenden Tanker zum letzten Mal gesehen hatte. Aber diesen Duft hatte er auch schon beim ersten Zusammentreffen mit Adrien Rawasa in der Safari-Lodge wahrgenommen. Und wie viele Männer in diesem zweitärmsten Land der Welt konnten sich ein derart teures und ausgefallenes Parfüm leisten?

»Stimmt etwas nicht?« Präsident Rawasa lächelte ihn fragend an.

Connor schüttelte den Kopf. »Nein, alles in Ordnung. Mir ist nur gerade etwas eingefallen, das ich dem Colonel erzählen muss.«

KAPITEL 86

Connor zwang sich, so gelassen wie möglich zu der Tür des Nebenraums zu schlendern, in dem der Colonel und Gunner verschwunden waren. Der Präsident durfte auf keinen Fall misstrauisch werden. Doch der Nebenraum war leer. Connor ging weiter; eine Doppeltür führte in einen langen Flur. Auch hier war niemand zu sehen, aber er hörte Stimmen aus einem Raum weiter hinten im Flur. Schnell und so leise wie möglich huschte er über den polierten Parkettboden, während der Lärm der Feier hinter ihm immer schwächer wurde.

Die Tür stand einen Spaltbreit offen, und durch diesen Spalt sah er Laurent Barbier. Connor war der Meinung, dass der Botschafter genauso wie der Colonel erfahren sollte, was Connor misstrauisch gemacht hatte. Er wollte gerade klopfen und eintreten, als er den Mann erblickte, mit dem sich Barbier unterhielt. Connor erstarrte vor Schreck.

Der Geist aus der Vergangenheit war wieder aufgetaucht.

Der aschfahle Fremde stand dem Botschafter gegenüber. Er war unauffällig, sowohl nach der Körpergröße als auch nach dem Aussehen, und trotzdem strahlte er eine düstere, unheimliche Präsenz aus, die den Raum förmlich zu vergiften schien. Ihn auch nur anzusehen, schickte einen Schauder über Connors Rücken, als krabbelten tausend Treiberameisen an ihm hoch. Er fühlte sich immer unbehaglicher. Doch er drückte sich an die Wand und belauschte das Gespräch.

»Sie haben mir nicht gesagt, dass meine Kinder in Gefahr geraten könnten!«, sagte Laurent scharf.

»Solche Risiken gibt es eben in solchen Territorien«, antwortete der Mann gelassen, an dem die Wut des Botschafters offenbar abprallte.

»Aber warum wurde ich über den Anschlag nicht vorab informiert? Wir hätten alle ums Leben kommen können!«

Der Mann reagierte nur mit einem kaum wahrnehmbaren Schulterzucken. »Manchmal ist es besser, wenn man nichts weiß. Sie haben doch für den Schutz Ihrer Kinder gesorgt – ein wenig ungewöhnlich, muss ich hinzufügen –, aber Ihre Kinder haben überlebt. Außerdem werden Sie bald ein sehr reicher Mann sein!«

»Mr Grey. Wenn es um das Leben meiner Familie geht, ist mir nichts anderes wichtig.«

»Ach ja?«, gab der andere mit anzüglichem Grinsen zurück. »Würden Sie auch Ihre ... Geliebte zur Familie zählen?«

Dem Botschafter verschlug es offenbar die Sprache.

Mr Grey genoss es, den Mann in Verlegenheit gebracht zu haben. »Nun, wir wollen doch nicht, dass Madame Barbier von Ihren kleinen ... Eskapaden erfährt, nicht wahr?« Plötzlich zuckte sein Blick zur Tür und Connor riss den Kopf zurück.

Er hielt den Atem an und hoffte, dass der Geist ihn nicht bemerkt hatte.

»Kommen wir wieder zu unserem Geschäft«, fuhr Mr Grey fort. »Sagen Sie, können Sie mit Bestimmtheit versichern, dass der neue Präsident mit an Bord ist?«

»Ja«, antwortete Laurent mit gepresster Stimme. »Der Ruvubu-Nationalpark wird nur dem Namen nach ein Park sein. Wir wahren den Anschein, dass er ein voll funktionierender Safaripark ist, aber in Wirklichkeit werden keine Touristen hineingelassen. Der Park wird vollständig geschlossen, damit dort nach Diamanten gesucht werden kann.«

»Hervorragend. Und Equilibrium erhält die alleinigen Schürfrechte?«

»Im Austausch dafür, dass es Präsident Rawasa an der Macht hält... welche Maßnahmen dafür auch immer nötig sein werden.«

Mr Grey nickte. »Und Sie, Herr Botschafter, werden die Diamanten aus dem Land schmuggeln, in Ihrem Diplomatengepäck, das der Zoll nicht durchsuchen darf? Und Sie werden auch dafür sorgen, dass die Diamanten die nötigen Zertifikate erhalten?«

»Ja«, nickte Laurent. »Das ist die Vereinbarung.«

Mr Grey holte einen kleinen Wildlederbeutel aus der Tasche, der randvoll mit kleinen Steinen gefüllt war, und reichte ihn dem Botschafter. Laurent ging zu einem Tisch, auf dem ein lederner Aktenkoffer lag, öffnete ihn und legte den Beutel in ein Geheimfach.

»Unser Geschäft ist damit besiegelt, Botschafter«, stellte Mr Grey fest und ging zu einer Seitentür. »Feiern Sie weiter, Sie haben ja allen Grund dazu. Schließlich sind Sie gerade Multimillionär geworden.«

KAPITEL 87

Connor sprang quer über den Flur und verschwand in einem der Zimmer gegenüber, keine Sekunde zu früh: Laurent kam mit dem ledernen Aktenkoffer heraus. Connor lehnte sich an die Wand. Ihm war schlecht. Nie hätte er Laurent für korrupt gehalten. Allmählich dämmerte ihm, dass er sich hier mitten in einem Nest giftiger Vipern aufhielt. Sein Leben war in höchster Gefahr, und die einzige Person, der er hier noch vertrauen konnte, war der Colonel. Connor musste ihn suchen, und zwar schnell.

»Du tauchst doch immer an den falschen Orten und zur falschen Zeit auf, Connor Reeves.«

Connor wirbelte herum. Mr Grey stand direkt hinter ihm.

»Ja, ich weiß, wer du bist«, fuhr der Mann fort und genoss sichtlich Connors entsetzten Gesichtsausdruck.

So verzweifelt Connor sich zu fliehen wünschte, stand er doch wie festgewurzelt. Aus der Nähe war Mr Grey ein enervierender Anblick. Sein mageres Gesicht war schlicht und unauffällig, aber gerade diese dumpfe Gewöhnlichkeit ließ es umso erschreckender erscheinen, wie ein zum Leben erwachtes Wachsgesicht. Die Haut war trocken, grau und blutarm, in den eisgrauen Augen lag keinerlei menschliche Wärme.

Und als er noch einen Schritt näher trat, roch Connor seinen Atem – wie der modrige Geruch eines Grabes.

»Nun, Connor, sag mir doch: Was weißt du?«, fragte er, so beiläufig, als erkundigte er sich nach dem Wetter. Aber die unterschwellige Drohung war nicht zu überhören.

»Ich kenne Ihren Namen, Sir, weiß aber nicht, wer Sie sind«, antwortete Connor, dessen Gaumen vor Angst wie ausgetrocknet war.

»Ich fürchte, das ist schon mehr als genug.« Mr Grey ließ einen tiefen Seufzer hören, dann betrachtete er Connor nachdenklich, als müsse er überlegen, was er jetzt mit ihm anfangen sollte.

»Ich habe Sie auf dem Tanker in Somalia gesehen«, gab Connor zu, der nun endlich wieder ein wenig klarer denken konnte. »Was hatten Sie dort zu suchen? Warum haben Sie den Piratenboss erschossen? Sind Sie ein… Killer?«

Mr Grey starrte ihn mit schmalen Augen an. »Junge Burschen sind so neugierig! So viele Fragen! Aber kennst du das alte Sprichwort?« Er hielt inne, um die Wirkung zu steigern. »Neugier ist der Katze Tod.«

Connor wäre am liebsten geflohen. Aber seine Beine gehorchten ihm nicht. Und vielleicht war das auch gut so, denn er fürchtete, Mr Grey würde ihn beim geringsten Fluchtversuch sofort eliminieren. Statt seiner Angst nachzugeben, begann Connor, den Mann zu provozieren.

»Na, wenn Sie vorhaben, mich zu töten, sollten Sie dieses Mal nicht danebenschießen.«

»Ich schieße nie daneben«, blaffte ihn Mr Grey an, der das offenbar als höchste Form der Beleidigung empfand.

»Haben Sie aber, in der Mine am Fluss.«

Der andere verzog den Mund zu einem dünnlippigen Lächeln. »Ich habe sehr genau getroffen.«

Connor zuckte verblüfft zurück. »Den Rebellen?«

Mr Grey nickte knapp.

»Sie haben mir bei der Flucht geholfen?«, fragte Connor ungläubig.

»›Geholfen‹ würde ich es nicht nennen. Ich habe nur das Gleichgewicht wiederhergestellt. Man könnte auch sagen, das Equilibrium.«

»Was meinen Sie mit Equilibrium?«, wollte Connor wissen.

Mr Grey schnalzte missbilligend mit der Zunge. »Ts, ts, ts. Denk an die Katze! Aber was das angeht: Dich hier und jetzt zu eliminieren, würde zu viele unangenehme Fragen provozieren.« Er beugte sich näher, um Connors ungeteilte Aufmerksamkeit zu haben. »Das ist unsere zweite Begegnung, Connor Reeves. Ich gebe dir einen sehr, sehr guten Rat: Sorge dafür, dass es zu keiner dritten kommt.«

Connor schluckte. Das Gespräch wirkte auf ihn wie ein Schlag in die Nieren. »Was ... was haben Sie mit mir vor?«

Mr Grey beugte sich noch näher, bis sein fahles Gesicht Connors Sehfeld völlig ausfüllte. Connor konnte den Blick nicht von diesen hypnotisierenden, bodenlosen Augen lösen. Es war, als würde er immer weiter in die Tiefe gezogen, wie ein Ertrinkender. Mr Grey flüsterte ihm Worte ins Ohr, und seine fast atemlose Stimme drängte sich wie Gift tief in Connors Unterbewusstsein.

»Vergiss mein Gesicht ... es gibt mich nicht ... du hast noch nie meinen Namen gehört ... Equilibrium bedeutet nichts ... Für dich bin ich nur ein Geist ...«

KAPITEL 88

»Hier bist du! Und ich hab schon gedacht, du bist gegangen, ohne dich richtig zu verabschieden!«

Connor blinzelte und schüttelte den Kopf, als sei er aus einem tiefen Traum erwacht.

»Was zum Teufel machst du hier drin, ganz allein?«, fragte Amber und trat in den Raum.

Connor blickte sich verwirrt um. Er befand sich in einem offenbar selten benutzten Büro – ein alter Holzstuhl, ein abgenutzter Schreibtisch, ein veralteter Kalender an der Wand. Das Letzte, woran er sich erinnern konnte, war, dass er sich von einem der Kellner einen Hähnchenspieß hatte geben lassen. Wie zum Henker war er hier hereingekommen? Eine vage Erinnerung tauchte auf. »Äh... ich glaube, ich hatte Colonel Black gesucht.«

Connor wusste, dass er dem Colonel etwas Wichtiges hatte mitteilen wollen. Es lag ihm auf der Zunge, aber er wusste nicht mehr, was es war.

»Der Colonel? Der ist im Ballsaal«, sagte Amber. »Und weißt du, dass auch Gunner gekommen ist? Der Mann muss stark wie ein Löwe sein, dass er sich so schnell erholt hat.« Jetzt erst bemerkte sie, wie blass und benommen Connor aussah. »Was ist – geht es dir gut?«

Connor nickte. »Ja, alles okay. Bin nur ein bisschen müde.«

»Das überrascht mich nicht«, sagte Amber leise und kam näher, ein fröhliches Lächeln auf den Lippen. »Und, übrigens, ich hab großartige Neuigkeiten.«

»Na, ich bin gespannt.«

»Mein Vater kam gerade von einer Besprechung.« Etwas Unbestimmtes regte sich in Connors Erinnerungen, wie ein leises Zwicken, ohne dass er gewusst hätte, was oder wo es war. »Er will eine Benefiz-Party in der Botschaft organisieren – und der Erlös soll für Zuzu und Deo verwendet werden! Sie sollen eine Wohnung bekommen und eine richtige Schule besuchen, damit sie später arbeiten und Geld verdienen können! Eine Chance, ein normales Leben zu führen!«

»Das ist wunderbar!«, sagte Connor. Und es waren wirklich gute Neuigkeiten. Sie sorgten dafür, dass sein müdes Gehirn wieder ein wenig auf Touren kam. »Komm, wir gratulieren ihnen.« Connor wandte sich zur Tür.

»Warte doch noch kurz«, sagte Amber, griff nach seiner Hand und hielt ihn zurück. Mit der anderen Hand schob sie die Tür zu. »Bevor wir wieder zur Party zurückgehen, müssen wir noch etwas zu Ende bringen.«

»Was denn?«, fragte Connor verständnislos.

»Dieses Mal gibt es keine Schlangen, Ameisen, Krokodile oder Leoparden, die uns stören…«, murmelte sie und küsste ihn voll auf die Lippen. Ein richtiger französischer Kuss.

Connor verschlug es buchstäblich den Atem. Er zog sie an sich und küsste sie ebenfalls. Das ganze Entsetzen, die Todesängste, die Qualen der vergangenen Tage schrumpften zu einem Nichts zusammen; jetzt gab es nur noch diese Umarmung, diesen Kuss. Irgendwo weit hinten in seinem Bewusstsein meldete sich eine leise Stimme, die ihn mahnte… Buddyguard hatte sehr strenge Regeln.

Aber, hey, wenn er bei seinen Einsätzen nicht gewisse Risiken eingegangen wäre, würde er das hier gar nicht mehr erleben ...

Doch tief in seinem Herzen wusste er, dass es sich nicht deshalb falsch anfühlte, Amber zu küssen. Es war wie eine Erleuchtung. Sanft schob er sie von sich.

»Nicht aufhören«, murmelte sie verträumt und mit halb geschlossenen Augen.

»Es tut mir leid, aber das darf ich nicht. Ich ... ich bin dein Bodyguard.«

»Und du beschützt mich. Ich fühle mich sicher bei dir. Sehr sicher.« Sie näherte sich wieder und versuchte, ihn zu küssen.

Aber Connor hielt sie von sich. »Ich darf nicht dein Boyfriend sein, Amber. Ich habe einen Eid geschworen, mich nicht mit meinen Klientinnen einzulassen. Und wenn ich mich zu etwas verpflichte, dann halte ich mich daran.«

Amber wich einen Schritt zurück und studierte sein Gesicht, sehnsüchtig und zugleich mit wehmütiger Bewunderung. »Du bist der erste Junge, den ich kennengelernt habe, der tatsächlich immer das tut, was er sagt, und sein Wort hält.« Sie war den Tränen nahe. »Dafür bewundere ich dich.«

Jetzt trat sie vollends zurück, schob eine Haarsträhne aus der Stirn und brachte sich wieder unter Kontrolle. Tränen glitzerten in ihren grünen Augen, aber ihr Gesicht wirkte entschlossen und voller Selbstvertrauen.

»Melde dich, wenn du zu einer Beziehung bereit bist, Connor. Aber ich warte nicht ewig.«

Sie küsste ihn flüchtig auf beide Wangen, dann öffnete sie die Tür und ging hinaus. Mit tiefem Bedauern hörte er ihre Schritte im Flur verklingen.

KAPITEL 89

»Was gibt's Neues in der Operation Hawk-Eye?«, fragte Connor, froh, wieder im Einsatzraum des Alpha-Teams zu sitzen.

»Jedenfalls keine faulen Eier mehr!«, antwortete Amir vom Monitor. Sein Gesichtsausdruck zeigte jetzt mehr Selbstvertrauen als bei ihrem letzten Gespräch. »Aber dafür eine Bombe!«

»Eine Bombe!«, rief Connor entsetzt aus. »Aber dir geht es gut? Was ist passiert?«

Amir nickte. »Ich hab deinen Ratschlag befolgt und sie sofort entdeckt!«, verkündete er und wedelte mit der Sonnenbrille vor der Kamera herum. »Du hast ja gesagt, der Verstand ist die beste Waffe. Und deshalb hab ich meine Elektronikkenntnisse benutzt und die Gläser der Sonnenbrille neu programmiert. Sie reagieren jetzt auf plötzliche Bewegungen. Mein persönliches Frühwarnsystem. So konnte ich mich vor meinen Klienten werfen, als die Bombe heranflog.«

»Aber … wie hast du überlebt?«

»Es war nur eine Wasserbombe«, erklärte Amir und lachte über Connors geschockt aufgerissene Augen. »Ich wurde richtig nass!«

Connor lachte erleichtert. »Na, ist doch prima, dass du so

gut drauf bist. Sorry, dass ich die letzten Wochen nicht da war, aber ich, äh, war ein bisschen beschäftigt.«

»Kein Problem«, sagte Amir. »Charley war mein Kontakt, und ich weiß, dass die andere Sache wichtiger war.« Amir beugte sich ein wenig näher und kniff die Augen zusammen. »Sehe ich es richtig... du hast deine Uhr verloren? Das Ding war unzerstörbar! Kann man dir wirklich nichts für deine Missionen mitgeben, ohne dass du es verlierst oder kaputt machst?«

Connor wurde ein wenig rot. Nachdem er Henri seine Uhr geschenkt hatte, hatte er im Duty-free-Shop am Flughafen für sich selbst eine neue Rangeman gekauft. »Wie... wie hast du es bemerkt?«

Amir verdrehte die Augen. »Die, die du jetzt trägst, ist eine von der allerneuesten Serie, erst seit Kurzem auf dem Markt. Sieht man doch sofort an den roten Markierungen auf dem Gehäuse. Deine war eine von der vorhergehenden Serie.«

»Egal welche Serie, ohne euer Geschenk wäre es mir jedenfalls ziemlich schlecht ergangen«, sagte Connor mit wehmütigem Lächeln. »Ich wäre buchstäblich verloren gewesen.«

»Wie war's denn nun eigentlich in Afrika?«, fragte Amir.

Connor zögerte mit der Antwort. »Es ist wunderschön dort, es verschlägt einem fast den Atem... und es ist gefährlicher als alles andere auf der Welt. Afrika geht einem wirklich unter die Haut. Trotz allem, was dort passiert ist, ich würde auf der Stelle wieder zurückkehren. Aber vielleicht nicht unbedingt zu einer Safari!«

»Klingt so, als würdest du jetzt erst mal richtige Ferien brauchen!«, sagte Amir.

Connor nickte. »Wenn du zurück bist, fragen wir den Colonel, ob wir nicht mal ein paar Tage frei bekommen.«

»Prima Idee! Urlaub von Buddyguard!« Im Hintergrund

war eine Stimme zu hören und Amir blickte sich um. »Sorry, Kumpel, aber ich muss gehen. Die Pflicht ruft.«

»Alles klar, Mann. Bleib sauber, Amir. Alpha Control, Ende.«

Als Connor die Video-App schloss, krallte sich plötzlich eine Hand in seine Schulter. Er fuhr mit schmerzverzerrtem Stöhnen aus dem Stuhl hoch.

»Hallo, Süßer«, hauchte Ling und bleckte ihre Zähne wie ein Raubtier. »Wann bist du bereit für unseren entscheidenden Endkampf?«

»Frühestens in ein paar Wochen. Der Arzt sagt, ich muss mich erst erholen, sonst reißen die Nähte wieder auf.«

Ling schnalzte bedauernd mit der Zunge. »Ausreden, nichts als faule Ausreden! Was denn – sollen wir so lange mit deinen lächerlichen Stichen Tic-Tac-Toe spielen oder was?«

»Gönn ihm mal eine Pause, Ling«, mahnte Charley, die gerade den Tagesbericht des Teams in ihren Computer eingab. Sie schaute Ling streng an. »Er muss sich erst erholen!«

»Warum wird Connor immer von allen bedauert und ich nicht?«, fragte Marc und schob sein T-Shirt hoch, damit alle die kleine Narbe von der Blinddarmoperation bewundern konnten. »Ich musste mit Blaulicht ins Krankenhaus, um mir das halbe Gedärm heraussäbeln zu lassen!«

»Schade, dass sie dir nicht auch die Stimmbänder herausgeschnitten haben«, witzelte Jason. »Dann würde uns dein ständiges Gejammer erspart bleiben.«

»Das ist nicht lustig!«, protestierte Marc. »Ich wäre um ein Haar *gestorben!*«

Connor sagte nichts, aber er hätte eine akute Blinddarmentzündung jederzeit einem Kampf gegen Rebellen und Krokodile vorgezogen. Dann hätte er auch seiner Gran viel leichter erklären können, warum er sich so lange nicht gemeldet hatte.

So musste er eine ordentliche Predigt über sich ergehen lassen, bei der sogar die Schwarze Mamba den dicken Schädel eingezogen hätte. Aber während er bei seiner Großmutter vorerst schlechte Karten hatte, hatten sich die Krankheitssymptome bei seiner Mutter ein wenig verbessert, vorläufig jedenfalls.

Richie schloss sein Notebook und ging zur Tür. »Hey, Leute, Pizza steht auf dem Speiseplan. Wer kommt mit?«

Alle packten ihre Sachen zusammen, nur Charley nicht.

»Ich komme nach«, sagte sie und seufzte. »Muss noch den Bericht fertig schreiben.«

»Okay, wir lassen dir ein Stück übrig!«, schrie Ling und verschwand mit Jason. Marc ging ebenfalls zur Tür, schaute aber Connor fragend an.

Connor zögerte. »Ich komme auch gleich«, sagte er.

Als sie allein im Raum waren, rutschte Connor verlegen auf seinem Stuhl hin und her. Er fragte sich, wie er das Thema ansprechen sollte, das ihn seit seiner Rückkehr aus Burundi beschäftigt hatte. Gerade als er seinen Mut zusammengerafft hatte, blickte Charley herüber und sagte: »Du musst nicht auf mich warten.«

»Schon okay«, antwortete er und war plötzlich noch nervöser als vor einem wichtigen Einsatz. »Ich... äh... ich wollte dich mal was fragen... Hättest du nicht mal Lust, mit mir auszugehen? Ich meine, ins Kino oder so?«

Charley hörte auf zu tippen. Sie ließ die Hände in den Schoß sinken. »Fragst du mich... ich meine, soll das eine Einladung zu einem *Date* sein?«

Sie schien plötzlich mindestens so nervös zu sein wie er.

Connor nickte.

Charleys tiefblaue Augen suchten in seinem Gesicht nach einem Zeichen, dass er es nicht ernst meinen könnte. »Bist du... bist du sicher?«

»Ich bin mir noch nie über etwas so sicher gewesen«, sagte er ruhig. Die Erinnerung an den Kuss mit Amber schoss ihm durch den Kopf. Inzwischen wusste er, warum ihm der Kuss nicht richtig erschienen war: einfach deswegen, weil es nicht Charley gewesen war.

Sie drehte den Rollstuhl zu ihm um. Schaute ihn nachdenklich an. »Denn wenn es dir wirklich ernst damit ist, musst du zuerst erfahren, warum ich in diesem Stuhl sitze und wie es mich verändert hat.«

»Ich will es wissen«, sagte Connor, ging hinüber und setzte sich neben sie. »Ich will alles über dich wissen.«

Charley holte tief Luft, wappnete sich innerlich, um in ihre Vergangenheit zurückzukehren. »Gut... Das ist nämlich das erste Mal, dass ich jemandem die *ganze* Geschichte erzähle...«

Interview mit Chris Bradford

Was hat Sie inspiriert, *Der Hinterhalt* in Afrika spielen zu lassen?

Ich habe kurze Zeit in Afrika gelebt, wo ich in einem Hilfsprojekt arbeitete. Es ist ein sehr reicher Kontinent und als Schauplatz für ein solches Abenteuer wunderbar geeignet. Außerdem wollte ich Connor und die Bodyguards vor eine ganz neue Herausforderung stellen, bei der er und seine Klienten nicht nur von Menschen bedroht wurden, in diesem Fall von Rebellen, sondern auch von der afrikanischen Wildnis. Nach meiner Erfahrung ist Afrika ein fantastischer Kontinent, aber auch ein sehr gefährlicher. Mit diesem Roman wollte ich Connors Überlebensfähigkeit herausstellen.

Wie haben Sie die Forschungen über die Gefahren betrieben, denen sich Connor gegenübersieht?

Ich bin selbst schon Löwen, Skorpionen und Schlangen in freier Wildbahn begegnet, und auf diese Erfahrungen konnte ich zurückgreifen. Aber ich habe auch genauere Nachforschungen über die Tiere angestellt, die in dem Buch vorkommen. Besonders intensiv habe ich mich mit den gefährlichsten Tieren befasst – zum Beispiel mit Krokodilen, Flusspferden und Moskitos. Ich wollte herausfinden, wie man unter Überlebensgesichtspunkten mit ihnen fertigwerden kann, wenn man sonst keine Waffen oder Abwehrmittel zur Hand hat.

Connor muss in dem Roman seine Schlangenphobie überwinden. Wovor hätten Sie selbst am meisten Angst?
Mein schlimmster Albtraum sind Haie. Mir läuft schon ein Schauder über den Rücken, wenn ich nur das Foto eines Hais sehe! In Afrika trifft man zwar auch auf Haie, aber eben nur an den Küsten. In den Kapiteln, in denen Amber Spinnen begegnet, habe ich im Grunde auf meine eigenen Erfahrungen mit meiner Haiphobie zurückgegriffen, um die lähmende Angst zu beschreiben, von der sie ergriffen wird.

Was sind Ihre drei wichtigsten Tipps für das Überleben in der afrikanischen Wildnis?
Die drei Grundlagen für das Überleben sind Wasser, Nahrung und Unterschlupf. Ohne diese drei Dinge verringert sich die Chance, für längere Zeit am Leben zu bleiben, dramatisch.

1. Wasser suchen
In der Savanne regnet es manchmal wochen- oder sogar monatelang nicht. Das macht aus der Wassersuche eine ziemlich schwierige Angelegenheit, aber es gibt trotzdem gewisse Möglichkeiten:
– Suche nach Wildwechseln und folge ihnen, vielleicht führen sie zu einem Wasserloch.
– Wenn du einen schnellfließenden Bach oder Fluss findest, hast du viel Glück. Hüte dich vor stehenden Gewässern; sie können mit Parasiten und Bakterien verseucht sein.
– Wenn möglich solltest du alles Wasser abkochen, das du in der Wildnis findest, bevor du es trinkst.

— Wenn du kein fließendes Wasser finden kannst, solltest du an der tiefsten Stelle eines ausgetrockneten Flussbetts graben. Oft ist darunter Wasser zu finden.
— Wenn du sauberes Wasser findest, kannst du ein T-Shirt oder Hemd als Schwamm verwenden und es in den Mund tropfen lassen.

2. Nahrung finden
Es kann auch schwierig sein, Essbares zu finden, aber wo Wasser ist, findet man häufig auch Nahrung. Beeren und Früchte sind am leichtesten zu finden und stellen eine reiche Nahrungsquelle dar, aber bevor du sie isst, solltest du dich vergewissern, dass sie nicht giftig sind:
— Schneide die Frucht oder Beere auf und rieche daran. Wenn sie wie Pfirsich oder Mandeln riecht, ist sie giftig.
— Reibe das Fruchtfleisch auf deine Haut und warte mindestens eine Minute lang. Wenn sich die Haut rötet oder in irgendeiner Weise reagiert, ist die Frucht giftig.
— Tippe mit dem Fruchtfleisch leicht auf die Lippen. Wenn du ein Brennen verspürst, darfst du die Frucht nicht essen.
— Du kannst die Frucht auch mit der Zunge abschmecken, aber nicht schlucken. Wenn du auf der Zunge nichts spürst, kannst du einen Bissen probieren. Warte mehrere Stunden. Wenn dir dann noch nicht schlecht geworden ist, kannst du die Frucht oder Beere essen.

Und noch ein Hinweis: Larven und Termiten sind gute Proteinquellen!

3. Unterschlupf oder Schutz suchen
Wenn es sich nicht vermeiden lässt und du in der Wildnis übernachten musst, kannst du Folgendes tun:

– Baue eine Boma – eine runde Einfriedung aus Akazienzweigen und -ästen. Die Dornen halten Raubtiere fern. Die kleineren jedenfalls.
– Klettere auf einen Baum und binde dich sicher an einen Ast. Es sollte aber nicht unbedingt der Lieblingsschlafplatz eines Leoparden sein.
– Suche einen hohlen Baobabbaum und verkrieche dich darin.
– Du kannst auch auf einer Felsnase nächtigen, wenn sie breit genug ist. Binde dich fest, damit du in der Nacht nicht über die Felskante rollst.

Den Schlafplatz solltest du immer so wählen, dass du für nächtliche Raubtiere nicht zum Festmahl wirst.

Afrikas tödlichste Raubtiere – und wie man die Begegnung überlebt

1. **Löwen**
   - Der Löwe ist nach dem Tiger die zweitgrößte Großkatzenart der Welt.
   - Ausgewachsene Männchen können bei einer einzigen Mahlzeit bis zu 44 Kilo Fleisch fressen! (Äh... Wieviel wiegst du noch mal?)
   - Das Brüllen eines Löwen kann man in acht Kilometern Entfernung noch hören.
   - Löwen sind mit Reißzähnen ausgestattet, mit denen sie problemlos durch Knochen und Sehnen beißen können. Sie können Tiere reißen, die viel größer sind als sie selbst, bis hin zu einem Giraffenbullen. Sobald sie ein Tier gepackt haben, wird die Beute mit einem schnellen Biss in den Nacken zu Fall gebracht. Oder sie verbeißen sich in der Schnauze der Beute.

Wie du einen Löwenangriff überlebst: Wenn du einem Löwen begegnest, solltest du dich auf keinen Fall umdrehen und zu fliehen versuchen. Das wäre dein Todesurteil. Die beste Chance hast du, wenn du absolut still stehen bleibst, die Arme ausbreitest, damit du so groß wie möglich wirkst, und versuchst, den Löwen einzuschüchtern! Viel Glück dabei!

2. Nilkrokodile
— Ein Krokodil kann seine mächtigen Kiefer in fünfzig Millisekunden zuklappen und so seine Beute fangen.
— Krokodile haben die größte Bisskraft aller Tiere auf der Welt. Die Muskeln, die die Schnauze *öffnen*, sind jedoch nicht so stark. Eine einigermaßen kräftige Person kann einem Krokodil mit bloßen Händen die Schnauze geschlossen halten!
— Auf Unter- und Oberkiefer des Krokodils befinden sich jeweils 24 Zähne, die packen und beißen, aber nicht kauen können. Deshalb schlucken Krokodile Steine, die im Magen dann die Nahrung zermahlen.
— Der Ausdruck »Krokodilstränen weinen« – also falsche Trauer heucheln – kommt von dem Mythos, dass die Reptilien weinen müssten, wenn sie Menschen fressen. In Wirklichkeit ist ihnen ziemlich egal, was sie zwischen die Zähne bekommen. Aber beim Fressen tränen ihnen tatsächlich manchmal die Augen, wenn sie die Schnauze sehr weit aufreißen, weil dabei Druck auf die Tränendrüsen entsteht.

Wie du einen Krokodilangriff überlebst: Die gute Nachricht ist, dass die meisten Opfer das Krokodil erst bemerken, wenn es zu spät ist. Aber wenn es dich erst einmal gepackt hat, ist es völlig sinnlos, dass du versuchst, dich loszureißen – damit bringst du das Krokodil nur dazu, sich mit dir unter Wasser so lange zu wälzen, bis du erledigt bist. Deine einzige Hoffnung ist, gegen den Angreifer zu kämpfen: Schlage oder steche das Reptil in die Augen, denn dort ist es besonders empfindlich. Wenn das nichts nützt, kannst du das Tier auf die Nase oder die Ohren schlagen. Und der allerletzte Tipp: der Kehldeckel. Das ist eine Gewebeklappe hinter der Zunge, die unter Wasser verhindert, dass das Tier ertrinkt. Wenn dein Arm also sowieso schon im Rachen des Krokodils steckt, kannst du vielleicht versuchen, die Kehlklappe hinunterzudrücken. Dann schießt dem Tier das Wasser durch die Kehle und es wird – hoffentlich – deinen Arm loslassen.

3. Schwarze Mambas

— Die Schwarze Mamba ist die schnellste Schlange der Welt, über kurze Strecken kann sie die für ein Kriechtier erstaunliche Geschwindigkeit von bis zu 19 Stundenkilometern erreichen.
— Ihr Biss ist hochgradig giftig. Zwei Tropfen ihres Gifts können einen Menschen töten – und eine Mamba hat dann immer noch 18 Tropfen in Reserve.
— Die Schwarze Mamba ist gewöhnlich olivbraun; ihren Namen hat sie von der schwarzen Färbung ihres Rachens.
— Sie ist leicht zu erkennen – im Durchschnitt ist sie 2,4 Meter lang, hat einen sargähnlich geformten Kopf, ist schlank und unglaublich schnell.
— Sie hat den Ruf, ausgesprochen aggressiv zu sein.

Wie du den Angriff einer Schwarzen Mamba überlebst: Unbehandelte Bisse sind meistens tödlich. Während bei normalgiftigen Schlangen, wie zum Beispiel der Kreuzotter, keine der oft in Spielfilmen dargestellten Rettungstechniken (ausschneiden, aussaugen, abbinden) angewandt werden sollte, da sie mehr Schaden als Nutzen bewirken, kann man nach dem Biss einer hochgiftigen Schlange versuchen, die Blutzirkulation zu verringern (aber nicht völlig abzubinden). Auf jeden Fall sollte sofort ärztliche Hilfe gesucht werden. Je schneller der Gebissene mit Gegenmitteln behandelt wird, desto höher sind seine Überlebenschancen.

4. Flusspferde
- Fluss- oder Nilpferde können extrem aggressiv reagieren, wenn sie sich bedroht fühlen. In Afrika verursachen sie mehr menschliche Todesfälle als jede andere Großwildart.
- Sie können bis zu 50 Stundenkilometer schnell werden und hängen damit sogar Rekordschnellläufer wie Usain Bolt ab, der grade mal 45 Stundenkilometer schafft.
- Nilpferde nehmen es auch mit Krokodilen auf.
- Die häufigste Drohgebärde ist das Nilpferdgähnen. Es soll dir sagen: Mach, dass du wegkommst!
- Ein überhitztes Nilpferd sieht aus, als würde es Blut schwitzen. Die Schweißdrüsen in seiner Haut sondern eine klebrige rote Flüssigkeit ab, die als natürliche Sonnenschutzcreme dient.

Wie du einen Nilpferdangriff überlebst: Halte dich nie zwischen einem Nilpferd und dem Wasser auf. Denn dann geraten sie in Panik und greifen an. Die meisten tödlichen Angriffe erfolgen, weil Menschen durch irgendwelche unglücklichen Umstände oder Zufälle den Tieren zu nahe kommen.

5. Leoparden
- Leoparden sind perfekte Jäger: schlanker, aber starker Körperbau und extrem schnell (bis zu 57 Stundenkilometer).
- Leoparden sind exzellente Schwimmer und Kletterer und können sehr weit springen.
- Sie sind Nachtjäger. Häufig stürzen sie sich von einem Baum herab auf ihre Beute.

– Leoparden versuchen, ihre Beute vor anderen Räubern in Sicherheit zu bringen, indem sie sie auf einen Baum schleppen. Ein männlicher Leopard kann ein Aas auf einen Baum schleppen, das dreimal so schwer ist wie er selbst – sogar kleine Giraffen –, und das bis zu einer Höhe von 16 Metern!
– Kennzeichen des Leoparden ist ein tiefes, raues Husten, das er zehn- oder fünfzehnmal wiederholt – es klingt, als würde ein Ast abgesägt. Einen Angriff kündigt ein Leopard gewöhnlich mit zwei- oder dreimaligem kurzem Husten an.

Wie du einen Leopardenangriff überlebst: Vergiss es!

Jonathan Stroud
Lockwood & Co. – Die Seufzende Wendeltreppe

ca. 416 Seiten, ISBN 978-3-570-40309-9

LONDON, ENGLAND: In den Straßen geht des Nachts das Grauen um, denn seit Jahrzehnten wird Großbritannien von einer wahren Epidemie an Geistererscheinungen heimgesucht. Überall im Land haben sich Agenturen gebildet, die in den heimgesuchten Häusern Austreibungen vornehmen. Hochgefährliche Unternehmungen bei denen sie nicht selten ihr Leben riskieren. So auch die drei Agenten von LOCKWOOD & CO. Das junge Team um den charismatischen Anthony Lockwood hat, um sich zu etablieren, einen hochgefährlichen und zutiefst dubiosen Auftrag angenommen. Dieser führt sie in eines der verrufensten Herrenhäuser des Landes und stellt sie auf eine Probe, bei der es um nichts weniger als Leben oder Tod geht ...

www.cbj-verlag.de

Kathy Reichs / Brendan Reichs
Virals

Die vierzehnjährige Tory Brennan ist die Nichte der berühmten forensischen Anthropologin Tempe Brennan. Mit ihr teilt sie zwei Dinge: den Instinkt für Verbrechen – und den unbedingten Willen, diese aufzuklären ...

Band 1
VIRALS - Tote können nicht mehr reden
480 Seiten, ISBN 978-3-570-40133-0

Band 2
VIRALS - Nur die Tote kennt die Wahrheit
512 Seiten, ISBN 978-3-570-40232-0

Band 3
VIRALS – Jeder Tote hütet ein Geheimnis
480 Seiten, ISBN 978-3-570-40262-7

www.cbj-verlag.de